T. A. BARRON
MERLIN
UND DIE
FEUERPROBEN

T. A. BARRON

MERLIN
UND DIE
FEUERPROBEN

3. BUCH

AUS DEM AMERIKANISCHEN VON
IRMELA BRENDER

DEUTSCHER TASCHENBUCH VERLAG

Von T. A. Barron sind außerdem bei <u>dtv</u> junior lieferbar:
Merlin – Wie alles begann, 1. Buch, <u>dtv</u> junior extra 70571
Merlin und die sieben Schritte zur Weisheit, 2. Buch,
<u>dtv</u> junior extra 70597

Deutsche Erstausgabe
In neuer Rechtschreibung
4. Auflage Februar 2002
© 1998 by T. A. Barron
© für die deutschsprachige Ausgabe:
2000 Deutscher Taschenbuch Verlag GmbH & Co. KG, München
<u>www.dtvjunior.de</u>
Umschlagbild und Umschlagtypografie: Ludvik Glazer-Naudè
Karte: © 1996 by Ian Schoenherr
Gesetzt aus der Palatino und Omnia
Gesamtherstellung: Kösel, Kempten
Printed in Germany · ISBN 3-423-70634-1

Dieses Buch ist
Madeleine L'Engle
gewidmet,
die in so vielen das Feuer der Inspiration entfacht hat

mit besonderem Dank an
Larkin,
zwei Jahre alt, dessen eigenes Feuer so hell erglüht

W O
S

VERLORENEN

DIE

Ruinen von Varigal
gibt es hier Riesen?

See des Gesichts
Zwerge wurden hier zuletzt gesehen

lebende Steine — TUATHA
✝ Grab   Furt

Kristallhöhle der
großen Elusa   Obstgarten

DIE UMNEBELTEN HÜGEL

Arbassa,
Heim von Rhia

DRUMAWALD

Der unaufhörliche Fluss

Vergessene

Insel

Die letzte Shomorra

Bäumlinge lebten einst hier

Strand der sprechenden Muscheln

*hier wurde
Verdruss
gefunden*

Dünen

Emrys' Landeplatz

I. SCHOENHERR·MCMXCVI

DIE LEGENDÄRE INSEL FINCAYRA

seltsame Leute leben hier

ÄNDER

wo der
Anderswelt-
schacht
ein könnte?

Slantos

Höhlen

Das verhüllte Schloss
der Tanz der Riesen
wird prophezeit

ADLERSCHLUCHT

Ruinen

Lager der Goblins

Heim von Cairpré

DIE DUNKLEN HÜGEL

Der Engpass

DIE VERDORRTEN EBENEN

Stadt
der
Barden

gibt es hier Schätze?

T'eilean
und
Garlatha

DAS

VERHEXTE

MOOR

Domnus Lager
hier könnte der Galator liegen

Ruinen

Ewiger Nebel umgibt die INSEL

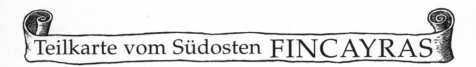

Zu den DUNKLEN HÜGELN

gibt es hier Kreelixe?

Domnus Lager
hier könnte der Galator liegen

DAS

VERHEXTE

MOOR

Das Rad von Wye

verborgene Höhlen

hier geht es zu

den

VERDORRTEN

EBENEN

Der legendäre
Carpet Caerlochlann
wurde hier gefunden

Das Gebiet der

RAUCHENDEN KLIPPEN

Alte Heimat des Mellwyn-bri-Meath-Klans

IAN·SCHOENHERR

MCMXCVIII

VORWORT DES AUTORS

Wieder einmal ist dieser Zauberer voller Überraschungen.

Wie die Leser der beiden ersten Bände des Merlin-Epos schon wissen, ist es lange her, dass Merlin mich zum ersten Mal überraschte. In seiner typisch geheimnisvollen Art wies er darauf hin, dass trotz all der Bücher, Gedichte und Lieder, die im Lauf der Jahrhunderte über ihn geschrieben worden sind, so gut wie nichts über seine Jugend erzählt worden war. Dass eine so große Lücke in der überlieferten Kunde von einer so tiefgründigen, vielschichtigen und faszinierenden Persönlichkeit klafft, war tatsächlich sonderbar. Deshalb konnte ich nicht ablehnen, als Merlin mich aufforderte sein Scribent zu sein, während er endlich die Geschichte seiner vergessenen Jahre enthüllte.

Ich zögerte dennoch. Ich fragte mich, ob es wirklich möglich war, dem wundersam gewobenen Gobelin der Mythen, der Merlin umgab, einen neuen Strang oder zwei hinzuzufügen. Und selbst wenn das möglich wäre, würden die neu geschaffenen Fäden mit dem übrigen Gewebe eine Einheit bilden? Würden ihre Farbe, ihr Gewicht, ihre Struktur, auch wenn sie echt waren, als Teil des Ganzen empfunden? Kurz, würden sie wahr wirken?

Irgendwie hatte ich das Bedürfnis, Merlins Stimme zu hören. Nicht die Stimme des weltlichen Zauberers, des Allsehenden und Allwissenden, den die Welt zu feiern gelernt hat. Keineswegs. Tief in diesem legendären Magier, begraben unter Jahrhunderten der Kämpfe, Triumphe und Tragödien, war eine andere Stimme: die Stimme eines Jungen. Voller Zweifel, unsicher und höchst menschlich. Im Besitz ungewöhnlicher Gaben – und einer Leidenschaft, so groß wie seine Bestimmung.

Mit der Zeit wurde die Stimme endlich deutlich. Obwohl ihr die Verletzlichkeit anzuhören war, lagen in ihr auch tiefere Untertöne, in denen der mythische und geistige Reichtum alter keltischer Sagen mitschwang. Die Stimme kam zum Teil aus diesen keltischen Mären, zum Teil aus dem geheimnisvollen Ruf der Eule in der Pappel vor meinem Fenster – zum Teil von anderswo. Und sie erzählte mir, dass Merlin in seinen Jugendjahren nicht nur aus der Welt der Geschichten und Lieder verschwunden war. Tatsächlich war Merlin in jenen Jahren *selbst* verschwunden – aus der Welt, wie wir sie kennen.

Wer war Merlin wirklich? Woher war er gekommen? Was waren seine größten Leidenschaften und Hoffnungen, seine tiefsten Ängste? Die Antworten lagen hinter dem Schleier seiner vergessenen Jahre.

Um sie zu finden, muss Merlin nach Fincayra reisen, einem mythischen Ort, den die Kelten als eine Insel hinter den Wellen kennen, eine Brücke zwischen der Erde der Menschen und der Anderswelt der Geister. Merlins Mutter Elen nennt Fincayra einen *Zwischenort*. Sie stellt fest, dass der wirbelnde Nebel rund um die Insel weder ganz Wasser noch ganz Luft ist. Er ist mit beiden verwandt und doch etwas ganz anderes. Im gleichen Sinn ist Fincayra sowohl sterblich wie unsterblich, dunkel wie hell, brüchig wie unverwüstlich.

Am Anfang des Buches *Merlin – Wie alles begann* wird ein Junge an eine unbekannte Küste gespült. Beinah wäre er ertrunken, jetzt hat er keine Erinnerung an seine Vergangenheit – weder an seine Eltern noch an sein Zuhause, er weiß noch nicht einmal mehr seinen eigenen Namen. Bestimmt hat er keine Ahnung, dass er eines Tages Merlin sein wird, der größte Magier aller Zeiten, König Artus' Mentor, die faszinierende Persönlichkeit, die fünfzehnhundert Jahre der Legende durchmisst.

In jenem Buch beginnt Merlins Suche nach seiner wahren Identität und dem Geheimnis seiner mysteriösen, oft beängstigenden Kräfte. Um ein wenig zu gewinnen, muss er viel verlieren – sogar noch mehr, als er begreift. Doch am Ende gelingt es ihm, das Rätsel vom Tanz der Riesen zu lösen. Während seine Reise im zweiten Buch, *Merlin und die sieben Schritte zur Weisheit*, weitergeht, sucht er das Elixier, mit dem das Leben seiner Mutter gerettet werden kann, und folgt dem gewundenen Pfad der sieben Schritte zur Weisheit. Unterwegs muss er seinen Teil an Hindernissen überwinden, wobei eins weitaus schwieriger ist als alle anderen. Denn er muss anfangen auf ganz neue Art zu sehen, auf eine Weise, die gut zu einem Magier passt: nicht mit den Augen, sondern mit dem Herzen.

All das hatte Merlin uns mitgeteilt, als die Zeit reif war, den dritten Band zu beginnen – wie ich glaubte, den letzten Teil der Erzählung. Dann kam die neueste Überraschung des Zauberers. Er ließ mich eindeutig wissen, dass die Geschichte seiner vergessenen Jahre unmöglich in nur drei Bänden erzählt werden könnte. Als ich ihn daran erinnerte, dass er mir am Anfang versprochen hatte, es würde eine Trilogie werden, an sich schon ein Fünfjahresprojekt, wies er meine Einwände einfach ab. Was ist schließlich, sagte er mit seinem unergründlichen Grinsen, ein bisschen Extrazeit für jemanden, der schon fünfzehn Jahrhunderte lang gelebt hat? Und noch dazu gelernt hat rückwärts in der Zeit zu leben?

Ich konnte nicht widersprechen. Das ist schließlich Merlins Geschichte. Und wie Merlin haben die anderen Personen in der Erzählung – Elen, Rhia, Cairpré, Shim, Verdruss, Domnu, Stangmar, Bumbelwy, Hallia, Dagda, Rhita Gawr und andere, die noch kommen werden – ein Eigenleben angenommen. So wurde aus der geplanten Trilogie ein Epos in fünf Büchern.

In diesem Band muss Merlin sich mit Feuer in vielen verschiedenen Formen auseinander setzen. Er bekommt das Feuer eines alten Drachen zu spüren, das eines Lavabergs und zum ersten Mal in seinem Leben die Glut gewisser eigener Leidenschaften. Er entdeckt, dass Feuer genau wie er eine Reihe von Gegensätzen in sich birgt. Es kann verzehren und zerstören, aber es kann auch wärmen und beleben.

Außerdem muss Merlin das Wesen der Macht erkunden. Wie Feuer kann Macht weise genutzt oder schrecklich missbraucht werden. Wie Feuer kann sie heilen oder vernichten. Der junge Zauberer muss sogar seine eigene magische Kraft verlieren, um zu entdecken, wo sie wirklich liegt. Denn das Wesentliche der Kraft kann wie die Musik des Instruments, das er mit eigenen Händen gebaut hat, ganz woanders liegen, als es scheint.

Je mehr ich über diesen Zauberer lerne, umso weniger weiß ich wirklich. Doch ich bin nach wie vor beeindruckt von der bemerkenswerten Metapher Merlin, von dem, was er verkörpert. Wie der Junge, der ohne Erinnerung, ohne Vergangenheit und ohne Namen, ohne irgendeinen Hinweis auf seine wundersame Zukunft an Land gespült wurde, fängt jeder von uns an irgendeinem Punkt in seinem Leben neu an – oder sogar an verschiedenen Punkten im Lauf eines Lebens.

Und noch dazu hat jeder von uns wie dieser halb ertrunkene Junge verborgene Gaben, verborgene Talente, versteckte Möglichkeiten. Vielleicht steckt auch in uns ein wenig Magie. Vielleicht können wir sogar irgendwo in uns einen Zauberer entdecken.

Wie in den vorausgegangenen Bänden bin ich mehreren Menschen dankbar für Rat und Unterstützung, vor allem meiner Frau Currie und meiner Lektorin Patricia Lee Gauch. Außerdem danke ich Jennifer Herron für ihren sprühenden Geist, Kathy Montgomery für ihre ansteckende gute Laune und Kylene Beers für ihr unerschütterliches Zutrauen. Ohne sie hätten mich Merlins Überraschungen inzwischen sicher überwältigt.

T. A. B.

Splendour of fire …
Swiftness of wind …
I arise today
Through the strength of heaven:
  Light of sun,
  Radiance of moon,
  Splendour of fire,
  Speed of lightning,
  Swiftness of wind,
  Depth of sea,
  Stability of earth,
  Firmness of rock.

Aus ›THE CRY OF THE DEER‹,
einem Choral des Heiligen Patrick
aus dem siebten Jahrhundert

Pracht des Feuers …
Eile des Windes …
Ich erhebe mich heute
Dank der Stärke des Himmels:
  Licht der Sonne,
  Glanz des Mondes,
  Pracht des Feuers,
  Schnelligkeit des Blitzes,
  Eile des Windes,
  Tiefe der See,
  Festigkeit der Erde,
  Härte des Felsens.

PROLOG

Die Nebel der Erinnerung sammeln sich, mit jedem Jahr werden es mehr. Doch ein Tag bleibt in meinem Gedächtnis so klar wie der Sonnenaufgang heute Morgen, obwohl er so viele Jahrhunderte zurückliegt.

Es war ein Tag, der von eigenen Nebeln und von dickem, finsterem Rauch verdunkelt wurde. Während das Schicksal von ganz Fincayra auf des Messers Schneide stand, hegte kein sterbliches Wesen irgendeinen Verdacht. Denn die Nebel jenes Tages verhüllten alles außer der Angst und dem Schmerz und einer nur ganz schwachen Andeutung von Hoffnung.

Unzählige Jahre lang hatte der massige Felsblock still wie ein Berg gestanden, jetzt regte er sich plötzlich.

Nicht der schnell strömende unaufhörliche Fluss, der an den Fuß des Felsens klatschte, bewirkte die Veränderung. Auch nicht der geschmeidige Otter, dessen Lieblingsbeschäftigung es schon lange war, die Spalte zwischen dem Felsen und dem schlammigen Flussufer hinunterzurutschen. Ebenso wenig die Familie gesprenkelter Eidechsen, die seit Generationen in dem Moos auf der Nordseite des Felsens lebte.

Nein, dass sich der Felsen an jenem Tag regte, hatte einen ganz anderen Auslöser. Einen, der, anders als die Eidechsen, noch nie an dieser Stelle gesehen worden war, obwohl er schon lange vor der Ankunft der ersten Eidechsen hier war. Denn die Bewegung entsprang dem tiefsten Innern des Felsens.

Nebel sammelte sich zwischen den Flussufern und lag wie ein dicker weißer Mantel auf dem Wasser, ein schwaches, schabendes Geräusch war zu hören. Im nächsten Moment schwankte der Felsblock ganz leicht. Während Nebelschwaden um seinen Fuß wirbelten, neigte er sich plötzlich auf die Seite. Drei Eidechsen zischten erschrocken, sprangen ab und huschten davon.

Falls die Eidechsen gehofft hatten im Moos auf einem der anderen Felsen ein neues Zuhause zu finden, so wurden sie enttäuscht. Denn weiteres Kratzen und Scharren mischte sich in das ständige Rauschen der Strömung. Die neun Felsblöcke, die den Fluss säumten, fingen nacheinander an zu schwanken, dann heftig zu schaukeln, als wären sie von einem Schauder befallen, den nur sie spüren könnten. Einer von ihnen, teilweise im sprudelnden Fluss versunken, rollte auf ein Hemlockstannengehölz am Ufer zu.

Oben am ersten Felsblock, der lebendig geworden war, erschien ein winziger Sprung. Ein weiterer Riss tat sich auf, dann wieder einer. Plötzlich brach ein gezackter Splitter ab und ließ ein Loch zurück, in dem ein seltsames, oranges Licht glühte. Langsam, vorsichtig versuchte sich etwas aus dem Loch zu schieben. Es glänzte dunkel, während es an der Oberfläche kratzte.

Es war eine Klaue.

Weit im Norden, in den einsamen Bergen der verlorenen Länder, stieg eine Rauchfahne auf und wand sich wie eine Giftschlange. Sonst regte sich nichts auf diesen Hängen, noch nicht einmal ein Insekt oder ein Grashalm, der im Wind zitterte. In diesem Gebiet hatte ein Feuer gewütet – so heftig, dass es Bäume zerstörte, Flüsse austrocknete, sogar Felsen sprengte und nichts zurückließ als verkohlte, mit Asche bedeckte Hänge. Denn dieses Gebiet war das Lager eines Drachen gewesen.

Vor Zeiten, auf der Höhe seines Zorns, hatte der Drache ganze Wälder verbrannt und Dörfer völlig verschluckt. Valdearg – dessen Name in Fincayras ältester Sprache *Feuerflügel* bedeutete – war der letzte und meistgefürchtete in einer langen Reihe von Kaiserdrachen. Ein großer Teil Fincayras war von seinem sengenden Atem geschwärzt und alle Bewohner lebten in schrecklicher Angst vor seinem Schatten. Schließlich war es dem mächtigen Zauberer Tuatha gelungen, den Drachen zurück in sein Lager zu scheuchen. Nach langem Kampf war Valdearg dem Schlafzauber des Magiers erlegen. Seither war er in seiner versengten Höhle geblieben und hatte unruhig geschlafen.

Während viele Fincayraner murrten, Tuatha hätte den Drachen töten sollen, als er die Möglichkeit dazu hatte, behaupteten andere, dass der Zauberer ihn nicht ohne Grund verschont hatte – doch was das für ein Grund sein mochte, wusste niemand. Wenigstens konnte Feuerflügel im Schlaf keinen Schaden mehr anrichten. Die Zeit verging, so viel Zeit, dass die Leute sich fragten, ob der Drache jemals wieder aufwachen würde. Manche bezweifelten sogar die alten Geschichten von seinem Wüten. Andere gingen noch weiter und überlegten, ob er je wirklich existiert hatte, auch wenn nur sehr wenige bereit waren bis in die verlorenen Länder zu reisen, um es herauszufinden. Von jenen, die sich auf die gefährliche Fahrt machten, kamen nur die wenigsten zurück.

Nur ein kleiner Teil dessen, was Tuatha am Ende des Kampfes der hellen Flammen gesagt hatte, war verständlich, denn der Zauberer hatte in Rätseln gesprochen. Und viele seiner Worte waren lange vergessen gewesen. Dennoch hielten einige Barden lebendig, was in Form eines Gedichts mit dem Titel *Der Drachenkampf* erhalten war. Obwohl es viele Versionen des Gedichts gab, eine so unklar wie die andere, waren sich alle darin einig, dass an einem finsteren Tag in der Zukunft Valdearg wieder erwachen würde.

Selbst jetzt stank dieses Gebiet nach Holzkohle. In der Nähe der Höhle zitterte die Luft von der ständigen Hitze des Drachenatems. Das tiefe, dröhnende Geräusch von Valdeargs Schnarchen hallte durch die geschwärzten Berge, während die dunkle Rauchsäule weiter langsam aus seinen Nüstern zum Himmel stieg.

Die Klaue schob sich höher und klopfte so vorsichtig an den Rand der steinähnlichen Schale wie jemand, der aufs Eis schlägt, bevor er den Fuß auf einen gefrorenen Teich setzt. Schließlich grub sich die messerscharfe Krallenspitze in die Oberfläche und jagte Risse in alle Richtungen. Ein unterdrückter Laut, halb Schrei und halb Stöhnen, kam tief aus dem Inneren. Dann riss die Klaue plötzlich einen großen Teil der Schale weg.

Das riesige Ei schaukelte wieder und rollte weiter das Flussufer hinunter. Als es in das rauschende Wasser klatschte, fielen weitere Schalenstücke ab. Obwohl die Morgensonne schon durch den Nebel schien, ließ ihr Licht das orange Glühen, das aus dem klaffenden Loch strahlte, nicht erblassen.

Weitere Sprünge schlängelten sich an den Seiten entlang. Die Klaue, wie ein scharfer Haken gebogen, schlug auf den Rand des Lochs und spritzte Schalensplitter in den Fluss und auf das schlammige Ufer. Unter Stöhnen schob das Geschöpf in der Schale die Klaue ganz aus dem Loch und zeigte einen verdrehten dünnen Arm, der mit purpurrot schillernden Schuppen bedeckt war. Als Nächstes kam eine hochgezogene knochige Schulter, von der lavendelfarbener Schleim tropfte. An der Schulter hing schlaff eine zerknitterte ledrige Hautfalte, die ein Flügel sein konnte.

Dann blieben Arm und Schulter aus irgendeinem Grund ruhig. Mehrere Sekunden lang kam kein Laut aus dem Ei, es schaukelte auch nicht mehr.

Plötzlich flog die ganze obere Hälfte der Schale weg und landete mit einem Platsch im Wasser. Orange Lichtstrahlen bohrten sich in den aufreißenden Nebel. Unbeholfen, zögernd hob sich die schuppige Schulter, sie stützte einen dünnen purpurroten Hals mit scharlachroten Flecken. Vom Hals hing schwer ein Kopf – zweimal so groß wie der eines ausgewachsenen Pferds –, der sich langsam aufrichtete. Über dem massigen Kinn und dem Maul mit vielen Reihen glänzender Zähne zuckten zwei enorme Nüstern und schnupperten zum ersten Mal Luft.

Aus den beiden dreieckigen Augen des Geschöpfs drang das orange Licht wie glühende Lava. Die Augen blinzelten alle paar Sekunden und spähten durch den Nebel zu den anderen Eiern hinüber, die ebenfalls aufgesprungen waren. Das Geschöpf hob eine Klaue und versuchte sich an der leuchtend gelben Beule mitten auf der Stirn zu kratzen. Aber die Klaue verfehlte ihr Ziel und stieß stattdessen in die weiche, runzlige Haut der Nase.

Laut wimmernd schüttelte das Wesen so heftig den Kopf, dass die blauen, fahnenähnlichen Ohren flatterten. Als das Schütteln aufhörte, legte sich das rechte Ohr nicht mehr flach. Im Gegensatz zum linken, das bis fast auf die Schulter hing, streckte es sich zur Seite wie ein falsch angebrachtes Horn. Nur die leichte Krümmung an der Spitze verriet, dass es tatsächlich ein Ohr war.

Tief in der rauchigen Höhle bewegte sich unruhig die gewaltige Gestalt. Valdeargs Kopf, fast so breit wie ein Hügel, ruckte plötzlich und zermalmte einen Haufen Schädel, die vor langer Zeit von Flammen geschwärzt worden waren. Der Atem des Drachen kam immer schneller und rauschte wie tausend Wasserfälle. Obwohl die riesigen Augen geschlossen blieben, schlugen die Klauen erbarmungslos auf einen unsichtbaren Gegner ein.

Der Drachenschwanz holte aus und knallte gegen die verkohlte Steinwand. Der Drache knurrte, nicht so sehr über die Steine, die auf seine grünen und orangen Rückenschuppen fielen, als über die Qualen seines Traums – eines Traums, der ihn an den Rand des Erwachens trieb. Einer seiner ausladenden Flügel hieb durch die Luft, und als er mit dem Rand den Höhlenboden streifte, flogen Dutzende edelsteinbesetzter Schwerter und Harnische, vergoldete Harfen und Trompeten, Juwelen und Perlen in alle Richtungen. Rauchwolken verdunkelten den Tag.

Die Augen des Geschöpfs im Ei funkelten wütend, seine Nase schmerzte immer noch. Ein uralter Instinkt ließ es so tief Atem holen, dass ihm die purpurrote Brust schwoll. Mit jähem Schnauben atmete es aus und blähte dabei die Nüstern. Doch keine Flammen kamen, noch nicht einmal ein dünnes Rauchwölkchen. Denn obwohl das Wesen tatsächlich ein Drachenbaby war, konnte es noch nicht Feuer speien.

Wieder wimmerte das Drachenbaby niedergeschlagen. Es hob ein Bein, um endgültig aus der Schale zu klettern, dann hielt es abrupt inne, legte den Kopf zur Seite und lauschte. Ein Ohr hing schlaff wie eine blaue Fahne, das andere ragte zum Himmel, während es aufmerksam horchte und nicht wagte, sich zu regen.

Plötzlich zog sich das Kleine ängstlich und zitternd in den Schalenrest zurück. Es hatte gerade den dunklen Schatten bemerkt, der sich im Nebel am anderen Flussufer bildete. Es ahnte Gefahr und verkroch sich tiefer in seinem Gehäuse. Das störrische Ohr ragte über den Rand hinaus.

Nach einigen Sekunden hob das kleine Geschöpf ein wenig den Kopf. Das Herz hämmerte ihm in der Brust. Es sah, wie der Schatten langsam näher kam, durch das brodelnde Wasser watete und sich dabei zu einer seltsamen zweibeinigen Gestalt verdichtete – mit einer gebogenen Klinge in der Hand, die drohend blinkte. Erschrocken fuhr das Drachenbaby zusammen, als es merkte, dass sich die Klinge hob, um zuzuschlagen.

TEIL EINS

1
ⴅⵉⴻ ⵍⴻⵜⵣⵜⴻ ⵙⴰⵉⵜⴻ

Jetzt noch eine.«

Selbst während ich es sagte, konnte ich es kaum glauben. Ich fuhr mit der Hand über die schuppige graubraune Rinde der Eberesche, deren dicke Wurzeln mich umgaben, und spürte die leichten Erhebungen und Rundungen des lebendigen Holzes. In einer Höhlung, so tief wie eine Schüssel, lagen einige der Werkzeuge, die ich in den letzten Monaten benutzt hatte: ein Steinhammer, ein Eisenkeil, drei Feilstäbe mit verschiedenen Strukturen und ein Schnitzmesser, nicht größer als mein kleiner Finger. Ich griff dahinter, an der knotigen Wurzel vorbei, an der ich meine größeren Sägen aufhängte, zu dem schmalen Rindenbord, auf dem bis vor kurzem alle acht Saiten gelegen hatten.

Acht Saiten. Jede unter dem Herbstvollmond nach alter Tradition vorbereitet, gespannt und schließlich besungen. Ich war meinem Mentor Cairpré dankbar, dass er mir in den Wochen vor diesem Abend geholfen hatte all die komplizierten Verse und Melodien zu lernen. Aber trotz seines Beistands war der Mond fast verschwunden, bis ich endlich alles richtig sang – und in der richtigen Reihenfolge. Jetzt glänzten sieben Saiten an dem kleinen Instrument, das an der Wurzel vor mir lehnte.

Ich griff nach der letzten Saite, der kleinsten von allen. Während ich sie langsam drehte, wirbelten und schwankten die Enden – fast als wäre sie lebendig. Wie die Zunge von jemandem, der gleich sprechen will.

Das Licht des Spätnachmittags spielte auf der Saite und ließ sie so golden leuchten wie das Herbstlaub im Gras am Fuß der Eberesche. Die Saite fühlte sich trotz ihrer Kürze überraschend schwer an, dabei war sie äußerst biegsam. Vorsichtig legte ich sie auf ein Büschel dunkelroter Beeren an einem tieferen Zweig der Eberesche. Ich wandte mich wieder dem Instrument zu und setzte die beiden letzten Wirbel ein, die ich aus demselben Weißdornast geschnitzt hatte wie die anderen. Erst gestern hatte ich sie alle aus dem Trockenofen genommen. Die Wirbel rieben gegen das Schallbrett aus Eiche und quietschten ganz leise.

Zuletzt nahm ich wieder die Saite in die Hand. Nachdem ich sie an jedem der beiden Wirbel mit den sieben Schlingen eines Magierknotens festgebunden hatte, fing ich an zu drehen, einen Wirbel nach rechts, den anderen nach links. Allmählich spannte sich die Saite und wurde straff wie ein Banner im Wind. Bevor sie zu stramm wurde, hörte ich auf. Jetzt war nur noch der Steg einzufügen – und zu spielen.

Ich lehnte mich an den Ebereschenstamm und besah mein Werk. Es war ein Psalter, ungefähr wie eine winzige Harfe geformt, doch mit einem gewölbten Schallbrett hinter den Saiten. Ich hob ihn hoch und betrachtete ihn bewundernd. Obwohl er kaum so groß wie meine Hand war, kam er mir so wunderbar vor wie ein neugeborener Stern.

Mein eigenes Instrument. Mit eigenen Händen gebaut.

Ich fuhr mit dem Finger über den eingelegten Eschestreifen oben auf dem Rahmen. Ich wusste, der Psalter würde viel mehr sein als ein Musikinstrument. Natürlich nur, wenn ich bei seinem Bau keinen groben Fehler gemacht hatte. Oder, noch schlimmer …

Tief und unsicher atmete ich ein. Oder wenn mir das Einzige fehlte, was Cairpré mir nicht beibringen, noch nicht einmal beschreiben konnte – was er als *den wesentlichen Kern eines Zauberers* beschrieb. Denn wenn ein Magier sein erstes Instrument baute, daran hatte Cairpré mich oft erinnert, bedeutete das nach einer geheiligten Tradition, dass ein begabter junger Mensch mündig wurde. Falls es gelang und das Instrument schließlich gespielt wurde, ließ es seine eigene Musik erklingen. Und erschloss dem Zauberer zugleich eine ganz neue Stufe seiner Magie.

Und falls es nicht gelang …

Ich setzte den Psalter ab. Die Saiten klirrten leise, als das Schallbrett wieder die stämmigen Baumwurzeln berührte. Zwischen diesen Wurzeln hatten die berühmtesten und mächtigsten Zauberer Fincayras – unter ihnen mein legendärer Großvater Tuatha – ihre eigenen ersten Instrumente gebaut. Daher hatte der Baum auch seinen Namen, der in mancher Ballade und Geschichte vorkam: die klingende Eberesche.

Ich legte die Hand auf einen runden Rindenknoten und horchte auf den Lebenspuls in dem großen Baum. Den langsamen, anschwellenden Rhythmus der tiefer greifenden Wurzeln und höher strebenden Zweige, der Tausende von Blättern, die von Grün zu Gold wurden, auf den Atem des Baums. Wie er Leben und Tod aufnahm und die geheimnisvollen Bande, die beides vereinten. Die klingende Eberesche hatte viele Stürme, viele Jahrhunderte überstanden – und viele Zauberer. Wusste sie jetzt, fragte ich mich, ob mein Psalter wirklich klingen würde?

Ich hob den Blick und schaute über die Hügel des Drumawalds, jeder so rund wie der Rücken eines laufenden Rehs. Herbstfarben leuchteten scharlachrot, orange, gelb und braun. Vögel mit buntem Gefieder flogen aus den Zweigen, zwitscherten und flöteten, während Nebelschwaden aus verborgenen Sümpfen stiegen. Die Brise trug das fortwährende Brausen eines Wasserfalls herüber. Dieser Wald, wilder als jeder Ort, den ich kannte, war das wahre Herz Fincayras. Hier war ich zuerst herumgewandert, nachdem ich an die Insel gespült worden war – und hier hatte ich zum ersten Mal meine Wurzeln tief im Boden gespürt.

Mein Stock lehnte am Ebereschenstamm, ich lächelte, als ich ihn sah. Auch er war ein Geschenk dieses Waldes gewesen, sein würziger Hemlockstannenduft erinnerte mich ständig daran. Was ich an wahren Zauberkräften besaß – abgesehen von ein paar einfachen Fähigkeiten wie meinem zweiten Gesicht, das mir geschenkt worden war, nachdem ich meine Augen nicht mehr gebrauchen konnte, und abgesehen von meinem Schwert mit seiner eigenen Magie –, steckte in dem knotigen Holz dieses Stocks.

Und noch vieles andere. Denn mein Stock war von Tuathas Macht berührt worden. Er hatte aus der Vergangenheit, aus dem Grab heraus, seine eigene Magie in diesen Stock gelegt. Selbst mit meinem geringen Sehvermögen konnte ich die eingeschnitzten Symbole erkennen, Symbole der Kräfte, die ich so gern ganz beherrscht hätte: das Springen von Ort zu Ort und möglicherweise sogar von Zeit zu Zeit; das Verändern von einer Gestalt in eine andere; das Verbinden, nicht nur eines verletzten Körpers, sondern auch einer verletzten Seele; und all die anderen.

Vielleicht, nur vielleicht ... würde der Psalter sich ähnliche Kräfte zu Eigen machen. War das möglich? Kräfte, die ich zum Nutzen der Menschen in ganz Fincayra ausüben konnte, mit einer Weisheit und Gnade, die seit den Tagen meines Großvaters nicht erlebt worden waren.

Ich holte tief Luft. Vorsichtig nahm ich das kleine Instrument in die Hände, dann schob ich den Steg aus Eichenholz unter die Saiten. Eine Bewegung mit dem Handgelenk – und er war an seinem Platz. Ich atmete aus, ich wusste, dass der Augenblick, mein Augenblick, sehr nahe war.

ᴅᴇʀ ɢʀᴜɴᴅᴀᴋᴋᴏʀᴅ

ertig«, kündigte ich an. »Der Psalter kann gespielt werden.«

»Fertig, sagst du?« Cairpré streckte den struppigen grauen Kopf hinter dem Stamm der großen Eberesche hervor. Er sah entmutigt aus, als könnte er das eine entscheidende Wort nicht finden, das er brauchte, um ein episches Gedicht über Baumwurzeln zu vollenden. Als er die dunklen Augen auf mein kleines Instrument richtete, verfinsterte sich seine Miene noch mehr. »*Hmmm.* Eine ordentliche Arbeit, Merlin.«

Er zog die wirren Augenbrauen zusammen. »Aber fertig ist es erst, wenn es gespielt wird. Wie ich schon irgendwann gesagt habe: *Um die Wahrheit zu verstehen, muss man hören, nicht nur sehen.*«

Hinter ihm, am Rande der Kuppe, lachte jemand herzhaft. »In deinem Gedicht ging es zwar um eine Lerche, nicht um eine Harfe, aber das ist nicht so wichtig.«

Cairpré und ich fuhren herum, als meine Mutter mit leichtem Schritt über die Wiese kam. Ihr dunkelblaues Gewand flatterte im Wind, der so kräftig nach Herbst roch, ihr Haar fiel wie ein Mantel aus Sonnenlicht auf ihre Schultern. Doch ihre Augen waren es, die mir am meisten auffielen, Augen, noch blauer als Saphire.

Während sie näher kam, zog der Dichter seine verschmutzte weiße Tunika zurecht. »Elen«, murmelte er. »Ich hätte mir denken können, dass du rechtzeitig zurückkommst, um mich zu verbessern.«

Ihre Augen schienen zu lächeln. »Jemand muss das hin und wieder tun.«

»Unmöglich.« Cairpré gab sich alle Mühe, grimmig auszusehen, doch er konnte ein flüchtiges Lächeln nicht verbergen. »Außerdem ist es keine Harfe, die der Junge gebaut hat. Es ist ein Psalter, allerdings ein kleiner, nach dem griechischen *psaltérion*. Hat dir nie jemand etwas über die Griechen beigebracht, junge Frau?«

»Doch.« Meine Mutter unterdrückte ein erneutes Lachen. »Du.«

»Dann hast du nicht die geringste Entschuldigung.«

»Hier«, sagte sie zu mir und schüttete ein paar dicke purpurrote Beeren in die Wurzelhöhlung, in der meine Werkzeuge lagen. »Flusstangbeeren, von dem Bächlein drüben am Weg. Ich habe dir eine Hand voll mitgebracht.« Mit einem Seitenblick auf Cairpré warf sie ihm eine einzige Beere zu. »Und eine für dich, damit du mir einen Vortrag über griechische Musik hältst.«

»Falls ich Zeit habe«, brummte der Dichter.

Neugierig hörte ich zu, wie sie sich neckten. Aus irgendeinem Grund nahmen ihre Gespräche neuerdings häufig eine solche Wendung. Und das verwirrte mich, weil es dabei offenbar nicht auf ihre Worte ankam. Nein, bei ihrem Geplänkel ging es eigentlich um etwas anderes, aber ich wusste nicht genau, um was.

Während ich sie beobachtete, steckte ich ein paar Beeren in den Mund und genoss den würzigen Geschmack. Da redeten sie, als würde Cairpré glauben, er wisse alles, mehr vielleicht als selbst der große Geist Dagda. Doch bestimmt war meiner Mutter klar, dass er nie vergaß, wie wenig er in Wirklichkeit wusste. So viel er mir im vergangenen Jahr auch über die Geheimnisse der Magie beigebracht hatte, nie begann er seine Unterweisungen ohne mich auf seine Grenzen hinzuweisen. Er hatte sogar zugegeben, dass er zwar wusste, dass ich beim Bau meines ersten Instruments eine komplizierte Reihenfolge einhalten musste, dass er aber keineswegs sicher war, was die einzelnen Schritte bedeuteten. Während der ganzen Arbeit – von der Wahl des richtigen Instruments über das Holzschneiden bis zum Feuern des Trockenofens – hätte er genauso gut mein Mitschüler wie mein Mentor sein können.

Plötzlich stach mich etwas im Nacken. Ich schrie auf und versuchte das Insekt zu verscheuchen, das an mir genascht hatte. Doch der Missetäter war schon geflohen.

Die blauen Augen meiner Mutter schauten auf mich herunter. »Was ist los?«

Während ich mir immer noch den Nacken rieb, stand ich auf und trat aus den knorrigen Wurzeln heraus. Dabei stolperte ich fast über mein Schwert und die Scheide im Gras. »Ich weiß nicht. Etwas hat mich gebissen, glaube ich.«

Sie hob fragend den Kopf. »Für Stechmücken ist es zu spät. Der erste Frost war schon vor Wochen.«

»Das erinnert mich«, Cairpré blinzelte ihr zu, »an ein altes abessinisches Gedicht über Fliegen.«

Sie fing an zu lachen und wieder stach mich etwas im Nacken. Ich fuhr herum und sah gerade noch, wie eine kleine rote Beere über das Gras der Kuppe hüpfte. Ich kniff die Augen zusammen. »Jetzt habe ich die Stechmücke entdeckt.«

»Wirklich?«, fragte meine Mutter. »Wo?«

Ich fuhr herum und schaute die alte Eberesche an. Mit erhobenem Arm deutete ich in die Zweige über uns. Dort, fast unsichtbar zwischen den Vorhängen aus grünen und braunen Blättern, kauerte eine Gestalt in einem Anzug aus gewobenen Ranken.

»Rhia«, knurrte ich. »Warum kannst du nicht einfach Guten Tag sagen wie andere Leute?«

Die Gestalt rührte sich und streckte die Arme. »Weil es so viel mehr Spaß macht.« Als sie meine Grimasse sah, fügte sie hinzu: »Brüder sind manchmal so humorlos.« Dann rutschte sie geschmeidig wie eine Schlange, die über einen Zweig gleitet, den verdrehten Stamm hinunter und sprang zu uns herüber.

Elen beobachtete sie belustigt. »Wirklich, du bist ganz und gar ein Baummädchen.«

Rhia strahlte. Sie sah die Beeren im Loch und nahm fast alle, die noch da waren. »*Mmm*, Flusstang. Allerdings ein bisschen bitter.« Dann wandte sie sich mir zu und zeigte auf das kleine Instrument in meiner Hand. »Wann spielst du uns etwas vor?«

»Wenn ich so weit bin. Du hast Glück, dass ich dich aus eigener Kraft vom Baum klettern ließ.«

Überrascht schüttelte sie die braunen Locken. »Meinst du wirklich, dass ich glaube, du hättest mich durch Zauberei vom Baum heben können?«

Obwohl ich versucht war Ja zu sagen, wusste ich, dass es nicht stimmte. Zumindest noch nicht. Außerdem spürte ich Cairprés bohrenden Blick.

»Nein«, gab ich zu. »Aber irgendwann ist es so weit, glaub mir.«

»Na klar. Und irgendwann ist es so weit, dass der Drache Valdearg schließlich aufwacht und uns alle auf einen Bissen verschlingt. Das kann allerdings noch tausend Jahre dauern.«

»Es kann auch heute sein.«

»Bitte, ihr beiden.« Cairpré zog mich am Ärmel. »Hört mit diesen Wortgefechten auf.«

Rhia zuckte die Schultern. »Ich kämpfe nie mit einem Unbewaffneten.« Grinsend setzte sie hinzu: »Es sei denn, er prahlt mit Zauberkräften, die er gar nicht hat.«

Das war zu viel. Ich streckte die leere Hand nach meinem Stock am Baumstamm aus. Ich konzentrierte meine Gedanken auf seinen knorrigen Griff, die geschnitzte Mitte, das duftende Holz, das so viel Macht hatte. Durch die Finger schickte ich den Befehl: *Komm zu mir. Spring zu mir.*

Der Stab zitterte leicht und rieb gegen die Rinde. Dann stand er plötzlich aufrecht im Gras. Im nächsten Augenblick flog er durch die Luft, direkt in meine wartende Hand.

»Nicht übel.« Rhia in ihrem Blätteranzug machte eine leichte Verbeugung. »Du hast geübt.«

»Ja«, stimmte meine Mutter zu. »Du hast gelernt besser mit deinen Kräften umzugehen.«

Cairpré wiegte den struppigen Kopf. »Aber nicht mit deiner Eitelkeit, fürchte ich.«

Ich schaute scheu zu ihm hinüber, während ich den Stock in meinen Gürtel schob. Doch bevor ich etwas sagen konnte, mischte sich Rhia ein. »Komm jetzt, Merlin. Spiel uns etwas vor auf diesem kleinen Was-es-auch-ist.«

Meine Mutter nickte. »Ja, spiel.«

Cairpré gestattete sich ein Schmunzeln. »Vielleicht singst du dazu, Elen.«

»Singen? Nein, nicht jetzt.«

»Warum nicht?« Er betrachtete mich nachdenklich, besorgt und hoffnungsvoll zugleich. »Wenn er tatsächlich den Psalter zum Klingen bringt, haben wir einen guten Anlass zum Feiern.« Aus irgendeinem Grund verdüsterte sich seine Miene. »Niemand weiß das besser als ich.«

»Bitte«, drängte Rhia. »Wenn etwas gefeiert wird, dann am besten mit einem deiner Lieder.«

Meine Mutter errötete. Sie wandte sich den raschelnden Blättern der Eberesche zu und überlegte einen Augenblick. »Nun…gut.« Sie streckte uns dreien die Handflächen entgegen. »Ich werde singen. Ja, ein fröhliches Lied.« Sie sah den Dichter an. »Für die vielen Freuden des vergangenen Jahres.«

Cairpré strahlte. »Und der kommenden Jahre«, flüsterte er.

Wieder errötete meine Mutter. Ich machte mir keine Gedanken, warum, denn auch ich teilte ihre Freude. Hier stand ich mit meiner Familie, mit Freunden, immer mehr fühlte ich mich auf dieser Insel zu Hause – das alles hätte ich mir vor etwas mehr als einem Jahr nicht träumen lassen. Ich war jetzt vierzehn Jahre alt, lebte im Wald an einem Ort, der so friedlich war wie das Herbstlaub, das ich fallen sah. Nichts wünschte ich mir mehr als hier zu bleiben, bei diesen Menschen. Und eines Tages die Künste eines Zauberers zu beherrschen. Eines echten Magiers – wie mein Großvater es gewesen war.

Meine Finger umklammerten den Rahmen des Psalters. Wenn er mich nur nicht im Stich ließ!

Tief atmete ich die frische Luft ein, die vom Hügel wehte. »Ich bin bereit.«

Meine Mutter hörte die Anspannung heraus und strich mir mit dem Finger über die Wange – dieselbe Wange, die vor langer Zeit von einem Feuer, das ich entzündet hatte, versengt worden war. »Ist alles in Ordnung, mein Sohn?«

Ich zwang mich zu einem Lächeln. »Ich stelle mir nur vor, wie sich mein Geklimper im Vergleich zu deinem Gesang anhören wird, das ist alles.«

Obwohl ich sah, dass sie mir nicht glaubte, schien sie das zu beruhigen. Nach einem Augenblick fragte sie: »Kannst du in der ionischen Tonart spielen? Wenn du nur den Grundakkord anschlägst und eine Zeit lang spielst, kann ich mein Lied deiner Melodie anpassen.«

»Ich kann es versuchen.«

»Gut!« Rhia sprang hoch und fasste den niedrigsten Ast der Eberesche. Sie schaukelte hin und her und lachte glockenhell, als goldene Blätter auf uns herabregneten. »Ich höre so gern eine Harfe, selbst wenn sie so winzig ist wie deine. Sie erinnert mich an den Klang des Regens, der auf einer Sommerwiese tanzt.«

»Nun, der Sommer ist vorbei«, erklärte ich. »Aber wenn etwas ihn zurückbringen kann, dann Mutters Stimme, nicht mein Spiel.« Ich wandte mich an Cairpré. »Ist es jetzt an der Zeit? Für die Beschwörung?«

Noch während der Dichter sich räusperte, verfinsterte sich sein Gesichtsausdruck wieder – diesmal so sehr, als wäre ein sonderbarer, verzerrter Schatten auf seine Gedanken gefallen. »Zuerst muss ich dir noch etwas sagen.«

Er zögerte und wählte offenbar sorgsam seine Worte. »Seit der Zeit vor Menschengedenken hat jeder Junge, jedes Mädchen in Fincayra, die großes magisches Talent versprachen, das Zuhause verlassen und eine Lehre gemacht, die deiner ähnlich war. Nach Möglichkeit bei einem richtigen Magier oder einer echten Zauberin, aber wenn keine gefunden werden konnten, bei einem Gelehrten oder einem Barden.«

»Wie du.« Worauf wollte er hinaus? Das alles wusste ich.

»Ja, mein Junge. Wie ich.«

»Aber warum erzählst du mir das?«

Seine Stirn wurde so zerknittert wie seine Tunika. »Weil es noch etwas gibt, das du wissen solltest. Bevor du deinen Psalter spielst. Weißt du, diese Lehre – die Zeit zur Einübung in die Grundlagen der Zauberei, bevor noch mit dem Bau eines Musikinstruments begonnen wird – dauert normalerweise … sehr lange. Länger als die acht oder neun Monate, die du damit verbracht hast.«

»Wie lange dauert sie gewöhnlich?«, fragte meine Mutter.

»Nun«, er suchte nach Worten, »das ist, äh, unterschiedlich. Es kommt auf den Einzelfall an.«

»Wie lange?«, wiederholte sie.

Er betrachtete sie düster. Dann antwortete er leise: »Zwischen fünf und zehn Jahren.«

Wie Elen und Rhia schrak ich zusammen – fast hätte ich den Psalter fallen lassen.

»Selbst Tuatha mit all seinen Gaben brauchte vier volle Jahre, bis er seine Lehre abgeschlossen hatte. Es in weniger als einem Jahr zu schaffen ist, nun, bemerkenswert. Man könnte auch sagen … unerhört.« Er seufzte. »Ich hatte vor, dir das zu sagen, wirklich, aber ich habe auf die richtige Zeit und Gelegenheit gewartet. *Der richtige Zeitpunkt am richtigen Ort, so rar wie im Reim das passende Wort.*«

Elen schüttelte den Kopf. »Du hattest noch einen anderen Grund.«

Cairpré nickte traurig. »Du kennst mich zu gut.«

Er schaute mich flehend an, während er mit der Hand über eine Wurzel der Eberesche strich. »Verstehst du, Merlin, ich wollte es dir nicht sagen, weil ich mir nicht sicher war, ob dein Tempo, die Schnelligkeit, mit der du jede Lektion gemeistert hast, auf dein eigenes Talent zurückzuführen war – oder auf meine Mängel als Lehrer. Hatte ich etwas vergessen? Irgendwelche Anweisungen missverstanden? Das plagt mich jetzt seit einiger Zeit. Ich habe all die alten Texte nachgelesen – oh ja, viele Male –, nur um sicherzugehen, dass du alles richtig gemacht hast. Und ich glaube wirklich, alles ist, wie es sein soll, sonst hätte ich dich nicht so weit kommen lassen.«

Er richtete sich auf. »Dennoch solltest du gewarnt sein. Denn wenn der Psalter nicht klingt, ist es vielleicht mein Fehler, nicht deiner. So ist es. Und wie du weißt, Merlin, bekommt ein junger Mensch nur eine Gelegenheit, ein magisches Instrument zu bauen. Nur eine. Wenn es dem Instrument nicht gelingt, hohe Magie hervorzurufen, bekommst du nie mehr eine zweite Chance.«

Ich schluckte. »Wenn es mit meiner Ausbildung wirklich so schnell ging, liegt es möglicherweise an etwas ganz anderem. Etwas, das nichts mit deinen Fähigkeiten als Lehrmeister zu tun hat – oder meinen als Lehrling.«

Cairpré zog die Augenbrauen hoch.

»Vielleicht hatte ich Hilfe. Von einer Stelle, mit der keiner von uns gerechnet hat. Von wo, weiß ich nicht.« Nachdenklich fuhr ich mit dem Daumen über den Griff meines Stocks. Plötzlich hatte ich einen Einfall. »Von meinem Stock zum Beispiel. Ja, ja, das muss es sein! Tuathas Zauber.« Ich rollte den zugespitzten Stock unter meinem Gürtel hin und her. »Er war von Anfang an bei mir und er ist jetzt bei mir. Bestimmt hilft er mir auch den Psalter zu spielen.«

»Nein, mein Junge.« Cairpré hielt meinem Blick stand. »Dieser Stock mag dir in der Vergangenheit geholfen haben, das ist wahr – aber jetzt hilft er dir nicht. Was das angeht, sind die Texte so klar wie die Herbstluft. Nur der Psalter und die Fähigkeiten, die du bei seinem Bau genutzt hast, werden entscheiden, ob du diese Prüfung bestehst.«

Ich schwitzte an der Hand, die den kleinen Rahmen hielt. »Was macht der Psalter, wenn ich versage?«

»Nichts. Er macht keine Musik. Und bringt keine Magie.«

»Und wenn ich erfolgreich bin?«

Cairpré strich sich übers Kinn. »Dein Instrument sollte von selbst spielen. Eine Musik, die fremdartig und kraftvoll zugleich ist. So war es jedenfalls in der Vergangenheit. Genau wie du gespürt hast, dass Magie zwischen dir und deinem Stab fließt, solltest du es bei dem Psalter spüren. Aber es müsste eine andere Stufe der Magie sein, anders als alles, was du zuvor erfahren hast.«

Ich bewegte meine Zunge, um sie zu befeuchten. »Das Problem ist … der Psalter wurde von Tuatha nicht berührt. Nur von mir.«

Der Dichter drückte sanft meine Schulter. »Stell dir vor, ein Musiker – kein Zauberer, nur ein wandernder Sänger – spielt virtuos die Harfe. Ist die Musik dann in den Saiten oder in den Händen, die sie zupfen?«

Verwirrt schüttelte ich den Kopf. »Was soll das? Hier reden wir über Magie.«

»Ich gebe nicht vor, die Antwort zu kennen, mein Junge. Aber ich könnte dir einen Wälzer nach dem anderen zeigen mit Abhandlungen, manche von sehr weisen Magiern, in denen genau diese Frage erörtert wird.«

»Dann werde ich dir eines Tages, wenn ich je selbst ein Magier sein sollte, die Antwort geben. Jetzt will ich nichts als meine eigenen Saiten zupfen.«

Meine Mutter schaute von mir zu Cairpré und wieder zu mir. »Bist du überzeugt, dass es an der Zeit ist? Bist du wirklich bereit? Mein Lied kann warten.«

»Ja.« Rhia drehte eine der Ranken, die ihre Taille umspannten. »Eigentlich bin ich jetzt nicht in der Stimmung für Musik.«

Ich betrachtete sie prüfend. »Du glaubst, ich schaffe es nicht, stimmt's?«

»Nein«, antwortete sie ruhig. »Ich bin mir nur nicht sicher.«

Ich zuckte zusammen. »Nun, die Wahrheit ist … ich bin mir auch nicht sicher. Aber das weiß ich: Wenn ich noch länger warte, verliere ich vielleicht den Mut, es zu versuchen.« Ich sah Cairpré an. »Jetzt?«

Der Dichter nickte. »Viel Glück, mein Junge. Und denk daran: In den Schriften heißt es, wenn hohe Magie kommt, dann kann auch anderes kommen – Überraschendes.«

»Und Gesang«, ergänzte meine Mutter sanft. »Ich singe

für dich, Merlin, was auch geschieht. Ob Musik in diesen Saiten ist oder nicht.«

Ich hob den Psalter, während ich zugleich in die Äste der alten Eberesche hinaufschaute. Zögernd legte ich das schmale Ende des Instruments mitten an meine Brust. Als ich mit der Hand den äußeren Rand umfasste, konnte ich durch das Holz mein Herz klopfen hören. Die Brise legte sich; die raschelnden Ebereschenblätter wurden still. Selbst der graue Käfer vorn auf meinem Stiefel hörte auf zu kriechen.

Flüsternd sprach ich die alte Beschwörung:

>*Bring, Instrument in meiner Hand,*
kühnen Zauber
übers Land.

Blüht, Töne, die der Psalter birgt,
wie des Frühlings Seele
wirkt.

Dring, Melodie, von mir gespielt,
tiefer als zuerst
gefühlt.

Schenkt, Mächte, mir anheim gestellt,
neue Frucht
dem dürren Feld.

Erwartungsvoll drehte ich mich nach Cairpré um. Er stand regungslos, nur seine Blicke schweiften umher. Die üppigen Hügel des Drumawalds hinter ihm schienen erstarrt zu sein – so unbeweglich wie die Schnitzereien auf meinem Stab. Kein Licht flirrte über die Zweige. Kein Vogel flatterte oder sang.

»Bitte«, sagte ich laut zu dem Psalter, der Eberesche, zur Luft. »Das ist alles, was ich will. So hoch steigen, wie ich nur kann. Alle Gaben, alle Kräfte, die du mir geben kannst, annehmen und nicht für mich verwenden, sondern für andere. Mit Weisheit. Und, hoffe ich, mit Liebe. *Um neue Frucht dem dürren Feld zu schenken.*«

Ich spürte nichts und der Mut verließ mich. Ich wartete und hoffte. Immer noch nichts. Zögernd ließ ich den Psalter sinken.

Da fühlte ich eine fast unmerkliche Regung. Nicht in den Blättern über mir. Auch nicht im Gras zu meinen Füßen. Noch nicht einmal in der Luft.

In der kürzesten Saite.

Während ich zusah und mein Herz gegen den Holzrahmen trommelte, fing das entfernte Ende der Saite an sich zu drehen. Langsam, langsam hob es sich wie der Kopf eines Wurms, der aus einem Apfel kriecht. Es stieg höher und zog die Saite mit sich. Auch das andere Ende erwachte und wickelte sich um den Wirbel. Bald regten sich auch die anderen Saiten, ihre Enden rollten sich auf, sie spannten sich.

Sie stimmten sich! Der Psalter stimmte sich selbst.

Allmählich wurden die Saiten ruhig. Ich schaute auf und sah, wie Cairpré lächelte. Er nickte und ich machte mich bereit den Grundakkord zu zupfen. Die Linke legte ich fest um den Rahmen, bog die Finger der Rechten und legte sie zart auf die Saiten.

Sofort stieg mir Wärme in die Fingerspitzen, den Arm

hinauf und durch den ganzen Körper. Eine neue Kraft, teils magisch und teils musikalisch, erfüllte mich. Die Haare auf meinen Handrücken hoben und wiegten sich alle zugleich, sie tanzten zu einem Rhythmus, den ich noch nicht hören konnte.

Ein Wind kam auf, wurde mit jeder Sekunde stärker und peitschte die Äste der klingenden Eberesche. Von den bewaldeten Hügeln ringsum stiegen Blätter auf – zuerst Dutzende, dann Hunderte, dann Tausende. Blätter von Eichen und Ulmen, Weißdorn und Buchen glänzten so hell wie Rubine, Smaragde und Brillanten. Sie drehten sich langsam und trieben auf uns zu wie große Schmetterlingsschwärme, die nach Hause zurückkehren.

Dann kamen andere Gebilde, die um die Eberesche wirbelten und mit den Blättern tanzten. Lichtfunken. Regenbogensplitter. Schattenbüschel. Aus der Luft formten sich Nebelschwaden zu weiteren Gestalten – dünne Spiralen, Schlangen, Knoten und Sterne. Immer weitere Formen tauchten auf, von wo, konnte ich nicht ergründen, sie bestanden weder aus Licht noch aus Schatten, auch nicht aus Wolken, sondern aus etwas anderem, etwas dazwischen.

Alle diese Dinge umkreisten den Baum, angezogen von der Musik, der Magie, die kommen sollte. Was, fragte ich mich, würde die Kraft des Psalters als Nächstes bringen? Ich lächelte, weil ich wusste, dass es endlich an der Zeit war, mein Instrument zu spielen.

Ich zupfte die Saiten.

III
DER DUNKELSTE TAG

Sowie meine Finger den Akkord anschlugen, spürte ich einen plötzlichen Hitzeschwall – stark genug, um mir die Hand zu versengen. Ich schrie und riss den Arm zurück, während die Saiten des Psalters mit einem ohrenbetäubenden Knall zerrissen. Das Instrument flog mir aus der Hand und ging in Flammen auf.

Verblüfft sahen wir, wie der Psalter mit brennendem Rahmen und Schallbrett über uns in der Luft schwebte. Der Steg aus Eichenholz und die Saiten wanden und krümmten sich wie im Todeskampf. Zugleich verschwanden blitzschnell die Gestalten, die um die Eberesche gewirbelt waren – bis auf die vielen Blätter, die auf uns herunterregneten.

Dann formte sich genau in der Mitte des lodernden Psalters ein schattenhaftes Bild. Wie die anderen hielt ich den Atem an. Denn bald festigten sich die Konturen zu einem wilden, finsteren Antlitz. Es war ein Gesicht des Zorns, der Rache.

Es war ein Gesicht, das ich gut kannte.

Da waren die feisten Wangen, das wirre Haar und die durchbohrenden Augen, die ich nicht vergessen konnte. Die knollige Nase. Die Ohrringe aus baumelnden Muscheln.

»Urnalda.« Sogar der Name schien wie Feuer zu knistern, als ich ihn laut aussprach.

»Wer?« Meine Mutter starrte erstaunt das flammende Gesicht an.

»Sag schon«, drängte Cairpré. »Wer ist das?«

Mit einer Stimme, die so brüchig war wie das Laub zu unseren Füßen, wiederholte ich den Namen. »Urnalda. Zauberin – und Herrscherin – der Zwerge.« Ich betastete den knorrigen Griff meines Stocks und dachte daran, wie sie mir vor langer Zeit einmal geholfen hatte. Ich dachte daran, wie schmerzlich das gewesen war. Und wie sie mir ein Versprechen abgerungen hatte, ein Versprechen, das mir wahrscheinlich noch weitaus größeren Schmerz bereiten würde. »Sie ist eine Verbündete, vielleicht sogar eine Freundin – aber eine, die man fürchten muss.«

In diesem Moment krümmte sich der Rand meines Psalters noch mehr und explodierte in einem Funkenregen. Holzsplitter segelten zischend und fauchend durch die Luft. Einer entzündete ein Büschel trockener Beeren an dem Ast darüber, die aufloderten, bevor sie zu einer Faust voll Holzkohle schrumpften. Ein anderer brennender Splitter flog auf Rhia zu und verfehlte knapp ihre blätterumhüllte Schulter.

Urnaldas Gesicht, von Flammen umrahmt, schaute böse auf uns herunter. »Merlin«, krächzte sie schließlich. »Es sein Zeit.«

»Zeit?« Vergeblich versuchte ich zu schlucken. »Zeit wofür?«

Flammenzungen schossen auf mich zu. »Zeit, dass du dein Versprechen einlöst! Deine Schuld gegenüber meinem Volk sein groß, größer, als du weißt. Denn wir haben dir geholfen, obwohl es gegen unsere Gesetze sein.« Sie schüttelte den großen Kopf, dass die Ohrringe aus fächerförmigen Muscheln klirrten. »Jetzt sein die Zeit unserer Not. Unheil trifft das Land Urnaldas, das Land der Zwerge! Du musst jetzt kommen.« Ihre Stimme sank zu einem Murmeln. »Und du musst allein kommen.«

Meine Mutter umklammerte meinen Arm. »Das kann er nicht. Das wird er nicht tun.«

»Still, Frau!« Der Psalter verdrehte sich so heftig, dass er in einem Funkenregen entzweibrach. Doch beide Hälften blieben in der Luft, sie schwebten direkt über unseren Köpfen. »Der Junge weiß, dass ich ihn nicht rufen würde, wenn es nicht an der Zeit sein. Er sein der Einzige, der mein Volk retten kann.«

Ich schüttelte die Hand meiner Mutter ab. »Der Einzige? Warum?«

Urnalda schaute noch grimmiger. »Das werde ich dir sagen, wenn du hier an meiner Seite sein. Aber beeile dich! Zeit sein knapp, sehr knapp.« Die Zauberin schwieg einen Moment und wählte mit Bedacht ihre Worte. »So viel aber will ich dir sagen. Mein Volk sein heute angegriffen wie nie zuvor.«

»Von wem?«

»Von einem, der lange vergessen sein – bis heute.« Noch mehr Flammen sprangen vom Psalterrand. Das brennende Holz knatterte und zischte so laut, dass es fast ihre Worte übertönte. »Der Drache Valdearg schläft nicht mehr! Sein Feuer sein entfacht, genau wie sein Zorn. Ich sage die Wahrheit, oh ja! Fincayras dunkelster Tag sein gekommen.«

Ich schauderte noch, da verschwanden die Flammen plötzlich. Die verkohlten Reste meines Instruments wirbelten noch einen Moment in der Luft, dann fielen sie in gewundenen Rauchfahnen zwischen Gras und Laub. Wir traten alle zurück, um nicht von ihnen getroffen zu werden.

Ich drehte mich nach Cairpré um. Sein Gesicht war hart geworden wie ein zerklüfteter Felsen, doch es zeigte die schattigen Furchen der Angst. Er zog die wirren Augenbrauen hoch, während er Urnaldas letzte Worte wiederholte: »*Fincayras dunkelster Tag sein gekommen.*«

»Mein Sohn«, flüsterte Elen heiser, »du musst ihre Forderung nicht erfüllen. Bleib hier bei uns im Drumawald, wo es sicher ist.«

Cairpré kniff die Augen zusammen. »Wenn Valdearg wirklich erwacht ist, dann ist keiner von uns sicher.« Grimmig fügte er hinzu: »Und wir haben schlimmere Sorgen, als selbst Urnalda weiß.«

Ich stampfte mit dem Stiefel auf glühende Kohlenstücke. »Was meinst du damit?«

»Das Gedicht *Der Drachenkampf*. Habe ich dir meine Aufzeichnung nicht gezeigt? Über zehn Jahre habe ich gebraucht, um die Teile zusammenzusetzen und die Lücken zu füllen – wenigstens die meisten. Hagelschlag und Hexenschuss! Ich wollte es dir zeigen, aber nicht so bald. Nicht so!«

Mein Blick fiel auf die Reste meines Psalters, nichts als zerbrochene Holzkohlestückchen und geschwärzte Saiten zwischen den Blättern im Gras. Bei einer Ebereschenwurzel sah ich einen Teil des Stegs aus Eichenholz. Daran hing immer noch ein Stückchen Saite – die kleinste von allen.

Ich bückte mich danach. So steif, so leblos! Gar nicht wie das biegsame Band, das ich noch vor ein paar Minuten in

der Hand gehalten hatte. Wenn ich jetzt versuchen würde sie zu biegen, würde sie bestimmt in meinen Fingern zerbrechen.

Ich hob den Kopf. »Cairpré?«

»Ja, mein Junge?«

»Erzähl mir von dem Gedicht.«

Er stieß einen langen, pfeifenden Atemzug aus. »Ich fürchte, es ist voller Lücken und Unklarheiten. Aber es ist alles, was wir haben. Ich bin mir noch nicht einmal sicher, ob ich mehr als die letzten paar Zeilen weiß. Und du wirst mehr wissen müssen, viel mehr, wenn du tatsächlich dem Drachen gegenübertreten willst.«

Am Rand meines Gesichtsfelds sah ich, wie meine Mutter erstarrte. »Sprich weiter«, drängte ich.

Cairpré gab sich Mühe, nicht zu ihr hinzuschauen. Er räusperte sich und deutete mit einer abrupten Handbewegung auf die fernen, nebelverhangenen Hügel. »Weit, weit im Norden, noch hinter dem Reich der Zwerge, sind die entlegensten Gebiete dieser Insel – die verlorenen Länder. Jetzt sind sie versengt und stinken nach Tod, aber einst gediehen sie so üppig wie dieser Wald. Fruchtbeladene Sträucher, grüne Wiesen, alte Bäume ... bis Valdearg, der letzte Herrscher der Drachen, einfiel. Weil die Bewohner der verlorenen Länder unbesonnen seine Gefährtin getötet hatten – und nach den meisten Berichten auch ihren einzigen Nachkommen –, stürzte er sich mit dem Zorn von tausend Stürmen auf diese Leute. Er quälte, plünderte, zerstörte und ließ nichts Lebendiges zurück. Er wurde für alle Zeit Feuerflügel.«

Cairpré schwieg einen Augenblick und schaute hinauf in die Zweige der großen Eberesche. »Schließlich trug Valdearg seine Wut nach Süden, ins übrige Fincayra. Damals hat dein Großvater Tuatha ihn zum Kampf gestellt – und ihn zurück ins Ödland getrieben. Obwohl der Kampf der hellen Flammen den Himmel drei Jahre und einen Tag lang mit ihrem Schein überzog, gewann Tuatha schließlich die Oberhand und lockte den Drachen in einen Zauberschlaf.«

Ich schaute auf das Psalterstück in meiner Hand. »Einen Schlaf, der jetzt beendet ist.«

»Ja, deshalb sprach ich vom *Drachenkampf*. Dieses Gedicht erzählt nämlich die Geschichte des Duells. Tuatha vertraute auf eine Waffe von großer Zauberkraft, die ihm den Sieg brachte.«

»Was war das?«, fragte Rhia.

Cairpré zögerte.

»Sag es uns«, verlangte sie.

»Der Galator.« Der Dichter sprach leise, aber seine Worte dröhnten mir in den Ohren.

Instinktiv fuhr ich mit der Hand zur Brust, wo der edelsteinbesetzte Anhänger mit Kräften, die so geheimnisvoll waren wie sein merkwürdiger grüner Glanz, vor langer Zeit geruht hatte. Ich sah, dass Rhia den Griff bemerkt hatte. Und ich wusste, dass auch sie sich an den Galator erinnerte – und wie er an die Hexe Domnu, die Diebin der Sümpfe, verloren ging.

»Das Gedicht«, fuhr Cairpré fort, »endet mit einer Prophezeiung.« Düster sah er mich an. »Einer Prophezeiung, die alles andere als klar ist.«

Er setzte sich auf eine ausladende Wurzel und schaute in die Ferne. Nach einer langen Pause begann er zu rezitieren:

Wenn Valdearg vom Schlaf erwacht,
beginnt für zu viele der ewige Schlummer.
Der dunkelste aller Tage bringt
zu vielen Geschöpfen den tiefsten Kummer.
Zuerst kommt der Schrecken,
der anschwillt zur Pein,
das Ende kann nichts als
Verderben sein.

So grenzenlos ist seine Kraft,
sein Wüten so maßlos und ohne Besinnen,
weil Valdearg seine Träume rächt,
die sterben, bevor sie zu leben beginnen.
Gleich nach dem Erwachen
sieht er den Verlust,
nur Gier nach Bestrafung
ist ihm bewusst.

Seht, unaufhaltsam ist sein Zorn.
Nur einer kann jetzt noch sein Wüten beenden:
Ein Abkömmling der Feinde von einst,
der uralten Gegner, kann alles noch wenden.
Sie kämpfen erbittert
in schrecklicher Schlacht,
der uralte Blutrausch
ist neu entfacht.

Doch keiner trägt den Sieg davon.
So schrecklich die beiden einander bekriegen,
so fürchterlich die Wunden sind,
so wenig gelingt es dann einem, zu siegen.

Der Drache sieht nie mehr
am Himmel das Rot,
sein Gegner am Boden
ist stumm und tot.

Luft wird zu Wasser, Nass zu Eis,
aus Tropfen beginnen die Flammen zu lecken.
Das Mischen der Elemente zeigt,
dass bald neue Fluren die Erde bedecken.
Die Feinde besiegt
von höherer Macht,
die Plage beendet
nach schlimmer Schlacht.

Bis auf das Rauschen der Ebereschenblätter war kein Laut auf der Kuppe zu hören. Niemand regte sich, niemand sprach. Wir waren so still wie die verkohlten Reste meines Instruments. Schließlich trat Rhia zu mir und wand ihren Zeigefinger um meinen.

»Merlin«, flüsterte sie, »ich verstehe nicht, was das alles bedeutet, aber der Klang gefällt mir nicht. Das Gefühl. Bist du sicher, dass du gehen willst? Vielleicht findet Urnalda ohne dich eine Lösung, wie man den Drachen aufhalten kann.«

Ich schaute sie finster an und zog meine Hand weg. »Natürlich will ich nicht gehen! Aber sie hat mir einmal geholfen, als es wirklich nötig war. Und ich habe versprochen ihr zum Dank zu helfen.«

»Aber nicht mit einem Drachen zu kämpfen!«, rief meine Mutter verzweifelt.

Ich sah die Frau an, die noch vor kurzem so überglück-

lich gewesen war, dass sie singen wollte. »Du hast Urnalda gehört. Sie sagte, ich bin der Einzige, der ihr Volk
retten kann. Warum, weiß ich nicht, aber es muss etwas
mit der Prophezeiung zu tun haben. Niemand kann
den Drachen besiegen außer einem – *ein Abkömmling der
Feinde von einst*. Damit bin ich gemeint, siehst du das nicht
ein?«

»Warum?«, flehte sie. »Warum musst du es sein?«

»Weil ich der Abkömmling von Tuatha bin, dem einzigen
Magier – von allen, die den Drachen im Lauf der Jahrhunderte bekämpft haben –, der ihm schließlich gefährlich
wurde. Der ihn besiegt hat, wenigstens für einige Zeit.«
Ich schlug auf den Griff meines Stocks. »Und ich bin offenbar der Einzige, der möglicherweise den Rest tun kann.«

Ihre saphirblauen Augen trübten sich, als sie Cairpré
fragte: »Warum hat Tuatha den Drachen nicht getötet, als
er die Möglichkeit dazu hatte?«

Der Dichter fuhr sich mit beiden Händen langsam
durch die Haare. »Ich weiß es nicht. So wenig, wie ich
weiß, was die Prophezeiung mit den gestorbenen Träumen des Drachen meint. Oder mit der Luft, die zu Wasser
wird, und dem Wasser, das sich mit Feuer vermengt.«

Mit Mühe wandte er den Blick von Elen und schaute
mich an. »Doch manches erscheint einfach. Zu einfach. Es
deutet, fürchte ich, auf dich als Valdeargs Gegner – und als
den Einzigen, der ihn daran hindern kann, fast ganz
Fincayra in Asche zu legen. Denn wenn er einmal angefangen hat, wird er sich nicht damit begnügen, das Zwergen-
reich auszulöschen oder sogar diesen Wald. Er wird danach
dürsten, alles, was er kann, zu zerstören. Und deshalb, Merlin, kann es sehr wohl deine Rolle sein, dich dem Drachen

entgegenzustellen, genau wie dein Großvater es im Kampf der hellen Flammen tat. Aber diesmal wird der Ausgang ein anderer sein. Diesmal ... werdet ihr beide sterben.«

Er schluckte. »Jeder Barde, den ich kenne, versteht, wie wichtig dieses Gedicht ist. Deshalb habe ich so viele Jahre damit verbracht, es aufzuzeichnen und zu versuchen es zusammenzutragen. Über vieles lässt sich streiten, aber niemand – gar niemand – ist anderer Meinung über den Ausgang des Kampfs. *Der Drache sieht nie mehr am Himmel das Rot, sein Gegner am Boden ist stumm und tot.* Wer den Drachen bezwingt, wird ebenfalls sterben.«

Rhia musterte ihn aufmerksam, während sie eine lose Ranke wieder in ihren Ärmel steckte. »Aber da ist noch etwas, nicht wahr? Etwas, worin die anderen Barden nicht mit dir übereinstimmen?«

Er bekam einen roten Kopf. »Wie deine Mutter siehst du direkt durch meine Haut.« Er deutete auf die Kugel an ihrem Webgürtel, in der schwach ein oranges Licht leuchtete. »Vielleicht hat dir Merlin deshalb den Feuerball gegeben.«

Nachdenklich streichelte Rhia den Ball. »Die Wahrheit ist, dass ich immer noch nicht genau weiß, warum er ihn mir gegeben hat.« Sie sah mich an. »Obwohl ich dafür dankbar bin. Aber das tut jetzt nichts zur Sache. Sag uns den Rest.«

Der Wind wurde stärker, er rüttelte an den Zweigen über uns, wie ein Krieger mit Schwert und Schild rasselt. Das Laub zu unseren Füßen raschelte, während weitere Blätter, Zweige und Rindenstückchen zu Boden wirbelten. Ich spürte einen Hauch von Winterkälte in der Luft, obwohl meine Finger noch von der Hitze meines brennenden Psalters schmerzten.

Cairpré wischte sich einen Zweig vom Ohr. »Ich bin mir überhaupt nicht sicher, aber ich glaube, der Schlüssel zu der Prophezeiung liegt in diesem geheimnisvollen Hinweis am Ende: *eine höhere Macht*. Was immer das bedeutet, es muss etwas Stärkeres sein als der Drache. Und stärker als ...«

»Ich. Als jemand, dessen magisches Instrument nie einen einzigen Ton gespielt hat.«

»Ich weiß, mein Junge.« Er betrachtete mich besorgt. »Aber trotzdem, diese Macht könnte etwas sein, was du dennoch beherrschst. Und wenn das möglich wäre, könntest du sie vielleicht irgendwie nutzen, um den Drachen zu besiegen.«

»Was ist es?«, fragte ich. »Was könnte stärker als ein Drache sein?«

»Hagelschlag und Hexenschuss, Junge! Ich wollte, ich wüsste es.«

Rhia schlug sich auf den Schenkel. »Vielleicht ist es der Galator! Schließlich wissen wir, dass er schon zuvor geholfen hat.«

Ich winkte ab. »Selbst wenn du Recht hast, habe ich keine Zeit für den Versuch, ihn zurückzuholen. Er ist auf der entgegengesetzten Seite der Insel. Und Urnalda braucht sofort Hilfe! Es wird sowieso mehrere Tage dauern, bis ich an der Grenze ihres Reiches bin. Wenn ich nur das Springen so gut beherrschen würde, dass es mich hinbringen könnte ... Aber ich kann es nicht.« Ich rollte die geschwärzte Saite zwischen den Fingern. »Und jetzt werde ich es wahrscheinlich nie lernen.«

Ernst schüttelte ich den Kopf. »Nein, wir wollen lieber hoffen, dass mit dieser höheren Macht etwas anderes gemeint ist als der Galator. Und dass ich sie irgendwie finden kann.«

Meine Mutter protestierte wieder, jetzt mit schwacher Stimme. »Aber du hast noch nicht einmal einen Plan.«

»Das ist bei ihm nicht ungewöhnlich«, sagte Rhia. »Er wird versuchen einen zu improvisieren.«

»Dann mache ich mir einen eigenen Plan«, entgegnete Elen entschieden. »Zu beten. Und nicht zu trauern, bevor ich muss.«

Cairpré seufzte tief. »Willst du das wirklich machen, Merlin? Niemand wird es dir übel nehmen, wenn du lieber hier bei uns bleibst.«

Ich betrachtete die spröde Saite und den Holzsplitter in meiner Hand. Alles, was von meinem Psalter übrig war. Mein fehlgeschlagener Versuch mit der höheren Magie. Wie konnte ich mit Stock und Schwert als einzigem Beistand auch nur hoffen einen mächtigen Feind herauszufordern? Und dann noch Valdearg? Ich öffnete meinen Beutel mit Heilkräutern und wertvollen Gegenständen und wollte gerade die verkohlten Reste hineinschieben – da überlegte ich es mir anders. Warum sollte ich so etwas behalten? Es war nutzlos für mich und jeden anderen. Ich ließ sie auf den Boden fallen.

Zugleich berührte meine Fingerspitze im Beutel etwas Weiches. Eine Feder. Ich lächelte traurig beim Gedanken an den munteren jungen Falken, der mir so viel gegeben hatte, auch meinen eigenen Namen. Der nie vor einem Kampf zurückgeschreckt war, noch nicht einmal vor dem, der sein Leben beendet hatte.

Schließlich hob ich den Kopf. »Ich muss gehen.«

IV

EIN FERNER KLANG

airpré wischte ein paar Blätter von meiner Schulter. »Wenn du gehst, mein Junge, solltest du das mitnehmen.«

Er bückte sich nach der geschwärzten Saite meines Psalters, die ich weggeworfen hatte. Sorgfältig fischte er sie aus den Blättern und dem Gras zu meinen Füßen. Auf seiner Handfläche sah sie aus wie die verkrümmte schwarze Leiche einer Schlange – als Baby getötet.

Ich schob seine Hand weg. »Warum sollte ich das haben wollen?«

»Weil du es gemacht hast, Merlin. Mit eigenen Händen gefertigt.«

Ich lachte höhnisch. »Es ist wertlos. Es erinnert mich nur daran, dass ich die Prüfung nicht bestanden habe.«

Seine wirren Brauen hoben sich. »Vielleicht. Und vielleicht nicht.«

»Aber du hast gesehen, was passiert ist.«

»Sicher habe ich es gesehen. *Meine Augen irrten nicht. Such das Licht, such das Licht!*« Er strich sich das angegraute Haar zurück. »Und ich habe gesehen, dass es dir gar nicht möglich war, zu spielen. Urnalda hat dich unterbrochen, bevor du – oder die Saiten – irgendwelche Musik machen konntet. Wir wissen nicht, was geschehen wäre, wenn du weitergemacht hättest.«

Ich schaute zu den knorrigen Wurzeln der großen Eberesche hinüber, wo ich so viele Monate an meinem Psalter gearbeitet hatte. Und zu den Werkzeugen in den verschiedensten Formen zu allen möglichen Zwecken, die ich schließlich gelernt hatte anzufertigen. »Aber jetzt werden wir das nie mehr erfahren. Du hast selbst gesagt, ich bekomme keine zweite Chance.«

Langsam nickte er. »Keine zum Bau eines magischen Instruments, das stimmt. Aber es wäre möglich, wenn auch sehr unwahrscheinlich, dass deine Chance, dieses hier zu spielen, noch nicht vorbei ist.«

»Weißt du, er könnte Recht haben.« Rhia kam durch die fallenden Blätter näher. »Es gibt immer eine Möglichkeit.«

Ich schaute sie wütend an. »Mit verglühter Kohle kann man keine Musik machen!«

»Woher weißt du das?«, entgegnete Cairpré. »Du hast vielleicht Kräfte, die du noch nicht begreifst.«

»Kräfte, die ich nie erproben kann – ob mit oder ohne Drachen!« Zornig riss ich ihm die Saite aus der Hand. »Schau dir das an! Wenn ein junger Zauberer es nicht fertig bringt, dass Musik aus seinem Instrument strömt, dann ist es mit seinem Wachstum – seiner Möglichkeit, das zu werden, nun, *was immer* er werden könnte – vorbei, das weißt du so gut wie ich.«

Der Dichter schaute mich lange mit seinen unergründlichen Augen an. »Ja, mein Junge, das stimmt. Aber bei alldem gibt es vieles, was wir nicht verstehen – ich jedenfalls verstehe es nicht.«

»Denk nur an all die Blätter«, sagte Rhia. »Noch bevor du anfingst zu spielen, hast du Dinge von überall her angelockt. Nicht nur die Blätter, auch magische Dinge. Selbst

Urnalda! Vielleicht hatte der Psalter schon angefangen seine Macht zu zeigen.«

»Das stimmt«, fügte Cairpré hinzu. »Und wer weiß? Vielleicht hat diese Kraft, die all die Blätter, all die Magie anzog, auch etwas anderes herbeigerufen. Etwas, das noch nicht angekommen, das immer noch zu dir unterwegs ist.«

Skeptisch untersuchte ich die verdrehte Saite und das, was von dem Steg noch übrig war. »Ich glaube nicht, dass hier noch etwas geblieben ist. Aber ... es kann wohl nicht schaden, es eine Zeit lang aufzubewahren.«

Während ich die Reste in meinen Beutel schob, schaute ich zu meiner Mutter hinüber, die schweigend beim Stamm der Eberesche stand. »Was ich wirklich brauche, ist etwas Starkes – sehr Starkes. Das mir gegen Valdearg hilft.«

Cairpré berührte mich am Arm. »Ich weiß, mein Junge. Glaub mir, ich verstehe das.«

Plötzlich deutete Rhia zum Himmel. »Was ist das?«

Der Dichter schaute hinauf – dann duckte er sich, als wäre er von einem unsichtbaren Prügel getroffen worden. Wie wir anderen starrte er auf ein dunkles gezacktes Flügelpaar, das aus einer Wolke auftauchte. Und auf den blutroten Mund mit riesigen Zähnen. Oder Fängen. Während das Wesen hoch über uns kreiste, wichen wir zum Stamm der alten Eberesche zurück.

»Nicht der Drache«, flehte meine Mutter und stieg über eine dicke Wurzel. Dann sah sie, wie die Gestalt eine scharfe Kurve flog, und schüttelte den Kopf. »Nein, nein, schaut! Es ist nicht groß genug. Es sieht mehr wie eine gigantische Fledermaus aus. Was in Dagdas Namen ist das?«

Cairpré rief mit erstickter Stimme: »Das kann nicht sein! Die letzten von ihnen sind schon vor langer Zeit ausgestorben.« Er rieb seine Hand an der rauen Rinde. »Bleibt alle beim Baum! Bewegt euch nicht, damit es uns nicht sieht.«

»Was ist es?« Ich packte ihn am Arm. »Und warum spüre ich solche Angst tief in mir? Um mehr als unser Leben!«

»Weil dieses Wesen uns nicht nach dem Leben trachtet, obwohl es uns das leicht kosten könnte. Es will ... deine Kräfte, Merlin.«

Bevor er noch mehr sagen konnte, drang ein hoher durchdringender Schrei über die bewaldeten Hügel. Er schmerzte mich körperlich, schnitt mir in die Brust wie ein Schwert. Dann, als ein kalter Windstoß in die Eberesche fuhr, schlugen die Zweige ächzend und knarrend um sich, während weitere Blätter und Beeren über die Kuppe flogen. In diesem Moment drehte sich die geflügelte Bestie scharf in der Luft. Sie stürzte herunter, direkt auf uns zu.

Rhia keuchte: »Es hat uns gesehen!«

»Was ist es?«, fragte ich.

Cairpré kniff die Augen zusammen und spähte durch die schwankenden Äste. »Ein Kreelix. Es ernährt sich von den Kräften – der Magie – anderer.«

Er versuchte sich vor Elen zu stellen und sie in einen Spalt im Stamm zu drängen. Doch sie stieß ihn weg. »Kümmere dich nicht um mich!«, rief sie. »Beschütze *ihn*.«

Cairpré wandte den Blick nicht von dem fledermausähnlichen Wesen. »Diese Fänge ...«

Entsetzt starrte ich die dunkle Gestalt an, die mit jeder Sekunde näher kam. Schon konnte ich drei schimmernde

Fänge ausmachen. Und die krummen Klauen, die unter den Vorderkanten der Flügel herausragten. Fast spürte ich, wie sie sich in mein Fleisch, meine Rippen, mein hämmerndes Herz gruben.

Wenigstens konnte ich das Untier von den anderen ablenken! Ich schaute auf mein Schwert hinunter, das halb unter Blättern begraben am Fuß des Baums lag, dann fiel mir plötzlich eine mächtigere Waffe ein. Mein Stock! Ich riss ihn aus dem Gürtel.

Cairpré fiel mir in den Arm. »Nicht, Merlin.«

Ich machte mich frei. Mit dem Stab in der Hand sprang ich aus dem Wurzelgewirr.

Der Schrei des Kreelix durchschnitt die Luft und übertönte den Ruf des Dichters. Im selben Moment fiel der riesige Schatten mit den hakenförmigen Flügeln auf die Eberesche. Die Bestie hatte den Baumwipfel gestreift und dabei Dutzende kleinerer Zweige abgehauen, die auf mich herabregneten.

Ich packte meine Waffe und beschwor alle Kräfte, die in ihrem Holz verborgen waren. *Jetzt. Ich brauche eure Hilfe jetzt!*

Das Kreelix legte sich auf die Seite und durchstach die Luft mit seinen Flügeln. Dann stieß es auf mich herab, das dichte braune Fell auf Kopf und Körper war vom Wind platt gedrückt. Das Maul öffnete sich noch weiter, die Fänge schoben sich heraus. Ich sah, dass dem Geschöpf die Augen fehlten – wie bei mir kam seine Sehfähigkeit woanders her.

Als die drei Fänge sich auf mich zubogen, trat ich zurück und blieb mit dem Absatz an einer Wurzel hängen. Ich versuchte das Gleichgewicht zu halten, doch ich fiel rückwärts. Der Stock flog mir aus der Hand und rollte den Hang hinunter.

Ich wollte mich aufrappeln – da berührte meine Hand den Ledergürtel mit der Scheide. Das Schwert! Ich packte den Griff. Als ich die Klinge herauszog, gab es einen leisen Ton wie von weither.

Ich kam auf die Beine und hatte kaum Zeit, das Schwert zu heben, bevor das Kreelix angriff. Es flog direkt auf mich zu, Flügel und Stimme lärmten gleichzeitig. Jetzt konnte ich die geäderten Falten seiner Ohren sehen, die dolchähnlichen Ränder seiner Klauen, die scharlachroten Spitzen der Fänge. Sein Schatten raste über die Bäume unterhalb der Kuppe, dann den grasbedeckten Hang hinauf.

Ich stellte mich in Position und holte aus. *Lass mich nicht im Stich, Schwert!* Ich nahm alle Kraft zusammen. *Nur du stehst zwischen uns und dem Tod.* Ich schlug zu.

Plötzlich explodierte in meinem Kopf scharlachrotes Licht. Zugleich traf mich etwas mit ungeheurer Wucht, warf mich um und schien tief in meine Brust zu greifen. Die Kraft wurde aus meinem Körper gerissen und das Schwert aus meiner Hand. Ich wirbelte atemlos durch die Luft. Krachend landete ich auf dem Boden, rollte noch ein Stück und blieb dann liegen.

Ich lag auf dem Rücken. Im Gras. Zwischen Blättern. Ja, es fühlte sich wie Blätter an. Aber wo war dieser Ort? Ein kurzer, mühsamer Atemzug. Endlich Luft! Ich versuchte aufzustehen, doch ich konnte es nicht. Die Wolken kreisten über mir. Und noch etwas, das dunkler war als ein Schatten.

»Merlin, gib Acht!«

Zwar konnte ich nicht unterscheiden, ob der Schrei aus

mir heraus oder von außen kam, doch ich zwang mich ihn zu befolgen. Schwach rollte ich zur Seite. Den Bruchteil einer Sekunde später schlug etwas in den Boden, knapp an meinem Kopf vorbei. Ich hörte ein leises Geräusch wie einen fernen Klang. Wie … etwas anderes, etwas, woran ich mich nicht erinnern konnte.

Mühsam setzte ich mich auf. Verschwommene, zusammenhanglose Gestalten schwammen vor mir. Ein Ast … eine Klaue … oder Klinge? Ein dicker Baumstamm – nein, es sah mehr aus wie … ich wusste es nicht. So sehr ich mich auch bemühte, ich konnte nichts scharf sehen. Konnte mich nicht erinnern. Warum war mir so schwindlig? Wo war ich überhaupt?

Mit großer Anstrengung konzentrierte ich mich auf das blutrote Gebilde vor mir, das ständig größer wurde. Es hatte zwei, nein, drei leuchtende Punkte in der Mitte. Es war rund, oder fast rund. Es war hohl und sehr tief. Es war …

Ein Maul! Plötzlich kam die Erinnerung zurück. Das Kreelix war fast über mir! Es stand auf der Kuppe mit dem Rücken zur Eberesche und hatte die Flügel ausgebreitet. Seine Fänge funkelten wie das Schwert in seinen Klauen. Mein Schwert!

Ich versuchte aufzustehen, fiel aber erschöpft zurück. Das Maul kam näher. Ich versuchte wegzurollen. Mein Körper fühlte sich schwerer an als ein Stein.

In meinen Gliedern war keine Kraft mehr. So wenig wie in meinem Verstand. Das höhlenartige Maul verschwamm an den Rändern. Alles sah rot aus. Blutrot.

Ich hörte ein Krachen wie von splitterndem Holz. Und wieder den durchdringenden Schrei. Dann Stille – und völlige Dunkelheit.

V
NEGATUS MYSTERIUM

Ich kam zu mir und stellte fest, dass ich wieder auf den Blättern lag. Etwas Hartes ohne Geschmack klebte an meiner Zunge. Ich spuckte es aus. Ein Zweig! Jemand – meine Mutter – hob den Kopf von meiner Brust, wo sie offenbar auf meinen Herzschlag gehorcht hatte. Auf ihren Wangen waren Tränenspuren, doch ihre saphirblauen Augen leuchteten vor Erleichterung.

Sie strich mir sanft über die Stirn. »Endlich bist du aufgewacht.« Sie schaute hinauf in die rauschenden Äste der Eberesche und schloss dankbar die Augen.

Da sah ich direkt hinter ihr ein Paar riesige, knochige Flügel. Das Kreelix! Ich warf mich zur Seite und stieß heftig mit Elen zusammen. Sie schrie auf und stürzte den Hang hinunter wie ein Apfel, der vom Zweig gefallen ist. Mit einem Sprung landete ich auf den Füßen. Obwohl ich noch wacklig auf den Beinen war, stellte ich mich zwischen sie und die gefürchtete Bestie.

Dann besann ich mich: Das Kreelix hing schlaff wie ein abgeworfenes Tuch von den Ästen der Eberesche. Dicke knorrige Zweige wanden sich um jeden seiner Flügel, andere pressten den pelzigen Körper an den Stamm. Die Klauen, die so bedrohlich ausgesehen hatten, baumelten leblos, während der Kopf vornüberhing und die Fänge verbarg. Eine tiefe Wunde, mit purpurrotem Blut beschmiert, lief über den Nacken.

»Keine Angst.« Cairpré legte mir die Hand auf die Schulter. »Es ist mausetot.«

Meine Mutter keuchte hinter uns herauf. »Ich beinah auch.«

Ich fuhr herum. »Es tut mir so leid! Ich dachte ...«

»Ich weiß, was du dachtest.« Sie zwang sich zu einem Lächeln, während sie eine schmerzende Stelle an ihrer Schulter rieb. »Und ich freue mich über den Beweis, mein Sohn, dass du wieder bei Kräften bist.«

Ich drehte mich nach dem Kreelix um, das ausgebreitet am Baum hing. »Wie ...?«, fing ich an. »Aber ... es war – wie?«

»Ich habe es zu gern, wenn jemand eine klare Frage stellt.« Rhia kam hinter dem Stamm hervor und grinste mich spöttisch an. In der Hand hielt sie mein Schwert, es funkelte im Sonnenlicht. Sie hob die Scheide vom Boden auf, steckte die Klinge hinein und reichte sie mir. »Ich dachte, dein Schwert ist dir lieber ohne all die Blutflecken. So eine scheußliche purpurrote Farbe. Erinnert mich an faulen Fisch.«

Als sie meine Verwirrung sah, schaute sie zu Cairpré und Elen hinüber. »Ich glaube, wir sollten ihn aufklären. Sonst plagt er uns den ganzen Tag mit unvollständigen Fragen.«

»Erzählt!«, rief ich. »Was um alles in der Welt ist passiert? Mit mir – und diesem fliegenden Gewürm dort drüben?«

Cairpré wiegte den Kopf. »Ich habe versucht dich zu warnen. Es geschah alles zu schnell. Ein Kreelix lebt von Magie, weißt du. Es frisst sie. Saugt sie aus seiner Beute, wie eine Biene Nektar aus einer Blume trinkt. Weil ich wie alle anderen glaubte, das letzte Kreelix sei vor Jahrhunderten gestorben, habe ich dir nie von ihnen erzählt. *Kein Geheimnis – ein dummes Versäumnis.* Ein besserer Lehrmeister hätte dir beigebracht, was die alten Zauberer, wie ich fürchte, aus bitterer Erfahrung wussten – dass man die Kreelixe nur mit Schläue besiegt. Indirekt. Das Schlimmste, das man machen kann, ist der Frontalangriff, bei dem man alle seine Zauberkräfte preisgibt.«

»Wie ich es getan habe.« Ich schnallte mir das Schwert um und schüttelte den Kopf. »Ich hatte keine Ahnung, was mich getroffen hat. Da war ein scharlachroter Blitz … Dann wurde mir alle Kraft, alles Leben, so kam es mir vor, entrissen. Selbst mein zweites Gesicht war beeinträchtigt.«

Die Augen unter den buschigen Brauen betrachteten mich ernst. »Es hätte schlimmer kommen können. Viel schlimmer.«

Ich versuchte zu schlucken, doch meine Kehle fühlte sich rauer an als die Ebereschenrinde. »Ich hätte sterben können, meinst du. Und warum bin ich nicht gestorben? In jenem Moment?«

Er griff herüber und klopfte mir aufs Handgelenk. Zuerst bemerkte ich nichts. Plötzlich sah ich das Loch, glatt und rund, im Ärmel meiner Tunika. Ein dünner schwarzer Ring umgab es. Etwas schien direkt durch den Stoff geschmolzen zu sein.

»Der Fang«, erklärte Cairpré, »hat hier zugeschlagen. Ein Fingerbreit daneben und du wärst gestorben. Zweifellos. Weil selbst der geringste Kontakt mit dem Fang eines Kreelix die Kraft und das Leben jedes magischen Geschöpfs zerstört. Wie stark oder wie groß es auch sein mag.«

Nachdenklich fuhr er sich mit der Hand durch die Mähne. »Deshalb versuchten die alten Zauberer und Magierinnen unter allen Umständen Kämpfe von Angesicht zu Angesicht zu vermeiden. Vor allem mit Waffen, die ihre eigene Magie enthielten und den Kreelixen lediglich mehr Nahrung boten.«

»Wie mein Schwert hier.«

»Ja, oder wie das große Schwert Tieferschneid, das du vor einiger Zeit gerettet hast. Eine der ältesten Insellegenden erzählt, wie Tieferschneid über hundert Jahre lang irgendwo versteckt, vergraben war – nur damit die Kreelixe es nicht finden konnten.« Er nagte an seiner Unterlippe. »Jetzt verstehst du, mein Junge, warum ich nicht wollte, dass du deinen Stock schwingst. Denn ich nehme an, in ihm steckt mehr Magie als in einem Dutzend Tieferschneids.«

Ich schaute hinüber zu dem Zauberstock im Laub. »Wie haben sie dann die Kreelixe bekämpft? Wenn sie es nicht von Angesicht zu Angesicht tun konnten?«

»Das weiß ich nicht. Aber eins kann ich dir versprechen: Ich habe vor, es herauszufinden.« Er kniff die Augen zusammen. »Für den Fall, dass noch welche übrig sind.«

Ich wurde blass. »Wie hast du dann dieses bezwungen?«

Dankbar betrachtete er die Eberesche. »Mit Hilfe deines Freundes dort drüben. Und deiner begabten Schwester.«

Plötzlich verstand ich, was geschehen war. »Rhia! Du warst das also! Mit der Baumsprache! Du hast mit dem Baum geredet und er hat das Kreelix von hinten gepackt.«

Sie zuckte lässig mit den Schultern. »In allerletzter Minute. Wenn du das nächste Mal vorhast dich töten zu lassen, sag uns rechtzeitig Bescheid.«

Unwillkürlich musste ich lachen. »Ich werde mich bemühen.« Doch als ich die riesige fledermausähnliche Gestalt betrachtete, die schlaff von den Ästen hing, verging mir das Lachen. »Selbst ein so mächtiger Baum wie dieser hier hätte kein Geschöpf festhalten können, das sich mit Magie wehrt. Warum hat das also das Kreelix nicht getan? Bestimmt besaß es eigene Zauberkräfte, wenn es von denen anderer lebte.«

»Zauberkräfte?« Cairpré rieb sich nachdenklich das Kinn. »Nicht das, was wir normalerweise darunter verstehen. Aber etwas besaß es. Die Alten nannten es *negatus mysterium*, die seltsame Fähigkeit, die Zauberkräfte anderer aufzuheben oder zu verschlingen. Das war der scharlachrote Blitz – *negatus mysterium* war ausgelöst worden. Wenn es auf dich gerichtet ist, kann es einige deiner magischen Fähigkeiten betäuben, zumindest vorübergehend. Aber es kann dich nicht töten. Das bleibt den Fängen überlassen.« Er hob eine Hand voll Laub auf, dann ließ er es wieder zu Boden gleiten. »Doch da endeten die eigenen Kräfte des Kreelix. Das Springen, Verändern, Verbinden – all die Fähigkeiten, die du zu entwickeln versucht hast – könnte das Ungeheuer nicht beherrschen. Deshalb hatte es keine Kraft, zurückzuschlagen, sobald es vom Baum gefesselt wurde.«

Ich deutete auf die Leiche. »Oder dich daran zu hindern, es mit meinem Schwert zu töten.«

»Nein.« Rhias Gesicht hatte sich verfinstert. »Bevor einer von uns nach dem Schwert greifen konnte, richtete es die Klinge gegen sich selbst.«

Cairpré nickte. »Vielleicht fürchtete es uns so sehr, dass es sich lieber selbst die Kehle durchschnitt, bevor wir es tun konnten. Oder vielleicht«, fügte er dunkel hinzu, »fürchtete es auch, wir könnten etwas Wichtiges lernen, wenn es weiterlebte.«

»Zum Beispiel?«

»Zum Beispiel, wer es all diese Jahre am Leben und verborgen hielt.«

Ich schaute ihn fragend an. Das Gesicht des Dichters wurde noch ernster. Er griff in die Luft, als würde er in einem Buch blättern, das nur er sehen konnte. »In alten Zeiten«, er flüsterte beinah, »gab es Leute, die alles Magische fürchteten – von der einfachsten Leuchtfliege bis zum mächtigsten Zauberer. Für sie war alle Zauberei böse. Und zu oft geschah es auch, dass Zauberer und Magierinnen ihre Kräfte missbrauchten und solche Ängste rechtfertigten. Diese Leute bildeten eine Vereinigung – Klan der Rechtschaffenen nannten sie sich –, sie trafen sich heimlich und planten Magie zu zerstören, wo sie sie fanden. Sie trugen ein Abzeichen, meistens versteckt, mit einer Faust, die einen Blitz zerquetscht.«

Cairpré schlug sich die Faust in die Handfläche. »Schließlich fingen sie an Kreelixe zu züchten, Bestien, die so unnatürlich waren wie ihr Appetit. Und sie auch zu dressieren – damit sie magische Geschöpfe ohne Warnung angriffen und alle Zauberkräfte völlig zerstörten. Selbst wenn die Kreelixe beim Kampf umkamen, starben ihre Opfer meist ebenfalls.«

Voller Mitgefühl schaute er mich an. »Ihre Lieblingsopfer, ich sage es ungern, waren junge Zauberer wie du. Magier, deren Kräfte erst reiften. Ein Kreelix wurde beauftragt, je einen von ihnen zu beobachten und sich zu verbergen, bis diese Kräfte sich zeigten. Das geschah vielleicht bei der ersten Verwandlung des jungen Magiers, bei seinem ersten Erfolg im Kampf – oder seinem ersten Musikinstrument. In diesem Augenblick stürzte das Ungeheuer vom Himmel herab in der Hoffnung, den jungen Zauberer oder die Magierin daran zu hindern, jemals erwachsen zu werden.«

Als Cairpré Elens besorgtes Gesicht sah, nickte er niedergeschlagen. »Das ist wirklich Fincayras dunkelster Tag.«

Ich duckte mich, als wäre der Schatten des Kreelix wieder über mich geflogen. Ich wusste jetzt, dass es zu einem bestimmten Zweck geschickt worden war: um mich zu zerstören. Mich daran zu hindern, die Kräfte zu nutzen, die ich besaß. Oder – war so etwas möglich? – mich daran zu hindern, Valdearg jemals gegenüberzutreten.

VI
ZWEI HÄLFTEN DER ZEIT

Ich konnte nicht schlafen und wälzte mich auf dem Lager aus Tannennadeln von einer Seite zur anderen. Ich versuchte alles Mögliche, legte einen Arm unter den Kopf, schob die zusammengeknüllte Tunika unter die Kniekehlen oder starrte auf das dichte Netz aus Ästen über mir. Ich dachte an den Abendnebel, der bei Sonnenuntergang durch die Baumgruppen zieht; oder an das Meer unterm Sternenhimmel, der mit Tausenden von Augen über den Wassern funkelt.

Nichts half.

Wieder wälzte ich mich herum. Uh! Ein stachliger Tannenzapfen stach mich in den Nacken. Ich schob ihn zur Seite, kuschelte die Schulter tiefer in die Nadeln und versuchte wieder mich zu entspannen. Wenigstens ein bisschen zu ruhen. Die Zweifel, die Fragen – so unbestimmt, dass ich sie noch nicht einmal in Worte fassen konnte – hinter mir zu lassen, die meinen Geist reizten wie der Tannenzapfen die Haut.

Ich atmete tief ein. Der Tannenduft, süß und würzig, legte sich wie eine unsichtbare Decke über mich. Doch diese Decke war nicht warm genug, um die kühle Nachtluft abzuhalten. Ich schauderte bei dem Gedanken, dass bald der erste Schnee in diesem Wald fallen würde.

Wieder ein tiefer Atemzug. Normalerweise beruhigte mich Tannenduft sofort. Vielleicht erinnerte er mich an die ruhigeren Tage meiner Kindheit, lange bevor die Bruchstücke meines Lebens sich verschoben wie Flusskiesel unter meinen Füßen.

Damals war ich oft auf den Tisch geklettert, auf dem die Heilkräuter meiner Mutter lagen. Manchmal sah ich nur zu, wie sie siebte und presste, während die wundervollen Aromen meine Lungen füllten. Doch manchmal mischte ich meine eigenen Kombinationen, rührte die Farben und Formen zusammen, die mir gerade gefielen. Und immerzu – die Gerüche! Thymian. Buchenwurzel. Seetang. Minze (so stark, dass mir bei einer Nase voll die Augen übergingen und die Kopfhaut prickelte). Lavendel. Senfkörner, frisch von der Wiese. Dill – von dem ich immer niesen musste. Und natürlich die Tannennadeln. Am liebsten zerrieb ich sie, so dass meine Finger noch stundenlang wie ein Tannenzweig rochen.

Warum halfen sie mir dann heute Nacht so wenig? Sie piksten mich nur in die Schultern, den Rücken und die Beine wie tausend kleine Dolche. Ich rollte mich zu einem Ball zusammen und versuchte erneut mich zu entspannen.

Etwas stieß mich mitten in den Rücken. Zweifellos Rhias Fuß. Vielleicht konnte sie auch nicht schlafen.

Wieder ein Stoß. »Rhia«, murmelte ich und machte mir nicht die Mühe, mich umzudrehen. »Reicht es nicht, dass du darauf bestanden hast, mir zu folgen ...« Ich hielt inne und verbesserte mich, bevor sie es tun konnte. »Mich zu führen, meine ich, obwohl das für unsere Mutter alles nur noch schlimmer macht? Du musst nicht auch noch herüberkommen und mich treten.«

Der nächste Stoß – diesmal fester. »Schon gut, schon gut«, beschwichtigte ich sie. »Ich weiß, du hast verspro-

chen an der Grenze von Urnaldas Reich umzukehren. Und, ja, ich war einverstanden! Aber nur, weil du mir einen halben Tag oder mehr einsparen kannst, und nicht, damit du mich die ganze Nacht wach hältst!«

Als ich den nächsten Tritt spürte, fuhr ich herum und packte wütend –

Einen Igel. Kaum größer als meine Faust, rollte er sich noch fester zusammen und verbarg sein Gesicht in den Stacheln. Verlegen grinste ich. Armer kleiner Kerl! Man konnte sehen, dass er sich fürchtete. Vermutlich fror er auch.

Ich wog den stachligen Ball in der Hand. Obwohl ich sein Gesicht nicht sehen konnte, erkannte ich die dunklere Zeichnung eines Männchens. Wahrscheinlich nicht älter als ein paar Monate. Der kleine Bursche hatte sich vielleicht verlaufen und war von seiner Familie getrennt. Oder er fror so, dass ihm die Wärme meines Rückens wichtiger war als alle Vorsicht.

Sanft streichelte ich ihm den Rücken. Im vergangenen Jahr hatte ich zwar viel über die Sprache der Bäume gelernt (vom einfachen Zischen der Buchen war ich längst so weit fortgeschritten, dass ich mich mit einer Ulme oder sogar einer Eiche verständigen konnte), aber über die Sprache der Tiere wusste ich so gut wie nichts. Immerhin brachte ich ein pfeifendes *Jik-a-lik, Jik-a-lik* zustande, das ich einmal von einer Igelmutter gehört hatte, die ihrer Brut etwas vorsang.

Während ich den Ball weiter streichelte, entrollte er sich langsam. Zuerst kamen die ledrigen Polster der Hinterfüße zum Vorschein, keines größer als mein Daumennagel. Dann die Vorderfüße. Dann der Bauch, der schwoll wie eine dunkle Blase im Schlamm. Schließlich zeigte sich ein Auge, dann das andere, schwärzer als die Nachtschatten um uns herum. Zuletzt kam die Nase und schnüffelte an meinem Daumen. Als ich kräftiger streichelte, stieß der Igel einen winzigen kehligen Seufzer aus.

Rhia würde dieses kleine Geschöpf gefallen. Selbst wenn ich sie seinetwegen weckte – und meine eigene Torheit eingestand. Ich konnte schon ihr glockengleiches Lachen hören, wenn ich ihr erzählte, dass ich den Igel mit ihrem Fuß verwechselt hatte.

Ich setzte mich auf meinem Nadellager auf und konzentrierte mein zweites Gesicht auf die Farngruppe, bei der sie eingeschlafen war. Plötzlich blieb mir fast das Herz stehen. Rhia war weg!

Ich setzte den Igel ab und achtete nicht auf sein klagendes Gewimmer, während ich aufstand. Mit meinem zweiten Gesicht spähte ich angestrengt zwischen den schattigen Ästen und dunklen Stämmen des Gehölzes hindurch. Wohin war sie gegangen? Nach unseren vielen Wanderungen war ich daran gewöhnt, dass sie tagsüber umherstreifte, um Nahrung zu suchen, einer Hirschfährte zu folgen oder ins kühle Wasser eines Bergsees zu springen. Doch bei Nacht hatte sie noch nie das Lager verlassen. Hatte etwas ihre Neugier geweckt? Oder ... war ihr etwas zugestoßen?

Ich legte die Hände an den Mund. »Rhia!«

Keine Antwort.

»Rhia!«

Nichts. Im Wald schien es ungewöhnlich ruhig zu sein. Keine Zweige knackten oder ächzten, keine Flügel flatterten. Nur das anhaltende Wimmern des Igels durchbrach die Stille.

Dann hörte ich von irgendwo hinter den Farnen eine vertraute Stimme. »Musst du so laut schreien? Du weckst noch den ganzen Wald.«

»Rhia!« Ich griff nach Stock, Schwert und Lederbeutel. »Wo in Dagdas Namen bist du?«

»Hier draußen natürlich. Wo soll ich sonst die Sterne betrachten?«

Ich schnallte meinen Schwertgurt um und lief durch die Farne. Immer wenn ich mich unter den Tannenästen duckte, riss ein Zweig an meiner Tunika. Plötzlich lichtete sich das Gehölz. Eine kalte Brise blies mir ins Gesicht. Ich stand am Rand einer kleinen, mit Steinen übersäten Wiese.

Zu meiner Linken sprudelte eine Quelle aus dem Boden und bildete zwischen Binsen einen Teich. Daneben lag ein flacher moosbewachsener Felsbrocken. Darauf saß Rhia, die Arme um die Schienbeine gelegt und das Gesicht dem Himmel zugewandt.

Als ich näher kam, verflüchtigte sich mein Ärger. Sie strahlte so viel Frieden, so viel innere Ruhe aus. Wie konnte ich ihr böse sein? Ich lehnte meinen Stock an den Stein, setzte mich neben sie – und schaute.

Unendlich viele Sterne leuchteten über uns. Wie Sänger in einem großen himmlischen Chor wanderten sie über das Gewölbe, durch ausgestreckte Lichtarme miteinander verbunden. Der Anblick erinnerte mich an die Worte, die sich meinem Gedächtnis so tief eingeprägt hatten – sie waren in den Baum geschnitzt, der Rhias Zuhause war: *Das große und herrliche Lied der Sterne.*

Rhia schaute unverwandt zum Himmel hinauf, ihre Locken glänzten im Sternenlicht. »Du hast also nicht schlafen können? Ich auch nicht.«

»Aber du hast die Nacht besser genutzt. Ich habe mich nur auf den Tannennadeln herumgewälzt.«

»Schau mal dort!«, rief sie und deutete auf eine Sternschnuppe, die einen Augenblick hell aufleuchtete und dann rasch verschwand. »Ich habe mich oft gefragt«, sagte Rhia nachdenklich, »ob so ein Stern irgendwo in unserer Welt niederfällt oder in einer anderen.«

»Oder in einen Fluss dahinter«, sagte ich. »In einen großen runden Fluss, der das Licht aller Sterne trägt und endlos in sich selbst fließt.«

»Ja«, flüsterte sie. »Und vielleicht ist dieser Fluss auch die Naht zwischen den beiden Hälften der Zeit. Erinnerst du dich an diese Geschichte? Eine Hälfte beginnt immerzu, die andere Hälfte endet unentwegt.«

Ich stützte die Ellbogen auf den Stein und lehnte mich weiter zurück. »Wie könnte ich das vergessen? Du hast es mir in derselben Nacht erzählt, in der du mir gezeigt hast, wie man die Sternbilder nicht in den Sternen findet, sondern im Raum dazwischen.«

»Und du hast mir von diesem Pferd erzählt – wie hieß es noch?«

»Pegasus.«

»Pegasus! Ein geflügeltes Ross, das von Stern zu Stern tänzelt. Mit dir auf dem Rücken.« Sie lachte, es klang wie eine Glocke im Wald. »Wie gern würde ich so fliegen!«

Ich lachte. »Das erinnert mich daran, wie aufregend es war, zum ersten Mal zu reiten – dieses Gefühl der Freiheit!«

»Wirklich?« Zum ersten Mal, seit ich gekommen war, wandte sie den Blick vom funkelnden Himmel. »Wann bist du geritten?«

»Vor langer Zeit. Es ist so lange her! Auf einem großen schwarzen Hengst, er gehörte unserem ... Vater.« Den Rest sagte ich nicht: bevor Rhita Gawr ihn korrumpierte und ihn mit der Gier ansteckte, Fincayra zu beherrschen. Diese Worte hinterließen immer noch einen schlechten Geschmack in meinem Mund. »Ich weiß nicht mehr viel über dieses Pferd, nur dass ich es so gern ritt – natürlich mit jemandem, der mich hielt. Ich war so klein ... Aber ich mochte so gern den Klang seiner Hufe unter mir, stampf-stampf, stampf-stampf. Und den warmen Atem aus seinen Nüstern! Immer wenn ich es im Schlossstall besuchte, brachte ich ihm einen Apfel mit, nur damit ich seinen warmen Atem auf meiner Hand spürte.«

Sie berührte leicht meine Schulter. »Du hast dieses Pferd wirklich geliebt.«

Ich seufzte. »Die Erinnerung ist jetzt so verschwommen. Vielleicht war ich einfach zu jung. Ich weiß noch nicht einmal mehr seinen Namen.«

»Vielleicht fällt er dir im Traum wieder ein. Das geschieht oft. Träume können die Vergangenheit zurückbringen.«

Ich biss die Zähne zusammen, als ich an den einzigen Traum dachte, der mir die Vergangenheit zurückbrachte. Immer und immer wieder. Wie ich diesen Traum hasste! Er kam unvorhergesehen – aber er trug mich immer zum selben Platz zurück. Hinaus aus den wirbelnden Nebeln um Fincayra, über das Meer, in ein ärmliches Dorf im Lande Gwynedd. Dort griff mich ein starker Junge an – Dinatius. In meiner Wut beschwor ich meine verborgenen Kräfte und verursachte einen Brand, ein Feuer, das direkt aus der Luft entstand. Diese Flammen! Sie versengten mir das Gesicht, verbrannten die Haut meiner Wangen und Stirn. Ich verlor meine Sehkraft bei diesem Brand – während Dinatius, fürchte ich, sein Leben verlor.

Der Traum endete immer gleich: Dinatius schrie im Todeskampf, seine Arme wurden vom brennenden Ast eines Baums zerquetscht. Ich erwachte auch immer auf die gleiche Weise. Schluchzend, die Hände vor den blicklosen Augen. Mit dem Schmerz der Brandwunden. Und was den Traum noch schlimmer machte: So hatte es sich wirklich zugetragen.

Ich schauderte und Rhia wand einen Finger um meinen. »Es tut mir leid, Merlin. Ich wollte dich nicht aufregen. Woran hast du gedacht … an den Drachen?«

»Nein, nein. Nur an eigene Drachen.«

Sie ließ meinen Finger los und fuhr mit der Hand über den rauen Stein. »Das sind die schlimmsten.«

Ich schluckte. »Die allerschlimmsten.«

»Manchmal sind die Drachen anders, als sie scheinen.«

»Was willst du damit sagen?«

Sie sah mir direkt in die Augen. »Der Galator. Du weißt, dass er dir helfen könnte, Valdearg zu besiegen. Vielleicht ist er sogar deine einzige Chance! Warum holst du ihn nicht zuerst? Bevor du dem Drachen gegenübertreten musst?«

Das Blut stieg mir ins Gesicht. »Weil dafür keine Zeit ist! Du hast doch gehört …«

»Ist das alles?«, unterbrach sie mich. »Dein einziger Grund?«

»Natürlich!«

»Wirklich?«

»Aber sicher!« Ich schlug mit der Faust auf den Stein. »Du glaubst doch nicht, dass ich mich fürchte vor …«

»Ja?«, fragte sie sanft.

»Vor Domnu.« Ich starrte sie verblüfft an. Wie konnte sie das wissen? Schon der Gedanke an diese hinterhältige alte Hexe ließ mich schaudern. »Cairpré hat Recht. Du kannst einem wirklich unter die Haut sehen.«

»Vielleicht. Manchmal ist es leichter, die Drachen eines anderen zu sehen als die eigenen, das ist alles. Was diesen angeht, so weiß ich nicht, ob du direkt zu Urnaldas Reich gehen solltest oder nicht. Die Zeit ist knapp, wie du sagst. Aber ich weiß, dass du dich vor Domnu fürchtest. Sehr. Und du musst wissen, dass diese Furcht dein Denken beeinflusst. Und sehr wahrscheinlich auch deinen Schlaf.«

Wider Willen musste ich lachen. »Du machst einem viel Ärger, weißt du. Aber manchmal ... bist du den fast wert.«

»Danke.« Sie lachte auch.

Ich runzelte die Stirn. »Aber ich denke trotzdem, dass ich direkt zu Urnalda gehen sollte. Ich habe es ihr versprochen – und sie braucht jetzt Hilfe. Weißt du noch, was sie gesagt hat? *Mein Volk sein heute angegriffen wie nie zuvor.*«

»Wenn du es schaffst, ihr irgendwie zu helfen, dann wird sie dir wahrscheinlich wenig Dank wissen.«

»Oh doch – auf ihre Art. Sie ist ruppig, das stimmt. Und leicht zu erzürnen. Aber wenigstens kann man ihr vertrauen. Im Gegensatz zu Domnu! Urnalda will nur, dass ihr Volk in Sicherheit ist.« Ich überlegte. »Selbst wenn ich den Galator wiederbekommen könnte, würde ich es nicht rechtzeitig schaffen, ihr zu helfen. Außerdem würde ich nie herausbekommen, wie er eingesetzt werden muss. Was würde er mir also nützen, falls ich ihn irgendwie von Domnu zurückbekommen könnte?«

Ich schaute hinauf zu dem Meer von Sternen über uns. »Außerdem: Vielleicht weiß Urnalda etwas über den Drachen, das mir helfen könnte. So wie der Galator half den letzten Kampf zu gewinnen. Sie ist schließlich eine Zauberin.«

Rhia und ich schauten uns an. »Und noch eins.« Ich atmete lange und langsam ein. »Ich habe Angst vor Domnu. Genauso viel wie vor dem Drachen.«

Funken tanzten in Rhias Haar, als sie mitfühlend nickte. »Ihr Name – was bedeutet er?«

»Dunkles Schicksal. Das ist alles, was man über sie wissen muss! Sie verfügt über so uralte magische Kräfte, dass selbst die mächtigsten Geister – Rhita Gawr oder sogar Dagda – sie einfach in Ruhe lassen. Und genau das werde ich tun, so gern ich sie auch gedemütigt sehen würde.«

In diesem Moment rutschte mein Stock vom Stein. Ich griff hinunter ins Gras, um ihn zu holen – als mich etwas in den Handrücken stach. Ich fuhr zusammen und erschreckte Rhia damit so, dass wir beide fast heruntergefallen wären.

Da fing ich an zu lachen. Ich griff wieder ins Gras. Und ich hob den kleinen Igel auf und streichelte seinen stachligen Rücken.

VII
AM STEIN

ast den ganzen folgenden Tag wanderten wir durch den Drumawald nach Norden. Weil Rhia die verborgenen Pfade kannte, die Fuchspfoten und Hirschhufe angelegt hatten, brachten wir eine große Strecke hinter uns. Und wir kamen schnell voran. Nur zwei Mal mussten wir langsamer machen: beim Durchqueren eines Dickichts mit Dornensträuchern, die stellenweise bis an unsere Hüften reichten, uns die Kleidung zerrissen und die Beine zerkratzten; und beim Erklettern eines Felsvorsprungs, dessen beschattete Oberfläche schon von dickem Eis bedeckt war.

Doch die meiste Zeit machte mich Rhias schonungsloses Tempo atemlos. Sie stürmte Hänge hinauf, sprang über Bäche und lief mühelos durch Eichen-, Buchen- und Tannenlichtungen. Wie ein Reh kam sie mir vor, während ich mich abmühte mitzukommen. Immer wenn sie ein paar würzige Pilze oder süße Beeren entdeckte, war ich doppelt dankbar – weil sie unseren Hunger stillten und uns eine Gelegenheit zum Rasten gaben.

Doch ich beklagte mich nie über unser Tempo. Urnaldas dringliche Bitte klang mir immer noch in den Ohren. Die Zeit lastete so schwer auf mir wie ein umgestürzter Baum. Wenn ich nur schneller dorthin kommen könnte! Und wenn ich nur besser wüsste was tun, sobald ich angekommen war.

Am frühen Nachmittag kamen wir an ein Zederngehölz am Fuß eines Hügels. Plötzlich wurde der Wind stärker. Äste schwankten wild, schlugen und krachten. Stämme wanden sich ächzend. Rhia blieb stehen, horchte auf die misstönenden Geräusche und machte ein immer grimmigeres Gesicht.

Schließlich drehte sie sich nach mir um. »Die Bäume – noch nie habe ich sie so erregt gehört.«

»Was sagen sie?«

»Kehrt um! Sie wiederholen ständig, *der Junge mit dem Zauberstab wird* ...« Sie verstummte, als hätte es ihr kurz die Stimme verschlagen. »*... wird sterben. So sicher, wie ein junger Baum in Flammen erstickt.*«

Ich fuhr zusammen und berührte die noch empfindlichen Narben in meinem Gesicht. »Aber ich kann nicht umkehren. Wenn ich Valdearg nicht entgegentrete, dann wirst du und alle anderen – auch jeder Baum in diesem Wald – ihm gegenüberstehen. Die Druma wird ein Friedhof sein.« Der würzige Duft einer Zeder stieg mir in die Nase. »Wenn ich aber sterben muss, dann wünsche ich mir nur ...«

Ich unterbrach mich und horchte auf das Knacken und Knarren der Bäume. »... dass auch ich ihn töte.«

Rhia kniff die graublauen Augen zusammen, sagte jedoch nichts.

»Die Frage ist aber«, sagte ich ernst, »wie. Ich bin noch nicht so weit mit einem Drachen zu kämpfen. Von töten ganz zu schweigen! Wahrscheinlich werde ich es nie können. Nicht nach dem, was geschehen ist ... dort bei der Eberesche. Nein, ich bin immer noch lediglich *der Junge mit dem Zauberstab*. Kein richtiger Zauberer.«

Ein Zweig brach direkt über uns ab und zersplitterte, als er neben unseren Füßen auf den Boden fiel. Rhia biss sich auf die Lippe, drehte sich um und ging weiter. Tief in Gedanken folgte ich ihr.

Allmählich wurde das Heulen des Windes in den Bäumen vom Platschen unserer Stiefel im Schlamm abgelöst. Jeder Pfad war voller Pfützen. Die Bäume wurden spärlicher, bis auf die gebleichten Skelette der Stämme, deren Wurzeln schon lange ertrunken waren. Wasservögel flöteten im aufsteigenden Nebel, während die ersten Anzeichen eines fauligen Geruchs die Luft verpesteten.

Im Gehen fragte ich Rhia: »Ist das der große Sumpf am Nordrand der Druma? Oder ein anderer?«

Sie trat mit ihrem Rindenstiefel auf einen Torfhügel und prüfte seine Festigkeit, bevor sie darüber stapfte. »Es ist ein Teil des großen Sumpfes. Aber mehr kann ich dir nicht sagen. Wir sind viel östlicher als die Route, die ich normalerweise nehme, weil ich den kürzesten Weg eingeschlagen habe. Ich dachte, so würden wir Zeit gewinnen.« Leise setzte sie hinzu: »Ich hoffe, ich hatte Recht.«

Der Schlamm saugte an meinen Stiefeln. »Ich auch.«

Ich wusste, der Sumpf war nicht das einzige heimtückische Gelände, das vor uns lag. Auf der anderen Seite würden wir die nebelverhüllten Klüfte der lebenden Steine erreichen. Zu oft hatte ich Geschichten von Reisenden gehört, denen plötzlich Beine, Arme oder Köpfe abgetrennt und von felsigen Kiefern zermalmt wurden. Und ich erinnerte mich nur zu gut daran, wie ein lebender Stein fast meine Hand geschluckt hatte.

Wir wateten durch eine überflutete Strecke und stiegen über verrottende Stämme und Äste. Als wir dann Gras unter den Füßen hatten, war die Sonne hinter einer Wolkenwand verschwunden. Ich schaute über die Schulter zum westlichen Horizont. Rhia sah in dieselbe Richtung, dann sagte sie: »Es ziehen immer mehr Wolken auf, Merlin. Heute Nacht gibt es keine Sterne, nach denen wir uns richten können. Wenn wir nicht vor der Dunkelheit auf der anderen Seite sind, müssen wir uns auf dein zweites Gesicht verlassen.«

Ich atmete tief ein, obwohl die Luft nach Verrottendem stank. »Das macht mir keine Sorgen. Mich beunruhigt, was in diesem Sumpf lebt. Und was sich im Finstern regt.«

Schweigend zogen wir weiter, bis zu den Knien stapften wir durch Wasser. Im schwindenden Licht stiegen merkwürdige Geräusche aus dem Moor. Von einer Seite kam ein dünnes, unsicheres Summen; hinter uns platschte plötzlich etwas – wir fuhren herum und sahen nichts. Dann ein lauter Schlag und ein Schmerzensschrei, als wäre jemandem der Schädel gespalten worden. Bald hallte fernes Geheul durch die dunkelnden Nebel.

Ohne Vorwarnung glitt etwas an meinem Schienbein vorbei. Ich sprang zur Seite und verlor dabei meinen Stiefel. Was mich erschreckt hatte, war schnell verschwunden, doch wir brauchten einige Minuten, bis wir meinen Stiefel aus dem Schlamm gezogen hatten.

Der Sonnenuntergang war in dem düsteren Licht kaum zu bemerken. Als die Dämmerung ringsum zunahm, schwollen die wilden Geräusche an. Rhia stolperte plötzlich und fiel in einen stinkenden Teich. Als sie herausstieg, sah ich, dass sich ein riesiger Blutegel, so lang wie mein Unterarm, an die tropfenden Blätter auf ihrem Rücken klammerte. Er kroch auf ihren Nacken zu. Mit meinem

Stock stieß ich ihn hinunter. Das Geschöpf zischte schrill, bevor es auf den Boden klatschte.

Das Licht wurde immer schwächer. Ich prüfte die Festigkeit des Bodens mit meinem Stock, damit wir Löcher mit Treibsand umgingen – und was sonst noch in den Tiefen lauerte. Wir stapften weiter und versuchten immer nach Norden zu gehen. Aber wie konnten wir ohne Sonne, Mond oder Sterne die Richtung beibehalten? Jedes Hindernis, jede Wegbiegung erschwerte zusätzlich die Orientierung. Schon zusammenzubleiben wurde mit jeder Minute schwieriger.

In der zunehmenden Schwärze stiegen seltsame Gebilde aus dem Moor, krümmten und wanden sich. Zuerst versuchte ich mir einzureden, es seien nur Gase, die aus der Tiefe stiegen. Oder Schatten – eine Täuschung des schwindenden Lichts. Aber ihre dämonischen Formen bewegten sich nicht wie Gase. Oder Schatten. Sie verhielten sich ... wie Lebewesen.

Die Gestalten fingen an zu seufzen, fast zu weinen. Dann stießen sie plötzliche Schmerzensschreie aus – Schreie, die mir wie Eiszapfen in die Ohren stachen. Obwohl wir schnell gingen, kamen die Gebilde immer näher. Eine Hand oder was aussah wie eine Hand fasste nach meiner Tunika. Ich wich ihr aus und stolperte fast.

Da entdeckte ich im fast Finstern einen undeutlichen, schräg abfallenden Umriss. Bis auf die Erhebung in der Mitte war er so rund wie der Rücken einer großen Schildkröte. Eine Insel! Obwohl die wirbelnden Gebilde meine Sehkraft beeinträchtigten, kam es mir vor, als sei die Insel ganz ohne Leben.

»Rhia«, rief ich. »Eine Insel!«

Sie blieb stehen. »Bist du sicher?«

»Es sieht so aus.«

Sie sprang zur Seite, um einer Gestalt auszuweichen. »Dann nichts wie hin! Bevor diese Dinger – geh weg, du! – uns im Schlamm ertränken.«

Ich fasste sie am Ellbogen und lief auf den Umriss zu. Die Gestalten krümmten sich heftiger und umkreisten uns, aber wir entkamen ihnen. Endlich waren wir am Rand der Insel. Als wir sie betraten und die unheimlichen Erscheinungen hinter uns ließen, dauerten die Klageschreie an.

Völlige Schwärze umgab uns, während wir höher stiegen. Obwohl glitschige Ranken unter unseren Füßen glucksten, schien das Land ziemlich trocken zu sein. Und fest. Mit meinem zweiten Gesicht betrachtete ich das Gelände. Nur die massige Erhebung in der Mitte, finster und geheimnisvoll, unterbrach die glatte Oberfläche der Insel.

»Hier gibt es keine Lebewesen«, stellte ich fest. »Noch nicht einmal eine Eidechse. Warum wohl, was glaubst du?«

Rhia streckte sich müde. »Ich weiß nicht. Ich bin bloß froh, dass diese *Dinger* nicht hier sind.«

Ich näherte mich der Erhebung und erkannte, dass es ein großer Felsblock war, etwa so hoch wie eine junge Eiche. Ich erstarrte. »Hier gibt es doch keine lebenden Steine, oder?«

»Nein. Sie ziehen höheres Gelände vor, in den Hügeln dort drüben. Hier im Moor plagen uns andere Geschöpfe.«

Vorsichtig ging ich näher an den Felsblock heran. Ich klopfte mit meinem Stock darauf. Ein bisschen Moos brach ab und fiel langsam zu Boden. Ich legte die Hand auf den Felsen und drückte dagegen, bis ich von seiner Festigkeit, von seiner Steinnatur überzeugt war.

»Nun gut. Aber es kommt mir immer noch merkwürdig vor – ein riesiger Felsblock ganz allein mitten in einem solchen Sumpf. Als hätte ihn jemand aus irgendeinem Grund hierher gelegt.«

Rhia drückte mir den Arm. »Wenn er ganz allein steht, dann kannst du wenigstens sicher sein, dass es kein lebender Stein ist. Sie sind immer in Gruppen, fünf oder sechs zusammen.« Sie gähnte. »Merlin, ich bin am Umfallen. Wie wäre es mit einer kleinen Ruhepause? Bis zum Morgengrauen?«

»Ich bin auch dafür.« Ich gähnte ebenfalls. »Dort hinaus gehen wir jedenfalls nicht, bevor es wieder hell ist. Leg dich hin. Ich übernehme die erste Wache.«

»Wirst du auch munter bleiben?« Sie deutete zum Sumpf, wo der Chor qualvoller Laute weiterheulte. »Wir wollen keine Besucher haben.«

»Mach dir keine Sorgen.«

Gleichzeitig ließen wir uns am Fuß des Felsens auf den Boden fallen. Obwohl ich so müde war, lehnte ich mich steif an den Stein, entschlossen wach zu bleiben. Eine scharfe Kante stach in die empfindliche Stelle zwischen meinen Schulterblättern, aber ich rührte mich nicht. Es war besser, die Sicherheit von etwas Festem hinter sich zu haben. In dieser Nacht würden uns keine Sumpfwesen mehr überraschen.

Rhia hatte sich zu meinen Füßen ausgestreckt, jetzt drückte sie meinen Knöchel. »Danke, dass du die erste Wache übernimmst. Ich bin nicht daran gewöhnt, dass sich unterwegs jemand um mich kümmert.«

Ich knurrte müde. »Das kommt daher, dass niemand unterwegs mit dir Schritt halten kann.« Dann setzte ich hinzu: »Es ist unsere Mutter, fürchte ich, um die man sich kümmern muss. Bestimmt ist sie jetzt sehr einsam.«

»Mutter!« Rhia rollte sich auf die Seite. »Sie hat Angst, macht sich wahrscheinlich schreckliche Sorgen um uns – aber einsam ist sie nicht. Sie hat Cairpré. Er wird an ihr kleben wie Harz an der Tanne.«

»Glaubst du wirklich?« Ich ließ den Stock durch die Finger gleiten. »Er hat immer so viel zu tun. Ich dachte, er würde sie irgendwo unterbringen und dann seiner Wege gehen.«

Rhias Lachen mischte sich in die Geräusche aus dem Sumpf. »Hast du nicht gemerkt, was mit ihnen geschehen ist? Wirklich! Du musst so unempfindlich wie dieser Stein hier sein, wenn es dir entgangen ist.«

»Nein«, fuhr ich sie an. »Mir ist nichts entgangen. Du willst doch nicht sagen, dass sie ... nun, *Interesse* aneinander haben?«

»Nein. Das haben sie schon längst hinter sich.«

»Du glaubst, sie verlieben sich?«

»Das stimmt.«

»Jetzt komm schon, Rhia! Du träumst, bevor du eingeschlafen bist. So etwas passiert nicht ... nun ...«

»Ja?«

»Müttern! Jedenfalls nicht *unserer* Mutter.«

Sie kicherte. »Manchmal, lieber Bruder, erstaunst du mich. Ich glaube wirklich, du warst in den letzten Monaten so mit deiner Ausbildung beschäftigt, dass du die ganze Sache nicht mitbekommen hast. Außerdem kann es jedem passieren, dass er sich verliebt. Sogar dir.«

»Oh, sicher«, spottete ich. »Als Nächstes wirst du mich überzeugen wollen, dass wir in einem Loch voll Treibsand ein Festmahl finden.«

Ein verzweifelter Seufzer war ihre einzige Antwort. »Im Moment bin ich zu müde, um dich von irgendetwas zu überzeugen. Morgen früh, wenn du willst, werde ich dich aufklären.«

Ich hätte ihr gern geantwortet, aber ich hielt den Mund. Jetzt mussten wir uns ausruhen. Ich suchte eine bequemere Stelle für meinen Rücken am Felsen. Mich aufklären, von wegen. Wie konnte sie nur so selbstsicher sein?

Noch während ich im Stillen über Rhia murrte, dehnte ich mein zweites Gesicht über die ganze Insel aus. Nichts regte sich; nichts kam näher. Die Nachtstunden vergingen mit den ständigen Missklängen aus dem Sumpf. Doch an diesem Ufer gesellte sich niemand zu uns. Ich fragte mich, ob der Felsblock vielleicht irgendwie Besucher abschreckte, obwohl ich mir nicht denken konnte, warum. Aber auf unheimliche Art schien er mehr zu bedeuten, als ihm anzusehen war.

Vielleicht hatte es etwas mit der stinkenden Luft über dem Sumpf zu tun oder mit meiner Erschöpfung. Oder vielleicht kam es durch irgendeinen stillen Zauber des lebenden Steins. Was auch immer die Ursache sein mochte, erst als ich spürte, wie Rhia heftig an meinem Fuß zog, wurde mir klar, dass ich von einem Mund aus Stein geschluckt worden war.

Aber da war es zu spät.

VIII
IM STEIN

E *rstens Stille.*
Kein Wind wispert, keine Sumpfstimmen hallen, keine Gase brodeln. Kein Schreien, Schwatzen, Zischen. Kein Klopfen meines lebendigen Herzens. Kein Hauchen meines Atems.

Kein Geräusch. Überhaupt kein Geräusch.

An welches Geräusch kann ich mich erinnern? Schnell! Ich darf es nicht vergessen. Der Fluss, den wir heute Morgen überquerten? Ja! Ich hörte ihn lange, bevor ich ihn sah. Er versprühte sowohl Geräusche wie Dunst, während er zwischen den Ufern hinunterrauschte. Eis, von den ersten Fingern der Morgenröte berührt, krachte und barst. Wasser strömte und plätscherte, trommelte und gurgelte, sang wie ein Chor von Brachvögeln.

Dennoch ... diese Stille, so vollständig, so umfassend, überwältigt allmählich den Gesang. Mit jedem Augenblick schwindet das Geräusch des Flusses weiter in die Ferne. Stattdessen höre ich die Stille in all ihrem Reichtum. Sanft genug, um sich hineinzuschmiegen, tief genug, um darin zu schwimmen. Kein Klirren mehr, keine Misstöne. Nur Stille. Wer könnte sich mehr wünschen als den Herzschlag der Leere zu hören?

Ich wünsche mir mehr! Ich muss um die Erinnerung kämpfen. Das muss ich. Doch alle Geräusche, die ich noch weiß, sind so vereinzelt, so merkwürdig weit weg.

Zweitens Dunkelheit.

Das Licht ist verschwunden. Oder hat es nie existiert? Oh doch! Ich kann es mir immer noch zurückrufen, immer noch seinen Schein sehen. Leuchtend. Ewig. Das erste Licht auf den Wolken, strahlende Schritte, die den Himmel erklimmen. Ein Schimmer am Horizont, eine Flamme an der Kerze, ein Flimmern um den Stern. Und eine andere Art Licht, das in den Augen strahlt: wenn Rhia lacht, wenn Mutter hilft, wenn Cairpré forscht.

Doch die Dunkelheit zerrt an mir, verlockt mich zu Schlaf, zum Loslassen. Warum um eine flackernde Flamme kämpfen? Sie verlöscht so leicht, kehrt in die Dunkelheit zurück. So anmutig folgt unaufhörlich die Nacht dem Tag. Dunkelheit ist alles; alles ist Dunkelheit.

Licht! Wo bist du? Ich bin so hilflos … so verängstigt …

Drittens Reglosigkeit.

Solange ich mich bewegen kann, bin ich lebendig. Solange ich fühlen kann – den Wind an meinem Gesicht, die Erde unter meinen Zehen, das Blatt zwischen meinen Fingern. Doch alles, was ich jetzt fühle, ist Härte. Überall. Sie kommt näher, zerquetscht mich. Bewegt euch, Finger! Bewege dich, Zunge! Sie reagieren nicht. Sie existieren nicht. Verschwunden sind meine Knochen. Mein Blut. Mein Fleisch. Zu nichts zermalmt.

Ich kann mich nicht bewegen, kann nicht fühlen, noch nicht einmal atmen. Was von mir noch übrig ist, wurde zusammengedrückt und verdichtet. Ich sehne mich danach, zu schnellen wie eine Peitsche, mich zu drehen wie ein Blatt. Doch noch mehr wünsche ich mir zu ruhen. Still zu sein.

Jetzt höre ich nur Stille. Ich sehe nur Dunkelheit. Ich fühle nur Reglosigkeit. Ich fange an zu akzeptieren, zu verstehen, zu werden. Ich bin fest und stark. Ich habe die Geduld eines Sterns. Ich bin alterslos, unnachgiebig. Denn jetzt bin ich Stein.

Beinah. Denn etwas bleibt von diesem früheren Ich, diesem früheren Selbst. Ich kann es nicht berühren – kann es nicht benennen –, doch es ist mir noch geblieben. Tief, tief innen, mitten in meinem Kern. Zu klein, um sichtbar zu sein; zu groß, um greifbar zu sein. Knurrend. Brennend, sich windend. Es spornt mich an, mich zu erinnern. Zu fliehen, wenn ich kann! Ich habe eine Sehnsucht. Ein Leben. Ein Selbst. Ja, ich kann noch meine eigene Stimme hören, sogar während eine andere, uralte Stimme um mich herum anschwillt und mich drängt, alles Übrige loszulassen.

Sei Stein, junger Mann. Sei Stein und sei eins mit der Welt.

Nein! Ich bin zu lebendig, selbst jetzt, von Stein umkreist. Ich will mich verändern, mich bewegen, all die Dinge tun, die Steine nicht tun können.

Du weißt so wenig, junger Mann! Ein Stein begreift die wahre Bedeutung des Veränderns. Ich habe tief im geschmolzenen Bauch eines Sterns gewohnt, bin brennend hinausgestürzt, habe die Welt in einem Kometenschweif umkreist, mich in Ewigkeiten abgekühlt und gehärtet. Ich wurde von Gletschern zerschmettert, von Lava mitgerissen, über unterseeische Ebenen gezerrt und stieg wieder auf einem Erdstrom an die Oberfläche. Ich wurde auseinander gerissen, weggeworfen, aufgehoben und mit Steinen ganz verschiedener Herkunft zusammengetan. Blitz hat mein Gesicht getroffen, Erdbeben haben mir die Füße abgetrennt. Doch ich überlebe immer noch, denn ich bin Stein.

Und ich antworte: Ich möchte dich kennen. Nein, mehr als das, ich möchte du sein! Aber ... ich kann nicht vergessen, wer ich war. Wer ich bin. Es gibt Dinge, die ich tun muss, lebender Stein!

Was ist das für eine seltsame Magie, die dich umgibt, junger Mann? Die macht, dass du mir widerstehst? Du hättest längst meiner Stärke erliegen müssen.

Ich weiß es nicht. Ich weiß nur, dass mein Selbst immer noch an mir haftet, wie an dir das Moos haftet.

Komm. Vereinige dich mit mir. Sei Stein!

Ich sehne mich selbst jetzt danach, mich mit dir zu vereinigen. Deine Tiefe zu fühlen. Und doch ... ich kann es nicht.

Ach, die Geschichten, die ich dir erzählen könnte, junger Mann! Wenn du dich nur ganz loslassen würdest, dir erlauben würdest hart zu werden. Dann könnte ich alles, was ich weiß, mit dir teilen. Denn ein Stein ist zwar abgetrennt, aber nie weit von den Bergen und Ebenen und Meeren seiner Geburt entfernt. Die Macht eines Steins kommt nicht nur aus ihm selbst, sondern aus allem, was ihn umgibt, womit er verbunden ist.

Ich möchte von dir lernen, lebender Stein. Das ist die Wahrheit. Doch noch mehr möchte ich das Leben leben, zu dem ich geboren wurde. Auch wenn es vergeblich und flüchtig sein mag – es ist dennoch mein. Du musst mich freilassen!

Du bist seltsam, junger Mann. Obwohl ich dich fast zerstört habe, kann ich dich anscheinend nicht verzehren. In dir ist etwas, das ich nicht erreichen, nicht zermalmen kann. Das lässt mir, ich bedaure das, nur eine Möglichkeit.

Und die wäre?

Es ist weder das Beste für dich noch das Beste für mich. Aber ich habe keine andere Wahl.

IX

RAUCH

Mit einem dumpfen Schlag landete ich am Fuß des lebenden Steins auf dem Rücken. Normalerweise hätte mir Rhias Aufschrei das Blut in den Adern gefrieren lassen, doch jetzt war ich froh ihn zu hören. Ich war froh überhaupt etwas zu hören.

»Merlin!« Sie warf die Arme um mich und drückte mich an sich.

»Nicht so fest, sei so gut.« Ich machte mich frei und klopfte mir auf die Brust. Sie schmerzte, genau wie meine Arme, Beine und der Rücken. Sogar meine Ohren taten weh. Es kam mir vor, als wäre mein ganzer Körper gequetscht. Als ich dann Rhias tränennasses Gesicht sah, so erleichtert, so dankbar, bat ich sie mich noch einmal zu umarmen.

Sie nahm die Einladung freudig an – und war diesmal sanfter. »Wie?«, stieß sie hervor. »Wie hast du das gemacht? Ich habe noch nie gehört, dass ein lebender Stein ein Opfer freigelassen hat.«

Trotz meiner schmerzenden Wangen grinste ich. »Die meisten Leute schmecken nicht so schlecht wie ich.«

Sie ließ mich frei, ihr Gelächter hallte über den Sumpf. Dann musterte sie mich lange. »In dir muss etwas sein, das noch nicht einmal ein lebender Stein zerquetschen konnte.«

»Vielleicht mein Dickkopf.«

»Eher deine Magie.«

Obwohl mir die Rippen wehtaten, atmete ich tief ein. »Auch wenn ich nicht viel davon habe, könnte man wohl sagen, sie ist mein Kern. Wesentlich – und unverdaulich.«

Mit ihrem blätterbedeckten Unterarm wischte Rhia mir ein paar Steinsplitter von der Schulter. »Jetzt schau dich bloß mal an! Deine Tunika ist zerrissen und in deinem Haar ist so viel Staub, dass es mehr grau als schwarz aussieht.« Sie lächelte. »Aber du lebst.«

»Wie lange war ich dort drin?«

»Zwei oder drei Stunden, glaube ich. Gerade bevor du zurückgekommen bist, ist die Sonne aufgegangen.«

Argwöhnisch betrachtete ich den riesigen Felsblock, der mich ausgestoßen hatte. Ich ging langsam, mit hämmerndem Herzen darauf zu. Rhia versuchte mich aufzuhalten, doch ich winkte sie zurück. Zögernd legte ich die Hand auf eine flache moosige Stelle und flüsterte: »Danke, großer Stein. Eines Tages, wenn ich stärker bin, würde ich gern mehr von deinen Geschichten hören.«

Ich war mir nicht sicher, aber ich hatte das Gefühl, dass der Stein unter meinen Fingern ganz leicht erschauerte. Ich nahm die Hand weg und bückte mich nach meinem Stock auf dem Boden. Der Schatten des lebenden Steins konnte dem glänzenden Schimmer des Holzes nichts anhaben. Ich packte den knorrigen Griff – der, wie immer, perfekt in meine Hand passte. Ein paar Sekunden lang vertrieb der Tannenduft den Gestank des Sumpfs.

Da stieß Rhia einen Schrei aus. »Dein Schwert! Es ist weg.«

Ich fuhr zusammen. Tatsächlich, mein Schwert, die Scheide und der Gürtel waren verschwunden. Sie mussten in dem lebenden Stein geblieben sein!

Rasch drehte ich mich um und bat: »Mein Schwert, großer Stein! Ich brauche es! Für Valdearg.«

Der Stein rührte sich nicht.

»Bitte ... oh bitte, höre mich! Dieses Schwert ist jetzt ein Teil von mir. Und es hat seine eigene Magie. Ja! Es wurde mir anvertraut – bis zu dem Tag in ferner Zukunft, wenn ich es einem Jungen geben werde. Einem Jungen von großer Macht. So groß, dass er dieses Schwert aus einer Steinscheide ziehen wird.«

Der Steinblock blieb reglos.

»Es ist wahr! Das Schwert wird festgehalten – nicht von dir, nicht von einem lebenden Stein, sondern von einem Stein, der es beschützt und auf diesen Moment wartet.«

Keine Antwort.

Ich wurde zornig. »Gib es zurück.«

Immer noch keine Reaktion.

»Gib es zurück!«, forderte ich und hob meinen Stock, um damit den lebenden Stein zu schlagen. Da sah ich, dass mein Daumen auf dem geschnitzten Bild des Schwerts lag – dem Symbol für die Kraft des Benennens –, und zögerte. Der Name! Der Name des Schwerts! Der wie alle wahren Namen eine eigene Magie hatte. Vielleicht, nur vielleicht ... Ich beugte mich zu dem Stein.

Abrupt hielt ich inne. Ich hatte keine Magie angewandt, seit – seit ich meinen Psalter gezupft hatte. Würde mich wieder ein Kreelix angreifen, wenn ich erneut an meine Kräfte appellierte? Und würde es vollbringen, was dem anderen nicht gelungen war? Ich krümmte mich, als ich an das aufgerissene rote Maul, die gezackten Flügel, die tödlichen Fänge dachte. Und doch … wenn ich die Angst vor einem weiteren Angriff meine Handlungen bestimmen ließ, was war ich dann? Ein Feigling. Oder Schlimmeres. Ob nun ein anderes Kreelix auftauchte oder nicht, das erste hätte mir schon meine Kräfte geraubt.

Ich biss die Zähne zusammen und beugte mich näher zu dem Stein. Nebel, der nach Verwesung stank, zog vom Moor herüber und hüllte uns völlig ein. Das unheimliche Keuchen, Schreien und Klagen des Sumpfs kam näher. Bei dem Lärm konnte ich mich kaum auf meine Gedanken konzentrieren.

Ich nahm mich zusammen und legte die Hände an den Mund. Damit niemand, noch nicht einmal Rhia, den wahren Namen des Schwerts hören konnte, sagte ich ihn leise. Dann fügte ich mit normaler Stimme hinzu: »Komm zu mir aus den Tiefen des Steins. Wo immer du bist, ich rufe dich zu mir.«

Nervös schaute ich über die Schulter und sah nichts als die Nebelschwaden. Plötzlich hörte ich ein Poltern, das mit jeder Sekunde lauter wurde. Es schwoll stetig an wie ein näher kommender Wind, bis es sogar die Geräusche des Sumpfs übertönte.

Plötzlich riss der lebende Stein auf. Gelbliches Moos und Felssplitter brachen herunter. Kleine Risse zeigten sich überall auf der verwitterten Oberfläche. Der ganze Stein wankte von einer Seite zur anderen, als wäre er von einem heftigen Zittern befallen. Im nächsten Moment spaltete sich die Oberfläche, legte sich in Falten und spuckte mein Schwert und die Scheide aus. Sie krachten auf den Boden.

Ich griff danach, während der lebende Stein schon darauf zu rollte. Rhia schrie und sprang zur Seite. Zusammen rannten wir über die Insel. Als wir an den Rand kamen, glucksten und knackten Ranken unter unseren Stiefeln. Der Nebel wurde dünner, teilte sich rasch und gab den Blick auf den Sumpf wieder frei.

Bevor wir wieder in den Schlamm stapften, legte ich schnell den Ledergurt des Schwerts an. Dann schaute ich zurück zu dem lebenden Stein, der träge auf dem Boden schwankte, und rief ihm zu: »Sei nicht böse, großer Stein! Dieses Schwert wäre für dich schwer zu verdauen. Genau wie sein Herr. Vielleicht begegnen wir uns eines Tages wieder.«

Mit tiefem Knurren rollte der Fels auf uns zu. Rhia und ich wollten nicht warten, bis wir mehr über seine Absichten erführen, und liefen ins faulige Wasser des Moors. Doch während der Schlamm in meine Stiefel drang, meine Beine bespritzte und meine Nase beleidigte, war ich dankbar und angewidert zugleich. Dankbar, dass ich wieder riechen und hören konnte. Und dankbar mich frei zu bewegen – mit den Beinen durchs Moorgras zu streifen und mit den Armen zu schlenkern.

Den größten Teil des Morgens stapften wir durch den Sumpf nach Norden. Bis auf die Grube mit Treibsand, der mir den Stock aus der Hand reißen wollte, hatten wir keine besonderen Schwierigkeiten. Trotzdem waren wir froh, als wir endlich trockeneren Boden erreichten. Eifrig schüttelten wir den Schlamm von den Stiefeln. Ein alter Apfelbaum auf einem niedrigen Hügel bot uns die Reste seiner Herbsternte an. Die Äpfel waren zwar runzlig und klein, aber zum Bersten voller Geschmack. Wir aßen, so viel wir konnten. In der Nähe fand Rhia einen klaren kalten Bach, an dem wir uns den Geruch des Sumpfs abwuschen.

Schnell zogen wir weiter nach Norden zum Reich der Zwerge. Das Land stieg allmählich an, grasbewachsene Ebenen führten wie breite Stufen zu der Hochfläche, wo der unaufhörliche Fluss aus dem Boden sprudelte. Dort, das wusste ich noch gut, würden wir das Zwergenrevier betreten. Valdeargs Revier. Wenn ich nur Urnalda fand, bevor der zornige Drache mich entdeckte! Vielleicht konnte ich ihr wirklich irgendwie helfen. Und vielleicht ... konnte sie auch mir helfen.

Am Nachmittag machten wir eine Pause und taten uns an zottigen grauen Pilzen gütlich, die zwischen den Wurzeln einer schiefen Ulme wuchsen. Und nahmen wenigstens einen Augenblick die Gelegenheit wahr, uns hinzusetzen. Ich wischte mir den Schweiß von der Stirn, streckte die Beine und betrachtete die Wiesen um uns herum. Der unaufhörliche Fluss war ein gutes Stück östlich von uns, doch mein zweites Gesicht konnte den gewundenen Nebelstreifen erkennen, der seinen Lauf anzeigte.

Den Weg des Flusses kannte ich gut: Nachdem er in diesen Ebenen entsprungen war, wurde er ständig breiter und stärker und strömte direkt durch das Herz von Fincayra. Fast überall machten steile Ufer und Stromschnellen das Überqueren schwierig. Zwischen dem Quellgebiet und der Küste der sprechenden Muscheln weit im Süden hatte ich nur eine Stelle gefunden, wo man sicher ans andere Ufer kam – eine Furt, gekennzeichnet durch neun runde Steine. Wir konnten jetzt nicht weit davon entfernt sein. Aus einem unerklärlichen Grund nagte in mir der Drang, wieder dorthin zu gehen.

Nachdem ich Rhia noch einen Pilz zugeworfen hatte (den sie sofort in den Mund steckte), deutete ich zum Nebel. »Wie wäre es, wenn wir dort drüben den Fluss überqueren würden? An der Stelle mit den Steinen.«

Immer noch kauend schüttelte sie den Kopf. »Für heute habe ich genug von Steinen! Außerdem führt der kürzeste Weg nach Norden, über die Terrassen bis zum Quellgebiet. Dort kommen wir leicht ans andere Ufer, vor allem um diese Jahreszeit, wenn das Wasser niedrig ist.«

Obwohl ich wusste, dass sie Recht hatte, starrte ich weiter auf den Nebelstreifen. »Ich weiß nicht wieso, aber es zieht mich zu dieser Furt.«

»Warum denn nur?« Skeptisch sah sie mich an. »Das würde uns einen halben Tag kosten. Wir haben sowieso nur noch zwei Stunden Tageslicht.« Sie sprang auf die Füße. »Lass uns gehen.«

»Du hast Recht. Eile ist alles.« Mit einem letzten Blick auf den nebligen Korridor folgte ich ihr durch das hohe Gras.

Eine große Gänseschar zog so dicht über uns hinweg, dass wir das rhythmische Knarren der Flügel hörten. Wie alle anderen Vögel, die wir an diesem Tag gesehen hatten, flogen sie in die Richtung, aus der wir gekommen waren. Hinter ihnen kam etwas, das zuerst wie eine wirbelnde Staubwolke aussah – bis wir das Summen hörten und erkannten, dass es in Wirklichkeit ein riesiger Bienenschwarm war. Er wurde dicht gefolgt von einem Reiher mit breiten Flügeln, einem zerzausten Möwenpaar, einem Flussuferläufer, mehreren Schwalben und einem älteren Raben, der mühsam flatterte. Dann stürzte eine Fuchsfamilie, im Gras verborgen, fast direkt auf uns zu. Die großen Augen der Tiere funkelten vor

Angst und Rhia schaute mich besorgt an. Sie ging etwas langsamer, während wir weiter die Wiesenterrassen hinaufstiegen.

Als das Spätnachmittagslicht das Gras golden tönte, erreichten wir ein weiteres Plateau. Wir blieben beide stehen, vom selben Anblick erschreckt. Der Himmel vor uns war ungewöhnlich dunkel. Ein schwerer Schleier lag über dem Horizont ... doch er schien dünner, flacher als jede Gewitterwolke zu sein. Vielleicht ein Schatten, hervorgerufen durch die sinkende Sonne? In diesem Moment fuhr ein Windstoß in meine Tunika. Ich roch den ersten Hauch eines Geruchs, der mich traf wie ein Schwertschlag.

Rauch.

Ich stöhnte auf. Weder Wolken noch Schatten verdunkelten den Himmel vor uns – es war Valdearg.

Rhias Gesicht, sonst so strahlend, sah finster aus. »Bis jetzt, Merlin, konnte ich meine Zweifel verdrängen. Weil ich dachte, dass es richtig ist, dir zu helfen. Aber jetzt ... bin ich mir nicht mehr sicher. Schau mal! Das Land brennt wie Valdeargs zorniges Herz. Es kommt mir so – nun, *tollkühn* vor, direkt in sein Maul zu laufen.«

»Hab Vertrauen«, entgegnete ich tapfer. Aber meine krächzende Stimme verriet, wie wenig Vertrauen ich selbst hatte. Ich schüttelte den Kopf. »Ich gebe zu, es ist tollkühn. Aber was kann ich sonst tun? Je länger ich zögere Valdearg gegenüberzutreten, umso mehr wird er zerstören. Meine einzige Hoffnung ist, bald bei Urnalda zu sein. Vielleicht weiß sie etwas Nützliches. Sie könnte sogar wissen, was die Prophezeiung meint mit *einer höheren Macht*.«

Rhia stemmte die geballten Fäuste an die Hüften. »Ich

weiß von dieser Prophezeiung nur noch, dass du mit diesem Drachen sterben wirst, selbst wenn du es schaffst, ihn zu erschlagen! Entweder er tötet dich und überlebt oder er tötet dich und stirbt selbst. So oder so verliere ich einen Bruder.«

Ich stach mit meinem Stock in einen Grashügel. »Glaubst du nicht, dass ich das weiß? Schau mal. Hier sind wir, am Rande des Zwergenreichs, und auf welche Waffen kann ich mich wirklich verlassen? Mein Stock, mein Schwert – und alles, was ich an ungeformten, ungeübten magischen Kräften in mir habe. Zusammen entspricht das noch nicht einmal einer einzigen Schuppe an Valdeargs Schwanz.«

Ich schaute zum rauchigen Horizont. »Und das ist noch nicht das Schlimmste.«

Sie hob den Kopf. »Das heißt?«

»Das heißt, ich werde den Gedanken nicht los, dass Valdearg nicht alles ist, womit ich rechnen muss.«

Ungläubig starrte sie mich an. »Feuerflügel ist dir noch nicht genug? Wen meinst du – das Kreelix? Oder seinen heimlichen Züchter?«

»Nein. Obwohl sie auch dazu gehören könnten, nach allem, was ich weiß.«

»Wen dann?«

Ich senkte die Stimme. »Jemanden, der danach trachtet, Fincayra in die Hand zu bekommen. Und es zu zermalmen wie einen Edelstein. Es zu beherrschen.«

Einen Moment lang war Rhias Gesicht so weiß wie Birkenrinde. »Doch nicht … Rhita Gawr? Wieso glaubst du, dass er etwas damit zu tun hat?«

»Ich, nun … ich weiß es nicht genau. Es ist ein unbestimmtes Gefühl. Aber ich frage mich, warum der Drache jetzt erwacht ist, nachdem er so viele Jahre lang geschlafen hat, und wer genug über Magie – oder *negatus mysterium* – wissen könnte, um so etwas bewirkt zu haben. Ich weiß nicht, ob es Rhita Gawr oder jemand anders ist ... oder ob ich fantasiere. Aber ich kann nichts dagegen tun, dass sich mir diese Fragen stellen.«

Sie schaute mich finster an. »Du bist hoffnungslos, wirklich! Hör zu, Merlin. Rhita Gawr hat keinen Fuß auf diese Insel gesetzt, seit der Tanz der Riesen ihn und seine Anhänger vor über einem Jahr vertrieben hat! Du solltest dir lieber über die Feinde Gedanken machen, die du kennst – statt weitere zu erfinden.«

Ich drehte meinen Stock in den Boden. »Schön, schön. Alles, was du sagst, ist vernünftig, davon bin ich überzeugt. Es ist nur, dass ... ach, vergiss es. Was hältst du davon, wenn wir einen Augenblick aufhören über Feinde – aller Art – zu reden? Lass uns ein paar von diesen Sternblumen verzehren.«

»Bevor Valdearg dich verzehrt?«

Ich überhörte die Frage und pflückte eine Hand voll der gelben sternförmigen Blüten, die das Gras sprenkelten. Während Rhia finster zuschaute, rollte ich sie zu einer festen Masse, die einen scharfen, würzigen Geruch verströmte. »Ich weiß noch, wie du mir zum ersten Mal gezeigt hast, wie man sie isst. Du nanntest sie *Wanderers Kraftnahrung.*«

»Jetzt nenne ich sie meines Bruders Henkersmahlzeit.«

Ich riss die Masse entzwei und reichte ihr die eine Hälfte. »Niemand von uns wird noch viele Mahlzeiten zu sich nehmen, wenn Valdearg nicht aufgehalten wird.«

Sie nickte, das goldene Licht spiegelte sich in ihren Locken. »Stimmt.« Sie biss in die Sternblumen, kaute nachdenklich und schluckte. »Deshalb komme ich mit dir.«

»Das kommt nicht in Frage!«

»Du wirst Hilfe brauchen.« Sie sah mich durchdringend an. »Urnalda will, dass du allein kommst, aber das ist mir egal! Ich habe schon zuvor dafür gesorgt, dass du mit heiler Haut davongekommen bist.«

Ich drehte meinen Stock zwischen den Fingern. »Das stimmt. Aber diesmal reden wir von Feuerflügel. Er könnte jedes Leben auslöschen, das wir kennen.« Ich schlang meinen Zeigefinger um ihren und sagte eindringlich: »Auch das unserer Mutter. Sie braucht dich am meisten, Rhia. Sie musst du beschützen. Nicht mich.«

Sie senkte den Kopf.

»Denk daran, du hast ihr versprochen, dass du zurückkommst. Dass du mich nur bis zur Grenze des Zwergenreichs bringst.«

Rhia schaute langsam auf. »Wenigstens … lass mich dir etwas geben.« Sie griff nach dem Feuerball an ihrer Seite.

»Nicht den Ball. Den musst du behalten.«

»Aber ich weiß nicht, wie man ihn benutzt.«

Ich drückte ihren Finger. »Eines Tages wirst du es wissen.«

Sie ließ mich los und zog geschickt ein Stückchen Ranke aus ihrem Ärmel. Dann band sie mir wortlos das strahlend grüne Armband ums Handgelenk.

»Hier«, sagte sie schließlich. »Das wird dich an alles Leben um dich herum erinnern und an das Leben in dir.« Sie musterte mich streng, doch ich sah die Trauer in ihren

Augen. »Aber es wird dir nicht helfen, ungeschoren davonzukommen.«

Jetzt war es an mir, den Kopf zu senken. »Ich fürchte, dabei kann mir nichts helfen.«

Obwohl ich wie betäubt war, konnte ich ihre Arme um mich spüren. Dann ging ich ohne sie weiter in eine Zukunft, die so dunkel war wie der Rauchschleier am Horizont.

TEIL ZWEI

X
JÄGER UND GEJAGTE

Innerhalb einer Stunde zogen leuchtende hochrote Strahlen über den Himmel wie die Saiten eines überirdischen Psalters. Ich kam bald an einen gewundenen Bach, der rot im schwindenden Licht schimmerte: das Quellwasser des unaufhörlichen Stroms. Der schmale Lauf, nichts als ein Rinnsal im Vergleich zu dem reißenden Strom, der daraus werden würde, ließ sich leicht überqueren. So leicht, wie Rhia es vorausgesagt hatte.

Während meine Stiefel über die runden Steine im Bach knirschten, fragte ich mich, ob auch ihre anderen beängstigenden Voraussagen zutreffen würden. Und ob ich sie jemals wieder sehen würde. Wie das namenlose Pferd meiner Kindheit, über das wir unter den Sternen gesprochen hatten, war Rhia mehr als eine Gefährtin, mehr als eine Freundin. Sie war ein Teil von mir.

Ich trat ans nördliche Ufer und schaute über das Land der Zwerge. Irgendwo dort draußen in diesen welligen, felsigen Ebenen lagen die verborgenen Eingänge zu ihrem unterirdischen Reich. Urnalda würde dankbar für meine Hilfe sein, das wusste ich, aber ahnte sie, wie sehr ich auch ihre brauchte? Es verwunderte mich immer noch, warum sie erklärt hatte, dass ich, und ich allein, ihrem Volk helfen konnte. Vielleicht kannte auch sie die Prophezeiung des *Drachenkampfs:*

Seht, unaufhaltsam ist sein Zorn.
Nur einer kann jetzt noch sein Wüten beenden:
Ein Abkömmling der Feinde von einst,
der uralten Gegner, kann alles noch wenden.

Ich schauderte, denn auch wenn Tuathas Blut in meinen Adern floss, so besaß ich doch weder seine Weisheit noch seine Waffen. Und ich schauderte erneut beim Gedanken an die unvergleichliche Macht Valdeargs. *Das Ende kann nichts als Verderben sein.* Den Drachen zu erschlagen würde schwierig genug sein. Entgegen der Prophezeiung den Kampf zu überleben war sicher unmöglich.

Ich drückte meinen Stock und überlegte, wie ich Urnalda finden sollte. Oder eher ihr helfen sollte mich zu finden. Wenn ich mich zu auffällig zeigte, könnte Valdearg mich zuerst entdecken. Versteckte ich mich jedoch zu gut, verlor ich vielleicht wertvolle Zeit. Bleib im Offenen, riet ich mir schließlich. Und sei wachsam.

Bald wurde der Rauchgestank stärker. Meine Augen fingen an zu tränen. Ich kam in einen Teil der Ebene, der mehr einer verlassenen Feuerstelle glich als einem Feld. Mein Stock streifte nicht mehr durch hohes Gras, sondern knirschte gegen brüchige Halme und verbrannte Erde. Versengte Zweige griffen in die rauchige Luft. Die vereinzelten Steinblöcke glichen Holzkohleklumpen. Und immerzu der Gestank!

Mit meinem zweiten Gesicht suchte ich häufig den dunkelnden Himmel nach einer Spur des Drachen ab. Bei Valdeargs Größe würde ich ihn schon aus der Ferne entdecken, doch ich nahm an, dass er auch sehr schnell war. Beängstigend schnell. Und während ich nach ihm Ausschau hielt, achtete ich zugleich auf den schattigen Boden zu meinen Füßen, denn ich wollte nicht in einen der klug getarnten Zwergentunnel stolpern. Jede Vertiefung, auch die geringste, jeden ungewöhnlichen Schatten, auch den kleinsten – ich untersuchte sie alle sorgfältig.

Da bellte eine raue Stimme ein Kommando. Der Rufer musste links von mir hinter einem dornigen Stechginstergebüsch sein. Vorsichtig kroch ich näher.

Ich duckte mich hinter die verkohlten Sträucher und sah zwei Zwerge; ihre Lederleggings und ihre roten Bärte fingen die letzten Lichtstrahlen auf. Obwohl sie mir nicht viel höher als bis zur Taille reichten, verrieten ihre breiten Brustkästen und stämmigen Arme bedrohliche Stärke. Sie waren schwer bewaffnet, jeder von ihnen trug eine zweischneidige Axt, einen langen Dolch und einen Köcher mit Pfeilen. Sie hatten gerade die Bogen gezückt und legten eilig die Pfeile auf die Sehnen.

Ich drehte mich um und sah zwei Hirsche, einen männlichen und einen weiblichen, die am Ende einer tiefen Rinne zwischen geschwärzten Felsbrocken kauerten. Zweifellos hatten die Zwerge sie in diese Falle getrieben und gehofft einen oder beide zu erlegen, bevor die Tiere fliehen konnten. Das Damtier spannte die mächtigen Schenkel an und versuchte die Rinnenwand hinaufzuspringen, rutschte aber zwischen fallenden Steinen und einer Aschenwolke ab. Der Hirsch senkte das massige Geweih und machte sich bereit die Jäger anzugreifen. Die Enden seiner Schaufeln schimmerten gefährlich, doch ich wusste, dass sie gegen schnelle Pfeile nichts ausrichten konnten.

Mir krampfte sich der Magen zusammen, als ich sah, in welcher Gefahr die Hirsche waren. Ich aß nie Wild – seit dem Tag vor langer Zeit, an dem Dagda mich in Gestalt eines Hirsches vor dem sicheren Tod gerettet hatte. Doch nie hatte ich mich eingemischt, wenn andere mit Appetit Hirschfleisch verzehrten. Trotzdem ... ich hatte nie zuvor die Hinrichtung eines der anmutigen Geschöpfe erlebt.

In dem Augenblick, in dem die Pfeile auf den Bogen lagen, drehte sich das Damtier plötzlich in meine Richtung. Ob es mich durch die Dornen sah oder nicht, war mir nicht klar. Doch der Anblick der großen, klugen braunen Augen – vor Angst geweitet – traf mich tief.

»Halt!«, rief ich und sprang in die Luft.

Überrascht fuhren die Zwerge zusammen. Ihre Pfeile flogen weit und prallten an den splitterbedeckten Wänden der Rinne ab. Im gleichen Moment stürmten Damtier und Hirsch los, bevor die Zwerge wieder nach ihren Köchern greifen konnten. Mit einem einzigen großartigen Sprung, die Vorderbeine eng an die Brust gelegt, segelten die Hirsche über die Köpfe ihrer Angreifer und liefen davon.

»Was bist du denn für ein Idiot?«, fragte einer der Zwerge und richtete seinen gespannten Bogen direkt auf meine Brust.

»Ich komme in Frieden.« Ich trat aus dem Dornengestrüpp und hob meinen Stock in die rauchige Luft. »Ich bin Merlin, von Urnalda selbst zu euch gerufen.«

»Pah!« Der Zwerg sah mich böse an. »Hat sie dir auch befohlen uns die Jagd zu verderben?«

Ich zögerte. »Nein. Aber ich konnte nicht anders.«

»*Was* konntest du nicht?« Der andere Zwerg stampfte zornig auf, warf seinen Bogen auf den Boden und zog seine Axt. »Du elender, langbeiniger Dummkopf! Ich finde, wir sollten Menschenfleisch statt Wildbret nach Hause bringen.«

»Eine gute Idee«, rief der Erste. »In diesen Tagen ist Fleisch jeder Art schwer zu kriegen. Du wirst zwar nicht halb so gut schmecken wie Wildbret – immerhin das erste, auf das wir seit vielen Tagen gestoßen sind –, aber besser als nichts. Hat Urnalda dir nie gesagt, dass es deinesgleichen verboten ist, hierher zu kommen?«

»Mach schon«, drängte sein Gefährte. »Erschieß ihn. Bevor er uns mit seinen Menschentricks kommt.«

»Wartet!« Verzweifelt suchte ich nach einer Fluchtmöglichkeit. »Ihr sagt, Menschen ist der Zugang zu eurem Gebiet verboten, aber ich bin schon früher hier gewesen.« Obwohl mir die Knie zitterten, stand ich so aufrecht wie möglich auf dem verbrannten Boden. »Und ich bin gekommen, um eurem Volk zu helfen, wie ihr mir geholfen habt.«

»Pah!« Er zog seinen Bogen. Der Pfeil schimmerte dunkel. »Jetzt weiß ich, dass du ebenso ein Lügner wie ein Dieb bist. Unser Gesetz bestimmt, dass wir unbefugte Eindringlinge töten, nicht ihnen helfen! Noch nicht einmal Urnalda würde das vergessen, auch wenn ihr Gedächtnis so kurz wie ihre dicken kleinen Beine ist.«

»Sein das so?«, fragte eine scharfe Stimme aus dem Schatten.

Genau wie ich fuhren die beiden Zwerge herum und sahen die untersetzte Gestalt neben einem der Felsblöcke. Urnalda. Sie trug einen Kapuzenumhang über ihrem schwarzen Gewand, auf dem gestickte Runen glitzerten. In ihrem struppigen roten Haar, das unter der Kapuze hervorquoll, waren viele edelsteinbesetzte Spangen, Schmucknadeln und Klammern. An ihren Ohren hingen Ringe aus Muscheln, jeder fast so groß wie ihre Knollennase. Eine ihrer dicken Hände umklammerte ihren Stock, während die andere auf den Zwerg deutete, der den Bogen hielt. Ihre Augen, so hell wie die Flammen, die meinen Psalter verzehrt hatten, brannten vor Zorn.

»Urnal-nalda«, stotterte der erste Zwerg und ließ den Bogen sinken. »Ich wollte dich nicht beleidigen.«

»Nein?« Die Zauberin betrachtete ihn einen langen Augenblick. »Eine Beleidigung sein eine Beleidigung, auch wenn die geschmähte Person außer Hörweite sein.«

»A-aber du irrst dich.«

»Wirklich?« Urnalda trat ganz aus dem Schatten. »Viel schlimmer als diese Beleidigung, Jäger, sein deine Drohung gegenüber unserem Freund hier.« Sie nickte mir zu, dass die Muschelohrringe schaukelten. »Du sein drauf und dran gewesen ihn aufzuspießen, bevor er noch angekommen sein.«

Ich atmete wieder ruhig, während der Zwerg vor Angst keuchte. Nervös griff er an seinen Bart. »Aber er …«

»Ruhe! Er mag ein Mensch sein, aber er sein immer noch ein Freund. Oh ja! Ein geschätzter Freund. Und mehr als das, er sein unsere einzige Hoffnung.« Sie funkelte ihn wütend an. »Du scheinst meinen Befehl vergessen zu haben, ihn zu beschützen, wenn er in unser Reich gekommen sein. Stimmt das?«

»J-ja, Urnalda. Ich habe es vergessen.«

Ein Lichtblitz schoss aus Urnaldas Hand. Im selben Moment schrie der Zwerg überrascht auf. Er stand noch in denselben engen Hosen da, aber sie fielen wie leere Säcke um seine Stiefel. Ich dachte, die Hosen seien ihm heruntergerutscht – dann wurde mir klar, was geschehen war. »Meine Beine!«, jammerte er. »Du hast sie gekürzt!« Er versuchte auf den Zehen zu stehen und reichte trotzdem nur bis zum Ellbogen seines Gefährten. »Sie sind nur noch halb so lang wie vorher.«

»Ja«, bestätigte die Zauberin. »Jetzt sein dein Gedächtnis nicht länger als deine Beine.«

Der Zwerg ließ sich auf die Knie fallen, die jetzt nur knapp über dem Rand seiner Stiefel waren. »Bitte, Urnalda! Bitte gib mir meine alten Beine zurück.«

»Nicht bevor du Urnalda ihren Glauben an deine Treue zurückgegeben hast.« Ihr Blick schoss zu dem anderen Zwerg, der zitternd dastand. »Ich würde das Gleiche mit dir machen, aber mir fehlen im Moment Jäger.«

Langsam wandte sich Urnalda mir zu. Sie war zwar immer noch zornig, aber nach ihrem Gesichtsausdruck schien sie sich ein wenig besänftigt zu haben. »Es tut mir leid, dass deine Rückkehr so unangenehm sein.«

Ich verbeugte mich respektvoll. Dann stützte ich mich mit einem dankbaren Seufzer auf meinen Stock. »Ich bin froh, dass du gerade noch im richtigen Moment gekommen bist. Sehr froh.«

Die Muschelohrringe schaukelten, als Urnalda leicht den Kopf neigte. »Du bist so rechtzeitig gekommen wie ich, Merlin. Verstehst du, heute Nacht wird Valdearg hierher zurückkehren.«

Erschrocken schaute ich zum Himmel, den Dämmerung und Rauchschwaden verdunkelten. Dann überwog meine Verblüffung die Furcht und ich fragte: »Du weißt, dass er heute Nacht zurückkommt?«

»Das sein richtig.«

»Wie kannst du so sicher sein?«

Sie biss sich in die Innenseite der Wangen. »Weil ich einen Pakt mit ihm geschlossen habe, mein junger Freund. Oh ja! Ein Drache sein ein höchst intelligentes Geschöpf, er weiß, was er wirklich will. Und in diesem Fall, so leid es mir tut, will der Drache wirklich … dich.«

XI
DER PAKT

Bevor ich mich noch rühren konnte, winkte Urnalda mit der Hand. Ein scharlachroter Blitz versengte mein Bewusstsein. Ich flog von dem Anprall zurück und landete mit einem dumpfen Schlag auf der verkohlten Erde. Einen Moment war mir, als wäre mein Herz herausgerissen und meine Lungen völlig zerquetscht worden. Dieser Schmerz in meiner Brust! Der beschattete Himmel, mit Scharlachrot getönt, drehte sich über mir.

Vorsichtig atmete ich die rauchige Luft ein. Meine Kehle brannte. Ich zwang mich aufzusitzen. Da – das wirbelnde Gesicht der Zauberin, das zuversichtlich grinste. So schwindlig … Nicht weit von mir lag mein Schwert ohne Scheide auf dem Boden. Viel weiter entfernt mein Stock. Ich konnte kaum die Umrisse auseinander halten; alles verschwamm ineinander. Hatte ich mich nicht schon einmal so gefühlt? Vor kurzem? Ich erinnerte mich unklar … aber wann? Es fiel mir nicht ein.

Mein Schwert, sagte ich mir. *Wenn ich es in die Hand bekomme, kann ich mich beschützen.*

Ich streckte eine zitternde Hand aus und versuchte mit aller Kraft dem Schwindel Einhalt zu gebieten, meine Gedanken zu konzentrieren. *Komm zu mir, Schwert. Spring zu mir.*

Nichts geschah.

Obwohl ich Urnalda im Hintergrund kichern hörte, ließ

ich meine Gedanken nicht von dem Schwert ablenken. *Spring zu mir, sage ich. Spring!*

Immer noch nichts.

Wieder versuchte ich es. Ich nahm alle Kraft zusammen und lenkte sie in das Schwert. *Spring!*

Immer noch nichts.

»Tut mir leid, Merlin, aber ich habe dich ein bisschen erleichtert.« Mit breitem Grinsen trat die Zauberin über das Schwert und hob es auf. »Ich habe etwas genommen, das einmal dein gewesen sein.«

»Mein Schwert.« Ich versuchte aufzustehen, fiel aber entkräftet zurück. »Gib es mir zurück!«

Urnaldas Augen flammten auf. »Nein, es sein nicht dein Schwert, das ich meine.« Sie beugte sich zu mir und flüsterte erbarmungslos: »Ich habe nicht dein Schwert genommen, sondern deine Kräfte.«

Plötzlich fiel mir ein, wann ich mich so gefühlt hatte. Beim Kampf mit dem Kreelix! Mein Magen verkrampfte sich zu Knoten, meine Gedanken drehten sich im Kreis. Nach Atem ringend zwang ich mich aufzustehen. Obwohl ich so unsicher auf den Beinen war wie ein neugeborenes Füllen, trat ich ihr gegenüber.

»Urnalda. Das kannst du nicht machen! Ich bin dein Freund, oder nicht? Du hast es selbst gesagt! Wie kannst du dann so etwas machen?«

»Leicht«, antwortete sie. »Ein bisschen *negatus myste-rium* sein alles, was man braucht.«

Die Beine gaben unter mir nach und ich fiel auf den rußigen Boden. »Aber warum? Ich könnte dir helfen! Ich bin der Einzige, der Valdearg besiegen kann. Das ist die Prophezeiung des *Drachenkampfs*.«

»Bah!«, spottete die Magierin. »Solche Prophezeiungen sein wertlos. Worauf es ankommt, sein mein Pakt mit Valdearg.« Ihre kurzen Finger spielten mit einem ihrer Ohrringe, während sie mich finster musterte. »Verstehst du, der Drache sein aus seinem Schlaf erwacht, weil jemand den wertvollsten Teil seines wachen Lebens zerstört hat, das Einzige, das er über alles schätzte.«

Ich schüttelte meinen schwindligen Kopf. »Was war das?«

»Ich glaube, du verstellst dich, Merlin. Ich glaube, du weißt es schon.«

»Ich weiß es nicht! Glaub mir.«

»Nun gut. Wie du willst. Valdearg erwachte, weil jemand – jemand sehr Kluges – das geheime Versteck seiner Eier fand. Seiner einzigen Nachkommen! Dann tötete dieser blutdürstige Jemand die Jungen. Jedes einzelne. Das sein eine höchst gefährliche Sache.«

Wütend schlug sie mit meinem Schwert durch die Luft. »Weil die Dracheneier unweit vom Land der Zwerge versteckt sein, gab Valdearg meinem Volk die Schuld. Dem unschuldigen, redlichen Volk Urnaldas! Also fliegt er hierher, verbrennt mein Land, schlägt mit seinem Schwanz auf die Erde, dass meine Tunnel zusammenbrechen, brät lebendig Dutzende meiner Jäger.« Sie fuchtelte heftiger mit dem Schwert. »Ruin! Verwüstung! Bis ich ihn endlich – ja, endlich – überzeugte, dass der Mörder kein Zwerg sein.«

Ich wollte etwas sagen, aber ihre Wortflut überwältigte mich.

»Urnalda, so klug, so weise, untersuchte sorgfältigst, was von den Eiern übrig sein. Und ich fand den Beweis, dass der Mörder kein Zwerg sein, sondern ein Mensch.

Ein Mensch mit vergiftetem Herzen! Es sein keine leichte Aufgabe, Valdearg dazu zu bringen, selbst so genau hinzuschauen, dass er den Beweis sieht, weil er schon zornig wird, wenn er hoch über die Reste fliegt. Unkontrollierbar zornig.« Rachsüchtig stach sie in die Luft. »Trotzdem bestand ich darauf – und hatte endlich Erfolg. Als Valdearg erkannte, dass der Mörder ein Mensch sein, entschied er, dass nur sein alter Feind Tuatha – oder dessen Nachkomme, falls Tuatha nicht mehr am Leben sein – etwas so Schreckliches tun könnte.«

Mein Gesicht brannte. »Wie kam er auf diese Idee?«

»Das sein einfach.« Mit schmalen Lippen sagte sie böse: »Es sein wahr.«

»Aber das stimmt nicht!« Ich wollte aufstehen, doch sie schlug mit der Klinge nach mir, bis ich mich wieder setzte.

»Und so schloss ich, Urnalda, einen Pakt mit Feuerflügel. In der Tat! Wir kamen überein, dass er mein Volk in Frieden lässt, wenn ich dich ihm ausliefere. Frieden für immer. Aber Drachen haben keine Geduld. Er weigerte sich sehr lange zu warten.«

Sie stach in die aschenbedeckte Erde. »Wir kamen überein uns heute Nacht zu treffen. Wenn ich dich noch nicht gefangen hätte, wollte er mir nur noch eine Woche Zeit geben – sieben Tage, nicht mehr. Wenn ich dich ihm am Abend des siebten Tags nicht übergeben könnte – dann schwor er mein Volk restlos auszulöschen. Und jeden anderen, der seinen Weg kreuzt, bis er dich gefunden hat.«

»Aber ich habe seine Jungen nicht getötet! Wie denn auch? Seit Monaten habe ich nichts anderes getan als an meinem Instrument gearbeitet.«

»Bah! Du hättest dich leicht davonstehlen können, ohne dass es jemand merkt!«

»Es ist nicht wahr.«

Sie schaute mich skeptisch an, ihre Augen glühten wie der Atem eines Drachen. »In vieler Hinsicht sein es eine kühne und vorausschauende Tat. Dieses Land von Drachen zu befreien! Ihre verabscheuungswürdige Gattung ganz und gar zu vernichten!« Sie bohrte das Schwert neben mir in den Boden. »Doch du hättest wissen müssen, dass es den Zwergen schadet. Urnaldas Volk.«

»Ich habe es nicht getan, ich sag es dir doch!«

Sie hob die Waffe und schwang sie über meinen Kopf, wobei sie mich nur knapp verfehlte. »Das Töten liegt dir im Blut! Leugnest du es? Du genießt das Gefühl der Macht, der Stärke. Du weißt, das sein die Wahrheit, Merlin! Schau, was Tuathas einziger Sohn – dein Vater Stangmar – den Zwergen und dem übrigen Fincayra angetan hat! Er hat unser Land vergiftet. Er hat unsere Kinder ermordet. Wie kannst du mir sagen, dass du, sein eigener Sohn, anders sein?«

»Aber ich bin anders!« Ich stemmte mich in die Hocke. Mein zweites Gesicht war jetzt nicht mehr gestört, ich richtete es auf Urnaldas blitzende Augen. »Ich bin es, der Stangmar schließlich besiegt hat! Hast du nichts davon gehört? Frag Dagda selbst, wenn du mir nicht glaubst.«

Die Magierin knurrte. »Das bedeutet nichts. Nur dass du noch unbarmherziger sein als dein Vater.« Sie prüfte mit dem Fingernagel die Schneide meines Schwerts. »Antworte mir ehrlich. Leugnest du, dass du froh sein würdest, wenn Fincayra für immer die Drachen los wäre?«

»N-nein«, gab ich zu. »Das kann ich nicht leugnen Aber …«

»Wie kann ich dir dann glauben, dass du nicht der Mörder sein?« Sie zielte mit dem Schwert auf meinen Hals und hielt die Spitze nur einen Fingerbreit entfernt. Ihre Lippen verzogen sich zu einem spöttischen Grinsen. »Aber jetzt musst du verstehen, worum es geht. Ob du es wirklich getan hast oder nicht, sein unwichtig. Ja, belanglos.«

»Belanglos?« Ich schlug mit der Faust auf den verkohlten Boden, so dass eine Aschenwolke aufstieg. »Du redest über mein Leben.«

»Und das Leben meines Volkes, das viel wichtiger sein.« Sie nickte und ließ die Muscheln an ihren Ohren klappern. »Was zählt, sein, dass der Drache *glaubt,* du sein der Mensch, der seine Jungen tötete. Ob du wirklich er sein oder nicht – das sein bedeutungslos. Alles, was er braucht, sein ein paar Bissen Menschenfleisch, um seinen Rachedurst zu befriedigen.« Sie beugte sich näher und drückte ihre knollige Nase an meine. »Du sein der Mensch.«

Verzweifelt kroch ich auf meinen Stock zu. Doch Urnalda reagierte zu schnell. Sie winkte in seine Richtung und brachte ihn dazu, sich vom Boden zu heben und durch die rauchige Luft zu wirbeln. Die beiden Zwerge schauten atemlos vor Erstaunen zu.

»Nun«, fuhr Urnalda mich an, »bezweifelst du, dass ich dir deine Kräfte genommen habe? Hast du vor, deinen Zauberstab gegen mich zu gebrauchen?« Bevor ich antworten konnte, zischte sie einen seltsamen Singsang hervor. Mit einem knisternden scharlachroten Blitz verschwand mein Stock völlig.

Meine Brust schmerzte vor Leere. *Meine Kräfte. Fort!*
Mein Stock, mein kostbarer Stock. Fort!

Urnalda betrachtete mich streng. »So undankbar du auch sein, ich sein immer noch gnädig. Oh ja! Ich lasse dir dein zweites Gesicht, damit du dem Drachen die Genugtuung gibst, zu glauben, dass du dich verteidigen kannst – wenigstens eine Minute oder zwei. Dann wird er eher bereit sein den Pakt einzuhalten, nachdem er dich erschlagen hat. Aus dem gleichen Grund gebe ich dir das hier zurück.«

Sie schleuderte mein Schwert hoch in die Luft und bellte zugleich ein Kommando. Die Waffe fiel zu mir herunter, machte dann plötzlich einen Schwenk in der Luft und glitt direkt in die Scheide an meiner Hüfte. »Sein jedoch gewarnt«, knurrte Urnalda. »Wenn du daran denkst, diese Klinge gegen mich zu richten, dann nehme ich sie, um deine Beine so kurz zu schneiden wie die meines Jägers dort drüben.«

Der verkürzte Zwerg umfasste seine leeren Hosenbeine und wimmerte.

Urnalda atmete tief ein. »Jetzt sein es an der Zeit. Auf, ich befehle es dir!« Sie deutete mit ihrem Stab auf eine felsige, pyramidenförmige Anhöhe auf dem Plateau. »Geh zu diesem Hügel. Der Drache sein bald dort.«

Schwach kämpfte ich mich auf die Beine. Alles drehte sich vor mir, mein Körper schmerzte. Ich hatte gefürchtet – sogar erwartet –, dass ich am Ende mein Leben gegen den Drachen verlieren würde. Aber nicht so. Nein, bestimmt nicht so.

Und obwohl etwas von meiner Stärke zurückgekehrt war, spürte ich mehr denn je die Leere im Zentrum meiner

Brust. Als ob meine Mitte herausgerissen worden wäre. Meine Zukunft als Magier war schon verdüstert – schlimm genug. Doch jetzt waren auch die Kräfte, die ich besessen hatte, die magischen Gaben, die ich kaum verstand, verschwunden. Und mit ihnen noch etwas Wesentliches. Etwas, das meiner Seele sehr nahe war.

XII
Den Kreis einer Geschichte vollenden

iner der Jäger stieß einen Schrei aus. Wir drehten
uns alle um und sahen eine große Hirschkuh über
das verdunkelte Plateau springen. Anmutig und
schnell setzte sie wie ein fliegender Schatten über die ge-
wellte Ebene. Ich wusste nicht, ob es das großäugige Damtier aus der Rinne war. Ich konnte nur hoffen, dass seine
Beine es bald weit forttrugen, hinaus aus diesem Land
gnadenloser Jäger – und treuloser Verbündeter.

»*Hmmm*, Wildbret.« Urnalda schnalzte mit der Zunge.
»Schnell! Bevor es verschwunden ist.«

Noch ehe sie den Satz beendet hatte, lagen die Pfeile auf
den Sehnen. Beide Zwerge zogen mit muskulösen Armen ihre Bogen zurück. Diesmal war ich überzeugt, dass
mindestens einer ihrer Pfeile sein Ziel finden würde. Und
diesmal konnte ich nichts tun, um es zu verhindern.

Einen Augenblick bevor die Pfeile flogen, sprang das
Damtier hoch in die rauchige Luft. Einen Herzschlag lang
hing es schwebend da, das perfekte Ziel.

»Schießt!«, befahl Urnalda. »Ich habe gesagt – «

Eine riesige, massige Gestalt rammte sie plötzlich von
hinten. Mit einem entsetzten Schrei flog sie auf die beiden
Zwerge, die Pfeile klapperten zu Boden. Die Jäger, ebenso überrascht wie Urnalda, brachen unter dem Gewicht
ihrer Herrin zusammen. Offensichtlich betäubt lag sie auf

ihnen und stöhnte. Der verkürzte Zwerg versuchte sich zu befreien und aufzustehen, fiel aber über seine leeren Hosenbeine. Er landete direkt auf Urnaldas Gesicht und zerdrückte einen ihrer Muschelohrringe.

Zugleich nahm mich ein riesiges Geweih auf und hob mich in die Luft. Ich taumelte zurück und fiel über einen gewaltigen Nacken mit gesträubtem Fell. Der Hirsch! Schon rasten wir über die Ebene. Ich brauchte alle Kraft, um mich festzuhalten, meine Beine waren um die Schaufeln des Geweihs gewunden und meine Arme um den mächtigen Nacken. Raues Fell zerkratzte mir die Wangen, während der große Körper unter mir schaukelte. Bald verklangen die Schreie der Zwerge und ich hörte nur noch das Stampfen der Hufe.

Ich weiß nicht, wie lange ich so ritt, es kam mir wie die halbe Nacht vor. Die Nackenmuskeln des Hirschs fühlten sich steinhart an. Stampf, stampf, stampf. Mindestens einmal fiel ich herunter und landete hart auf dem Boden. Blitzschnell nahmen mich die Schaufeln wieder auf und der brutale Ritt ging weiter.

Schließlich stürzte ich benommen und aufgeschürft erneut zu Boden. Diesmal holte mich kein Geweih zurück. Ich rollte auf den Rücken und spürte im Nacken die Kühle nassen Grases. Mein zerschundener Körper gab endlich der Erschöpfung nach. Ich glaubte undeutlich Stimmen zu hören, fast menschliche und doch anders. Mein Kopf hämmerte so unaufhörlich, wie die Hufe gestampft hatten, und schließlich fiel ich in einen bleiernen Schlaf.

Ich erwachte vom Plätschern eines Bachs. Irgendwo in der Nähe sprudelte und gluckste Wasser. Ich lag mit dem Gesicht im Gras und drehte mich steif herum. Hals und

Rücken schmerzten, besonders zwischen den Schultern tat es weh. Helles Licht! Die Sonne stand hoch am Himmel und wärmte mir das Gesicht. Die Luft war noch etwas rauchig, aber sie kam mir leichter und klarer vor als in der vergangenen Nacht.

Vergangene Nacht! War das alles wirklich geschehen? Obwohl mein Rücken so schmerzhaft steif war, setzte ich mich auf. Jäh hielt ich die Luft an. Dort, an einem umgefallenen Stamm neben dem plätschernden Bach, saß eine junge Frau in meinem Alter.

Einen langen Augenblick saßen sie und ich schweigend da. Sie schien an mir vorbei zum Bach zu schauen, vielleicht war sie schüchtern. Dennoch merkte ich, dass sie mich aus großen braunen Augen vorsichtig beobachtete.

Als hübsch war sie nicht zu beschreiben – so wenig wie ich, das wusste ich gut –, doch sie hatte eine starke, faszinierende Ausstrahlung. Das ungewöhnlich lange, schmale Kinn war auf die Hand gestützt. Sie wirkte entspannt, zugleich aber bereit im Bruchteil einer Sekunde aufzuspringen. Ihre geflochtenen Haare schimmerten in den Braun- und Kastanientönen der Marschgräser. Der Zopf fiel über ihre Schulter und den Rücken des gelben Kleides, das aus Weidentrieben gewoben zu sein schien. Sie trug keine Schuhe.

»Sieh an«, sagte eine tiefe, volltönende Stimme. »Unser Reisender ist aufgewacht.«

Ich fuhr herum und sah einen großen jungen Mann mit breiter Brust, der durchs Gras näher kam. Er trug eine einfache braune Tunika und machte lange federnde Schritte. Sein Kinn sprang wie das des Mädchens kräftig hervor. Er hatte die gleichen schönen braunen Augen, allerdings nicht ganz so große wie sie. Und auch er war barfuß.

Sofort wusste ich, dass die beiden Bruder und Schwester waren. Zugleich spürte ich, dass sie irgendwie mehr und weniger waren, als sie zu sein schienen. Aber ich konnte nicht recht klären, in welcher Hinsicht.

Ich stand auf und nickte beiden zu. »Seid gegrüßt.«

Der junge Mann nickte zurück. »Mögen grüne Wiesen dich finden.« Er streckte die Hand aus, auch wenn die Geste bei ihm etwas ungeschickt wirkte. Beim Händedruck umklammerten seine kräftigen Finger die meinen. »Ich bin Eremon, Sohn von Ller.« Er wies mit einer Kopfbewegung zum Baumstamm. »Das ist meine Schwester, Eo-Lahallia. Sie zieht es allerdings vor, nur Hallia genannt zu werden.«

Sie sagte nichts, beobachtete mich aber weiter aufmerksam.

Er ließ meine Hand frei. »Wir sind, könnte man sagen, Bewohner dieser Gegend. Und wer bist du?«

»Ich werde Merlin genannt.«

Eremon strahlte. »Wie der Falke?«

Ich lächelte traurig. »Ja. Ich hatte einmal einen Freund – einen guten Freund. Einen Merlin. Wir … unternahmen viel zusammen.«

Eremons große Augen schimmerten verständnisvoll. Er schien irgendwie zu wissen, was ungesagt geblieben war.

»Im Gegensatz zu euch«, fuhr ich fort, »bin ich nicht von hier. Man könnte mich, wie du es vorhin getan hast, einen Reisenden nennen.«

»Nun, junger Falke, ich freue mich, dass deine Reise

dich hierher geführt hat. Auch meine Schwester freut sich.«

Er schaute hoffnungsvoll zu ihr hinüber. Sie sagte nichts – rutschte nur unbehaglich auf dem Stamm hin und her. Meinem Blick wich sie aus, doch Eremon zeigte sie ihr Misstrauen.

Er wandte sich mir wieder zu und wies auf das zerdrückte Gras, auf dem ich geschlafen hatte. »Deine Reise hat dich anscheinend erschöpft. Du hättest wohl eine ganze Woche geschlafen, wenn dich unruhige Träume nicht geweckt hätten.«

Eine ganze Woche. Alles, was mir blieb – und jetzt war es noch weniger! Valdearg würde in weniger als einer Woche zurückkehren. Um mich zu verschlingen. Und wenn nicht mich, dann jeden und alles auf seinem Weg.

Eremon sah meine plötzliche Anspannung und legte mir die Hand auf die Schulter. »Ich kenne dich noch nicht lange, junger Falke. Doch ich sehe, dass du besorgt bist.« Sein Blick erinnerte mich an eine Welle, die über eine felsige Küste fließt. »Irgendwie habe ich das Gefühl, dass deine Sorgen auch unsere sind.«

Hallia sprang auf die Füße. »Mein Bruder!« Sie unterbrach sich und zögerte, bevor sie weitersprach. Schließlich fragte sie leiser, aber mit ebenso wohlklingender Stimme wie Eremon: »Solltest du nicht ... warten? Du bist vielleicht vorschnell mit deinem Vertrauen.«

»Vielleicht«, antwortete er. »Aber das Gefühl ist da.«

Immer noch ohne mich direkt anzusehen machte Hallia eine Handbewegung zu mir. »Er ist schließlich gerade erst aufgewacht. Du hast noch nicht einmal ... den Kreis einer Geschichte mit ihm vollendet.«

Verwirrt beobachtete ich, wie Eremon nachdenklich die braunen Augen schloss und sie dann wieder öffnete. »Du hast Recht, meine Schwester.« Zu mir sagte er: »Mein Volk, die Mellwyn-bri-Meath, hat viele Traditionen, viele Rhythmen, von denen manche aus der fernen Zeit stammen.«

Mit der Gewandtheit eines Sperlings, der sich im Flug dreht, ging er an den Bachrand und kniete sich neben einen Streifen feuchter Erde. »Eine unserer ältesten Traditionen besteht darin, den Kreis einer Geschichte zu vollenden, um sich miteinander bekannt zu machen. Wir wenden sie oft an, wenn wir jemanden aus einer anderen Sippe oder sogar aus einem anderen Volk treffen.«

»Was bedeutet das, den Kreis einer Geschichte zu vollenden?«

Eremon griff in den Bach und holte einen schmalen grauen Stein heraus. Er schüttelte das Wasser ab, dann zeichnete er einen großen Kreis in den Schlamm. »Jeder von uns erzählt einen Teil, aber nur einen Teil einer Geschichte. Du als Neuankömmling beginnst.« Mit dem Stein teilte er den Kreis in drei gleiche Teile. »Wenn wir damit fertig sind, vereinigen sich die Teile zu einem vollständigen Kreis.«

»Und einer vollständigen Geschichte.« Ich trat zum Bach und kniete mich neben ihn. »Eine wunderbare Tradition. Aber müssen wir es jetzt tun? Ich bin, nun, ein viel besserer Zuhörer als ein Geschichtenerzähler. Und im Moment sind meine Gedanken … anderswo. Ich habe wenig Zeit. Zu wenig! Ich sollte wirklich gehen.« Leise fügte ich hinzu: »Auch wenn ich nicht recht weiß, wohin.«

Hallia nickte, als hätte meine Reaktion ihren Verdacht bestätigt. »Nun ... siehst du?«, sagte sie zu ihrem Bruder immer noch zögernd, zugleich aber drängend. »Er mag keine Geschichten.«

»Oh doch!« Ich strich mir die Haare aus der Stirn. »Ich habe schon immer Geschichten geliebt. Es ist fantastisch, wirklich, wohin sie einen tragen können.«

»Ja«, stimmte Eremon zu. »Und wo sie einen halten können.« Er musterte mich. »Komm, junger Falke. Komm in unseren Kreis.«

Etwas in den schönen braunen Augen sagte mir, dass es wichtig sein könnte, ein wenig länger an diesem besonderen Ort bei diesen besonderen Menschen zu bleiben. Und dass mein Teil der Geschichte mit Interesse aufgenommen – und mit Sorgfalt beurteilt würde. »Nun gut«, sagte ich. »Wie fange ich an?«

»Wie du willst.«

Ich biss mir auf die Lippe und überlegte, wie ich am besten beginnen sollte. Ein Tier – ja, ich hatte das Gefühl, das war richtig. Eins, das lebte wie ich jetzt: allein. Ich holte tief Luft. »Die Geschichte beginnt mit einem Geschöpf des Waldes. Einem Wolf.«

Hallia fuhr bei diesen Worten auf. Sogar ihr Bruder, dessen große Augen mich unentwegt musterten, zuckte zusammen. Ich wusste jetzt, dass ich zweifellos den falschen Anfang gewählt hatte. Aber ich konnte mir nicht denken, warum.

»Dieser Wolf«, fuhr ich fort, »nannte sich Hevydd. Und er hatte sich verirrt. Nicht in der Landschaft, sondern in seinem Herzen. Er streifte zwischen hohen Hügeln umher, erkundete sie und schlief und jagte, wo es ihm gefiel.

Stundenlang saß er auf seinem Lieblingsstein und heulte die Perlen des Nachthimmels an. Aber … sein Wald kam ihm wie ein Gefängnis vor, jeder Baum wie ein Gitterstab an seinem Käfig. Denn Hevydd war allein – auf eine Art, die er sich nicht erklären konnte. Er hungerte nach Antworten, aber er verstand noch nicht einmal die Fragen. Er sehnte sich nach Gefährten, aber er wusste nicht …« Meine trockene Kehle reizte mich zum Husten. »Wusste nicht, wo er sie suchen sollte.«

Eremon machte ein finsteres Gesicht – ob aus Mitgefühl oder Bestürzung, konnte ich nicht sagen. Doch ich wusste genau wie er, dass mein Teil der Geschichte zu Ende war. Geschickt zeichnete er mit dem Stein etwas in das obere Drittel des Kreises, ein Symbol, merkte ich, für meinen Beitrag zur Gesamtgeschichte. Aber statt Kopf oder Körper eines Wolfs, die ich skizziert hätte, zeichnete er eine Pfotenspur. Die Wolfsfährte.

Eremon sah weder mich noch Hallia, sondern den Kreis an, als er zu reden begann. »Hevydd erkannte nicht, dass der Wald kein Käfig mit Gitterstäben war – sondern ein endloses Labyrinth sich überschneidender Fährten. Wo eine Fährte endete, begann eine andere. Hirsche sprangen hier; Dachse rannten dort. Eine Spinne fiel von einem Ast; ein Eichhörnchen kletterte auf einen anderen. Über den Boden glitt eine neugeborene Schlange; am Himmel flog ein Adlerpaar. Jede dieser Fährten war mit einer anderen verbunden, und wenn der Wolf allein über den Hügel lief, zog er in Wirklichkeit neben allen anderen her. Selbst wenn er von seinem Pfad abwich, um sich an seine nächste Mahlzeit heranzupirschen, wurden die Fährten von Jäger und Gejagten zu einer einzigen.«

Er sprach jetzt so leise, dass ich ihn über dem plätschernden Bach kaum verstehen konnte. »Deswegen bemerkte es Hevydd nicht, als die letzte Eiche zugrunde ging und die Eichhörnchen deshalb wegzogen. Er trauerte auch nicht, als die Seuche das Kaninchengehege befiel und jedes einzelne Tier tötete. Und er merkte sich nicht den Tag, an dem die gelb geflügelten Schmetterlinge nicht mehr durch die Gehölze flogen, so wenig wie die Eichelhäher und Raben, die sich von ihnen ernährten.«

Er verstummte und zeichnete ein Dutzend verschiedener Fährten in seinen Teil des Kreises – die Spuren aller Tiere, die er genannt hatte, und mehr. Als er fertig war, trat Hallia näher, ihre runden Augen wichen noch immer meinem Blick aus. Einen Moment betrachtete sie nachdenklich die Zeichnung im Schlamm und spielte dabei mit ihrem kastanienbraunen Zopf.

»Der Wald«, begann sie, »wurde stiller ... von Tag zu Tag. So schrecklich still. Nur noch wenige Vögel zwitscherten in den Zweigen; nur wenige Tiere zogen durchs Unterholz. Aber Hevydds Geheul stieg immer öfter von dem Hügel auf. Er heulte aus größerem Hunger, weil Nahrung knapper war. Und er heulte auch aus größerer Einsamkeit.«

Anmutig bückte sie sich und nahm Eremon den schmalen Stein aus der Hand. Sie setzte zum Weiterreden an, verstummte dann und wartete eine Weile, bevor sich die Worte schließlich einstellten. »Es kam der Tag ... an dem ein neues Geschöpf den Wald betrat.« Mit tiefen, kräftigen Strichen füllte sie den letzten Teil des Kreises mit einer anderen Spur: dem gestiefelten Fuß eines Menschen. »Dieses

Geschöpf kam ... mit Pfeilen und Klingen. Heimlich, verschlagen näherte es sich Hevydds Klagestein. Keine Vögel waren mehr da, die warnend zum Himmel gestiegen wären. Keine Tiere flohen vor dem Schritt des Geschöpfs. Und niemand war mehr da, um zu trauern, als der Mensch Hevydd tötete ... und ihm das Herz aus dem Leib schnitt.«

XIII
LAUFEN WIE EIN HIRSCH

Als Hallia ihren Teil der Geschichte beendet hatte, schaute sie ernst auf den plätschernden Bach hinunter. Obwohl mich die Brutalität ihrer Worte getroffen hatte, war ich noch mehr von dem Schmerz in ihrer Stimme berührt.

Eremon stand langsam auf und trat ihr gegenüber. »Wäre es richtig zu sagen, meine Schwester, dass Hevydd noch leben könnte, wenn er mehr verstanden hätte?«

»Vielleicht.« Sie wartete länger als üblich, bevor sie weitersprach. »Aber es wäre auch richtig, zu fragen: Lag der Fehler bei ihm oder dem Menschen, der ihn tötete?«

»Beides«, erklärte ich und stand ebenfalls auf. »So ist es meistens. Mit Fehlern, meine ich. Schon oft habe ich erlebt, wie meine eigenen Fehler sich mit denen anderer verbinden und so alles noch schlimmer wird.«

Während Hallia bis ans Bachufer zurückwich, blieb Eremon ruhig stehen und beobachtete mich spöttisch. »Und woher, junger Falke, weißt du so viel über Fehler?«

Ich antwortete ohne Zögern: »Ich habe eine Schwester.«

Sein ganzes Gesicht verzog sich zu einem Lächeln – das sofort verschwand, als Hallia ihm einen scharfen Blick schickte. »Jetzt erzähl uns doch: Was führte dich hierher? Und warum spüre ich so viel vom einsamen Wolf in dir?«

Ich hatte plötzlich das Bedürfnis, mich auf meinen Stock zu stützen, und schaute instinktiv übers Gras. Doch dann fiel es mir wieder ein. Mein Stock war fort. Zerstört. Genau wie meine Kräfte.

Der Junge mit dem Zauberstab, hatten die Bäume der Druma mich genannt. Ich krümmte mich bei der Erinnerung. »Ich hatte etwas ... Ungewöhnliches. Etwas Kostbares. Und jetzt ist es weg.«

Eremon zog die dichten Augenbrauen zusammen. »Was war das für ein Ding?«

Ich zögerte.

»Erzähl es uns, junger Falke.«

Ich sagte ernst: »Magie. Ob ich jemals ein richtiger Zauberer geworden wäre, weiß ich nicht, aber ich hatte immerhin ein paar Gaben. Magische Gaben.« Ich hielt inne, weil ich den Zweifel in beider Gesichter las. »Ihr müsst mir glauben. Ich kam auf Urnaldas Bitte zum Reich der Zwerge, ich sollte ihr helfen Valdearg zu schlagen – Feuerflügel. Dann wandte sie sich gegen mich. Stahl meine Kräfte.« Ich griff an meine Brust. »Ich spüre diese – diese Leere jetzt. Meine Magie, mein Wesentliches, wurde einfach herausgerissen. Wenn ihr es nur fühlen könntet ... ihr würdet wissen, dass ich die Wahrheit sage.«

Eremons Ohren, die oben leicht zugespitzt waren wie bei allen Männern und Frauen in Fincayra, zitterten einen Moment. »Ich kann es fühlen«, sagte er leise.

Er drehte sich zu seiner Schwester um und fragte mit Blicken, ob sie nicht zustimmte. Doch Hallias Gesicht zeigte nur Misstrauen. Langsam schüttelte sie den Kopf, ihr langer Zopf schimmerte in der Sonne.

Ich schob das Kinn vor. »Wenn ihr all das nicht glaubt, dann beachtet wenigstens dies: In nur sechseinhalb Tagen wird ganz Fincayra Valdeargs Zorn kennen.

Das heißt, falls ich keine Möglichkeit finde, ihn aufzuhalten.«

Eremon machte große Augen.

»Und ich habe keine Ahnung, wo ich anfangen soll!« Ich fasste in die Luft, als wäre da der Stock. »Soll ich mich jetzt dem Drachen einfach ergeben? Ihn mich auffressen lassen? Es könnte ihn befriedigen. Urnalda sagte, das würde ihm reichen. Vielleicht aber auch nicht! Er könnte einfach weiterwüten, zerstören, was ihm gefällt. Das muss ich verhindern.«

»Du verlangst viel von dir«, sagte Eremon.

Ich seufzte wieder. »Einer meiner Fehler.« Mein Blick fiel auf den Kreis im Schlamm zu meinen Füßen. »Es ist hoffnungslos, wirklich. Wie bei dem Wolf in der Geschichte.« Verzweifelt schlug ich meine Faust in die Hand. »Diese beiden Hirsche hätten mich einfach sterben lassen sollen!«

Hallia fuhr auf. »Was hast du gesagt?«

Ich zuckte zusammen. »Wenn du den Rest bezweifelst, wirst du diesen Teil nie glauben.«

Zum ersten Mal sah sie mir direkt in die Augen. »Erzähl uns ... von den Hirschen.«

»Nun, es genügt, zu sagen, dass vergangene Nacht zwei tapfere Hirsche – aus irgendeinem Grund – ihr Leben riskierten, um mich zu retten. Sie waren es, die mich hierher brachten. Nein, es ist wahr! Ich wollte, ich könnte ihnen danken – obwohl alles einfacher wäre, wenn sie sich nicht die Mühe gemacht hätten. Ich habe keine Ahnung, wo sie jetzt sind.«

Hallia schaute mich mit ihren tiefen Augen forschend an. Es kam mir vor, als sähe ich in ihnen einen neuen

Zweifel aufschimmern. Dann wurde sie sich plötzlich bewusst, dass ich ihren Blick erwiderte, und wandte sich scheu ab.

Ihr Bruder beugte sich zu ihr. »Du kannst sagen, was du willst. Ich jedenfalls halte seine Worte für wahr.«

Sie fasste ihn am Arm. »Ein Teil dessen, was er sagt, mag wahr sein ... aber nur ein Teil. Denk daran, er ist ein ...« Sie unterbrach sich. »Ein Geschöpf, dem nicht zu trauen ist.«

Eremon machte sich frei. »Ein Geschöpf, das sich nicht allzu sehr von uns unterscheidet.« Er fuhr sich mit der Hand durch sein nussbraunes Haar und sagte zu mir: »Es ist kein Geheimnis, dass Feuerflügel wieder erwacht ist. Auch nicht, dass er kürzlich die Zwerge schwer bestraft hat. Weil die Zwerge sehr wenige Freunde in anderen Teilen Fincayras haben, dachten die meisten von uns, die an ihren Grenzen leben, dass sie sich diese Schwierigkeiten selbst zuzuschreiben haben. Aber – wenn deine Geschichte stimmt, muss Valdeargs Zorn einen ganz anderen Grund haben.«

Ich nickte grimmig. »Das stimmt.« Ein kalter Wind kam auf und kräuselte das Gras. »Seine Eier – seine einzigen Jungen – wurden zerstört.«

Hallia warf den Zopf über die Schulter. »Ich fühle ... kein Bedauern für ihn. Er hat so viele Länder, so viele Leben zerstört. Dennoch empfinde ich wider Willen Mitleid für seine Brut, die so gemordet wurde. Ohne eine Möglichkeit zu fliehen.«

Ich runzelte die Stirn. »Ich habe kein Mitleid mit ihnen. Sie wären nur aufgewachsen, um zu sein wie ihr ...« Ich vollendete den Satz nicht, als mir klar wurde, was ich gerade sagen wollte. *Wie ihr Vater.* Hatte Urnalda das nicht über mich gesagt?

Eremon erhob seine volltönende Stimme. »Ich habe Mitleid mit allen. Sie haben sich nicht ausgesucht, als Drachen geboren zu werden, sie wollten nur geboren werden.« Er machte eine Pause und beobachtete mich. »Weißt du, wer sie getötet hat?«

»Ein Mensch.«

Seine Ohren zitterten wieder. »Und wer war dieser Mensch?«

Ich schluckte. »Valdearg glaubt, dass ich es war. Weil ich von seinem größten Feind abstamme – Tuatha. Aber ich war es nicht. Ich schwöre es.«

Er runzelte die Stirn, während er mich lange musterte. Schließlich erklärte er: »Ich glaube dir, junger Falke.« Er holte tief Luft. »Und ich werde dir helfen.«

»Eremon!«, rief seine Schwester, die jetzt alle Unschlüssigkeit verloren zu haben schien. »Das kannst du nicht machen!«

»Wenn er die Wahrheit spricht, sollte ganz Fincayra ihm zu Hilfe eilen.«

»Aber du weißt es nicht!«

»Ich weiß genug.« Er rieb sich das kräftige Kinn. »Doch ich wollte, ich wüsste noch eins: Wo die Dracheneier in all diesen Jahren versteckt gewesen sind. Wenn wir finden würden, was noch von ihnen übrig ist, könnten wir vielleicht ein Zeichen entdecken. Etwas, das uns verrät, wer der wahre Mörder ist.«

»Daran habe ich auch gedacht«, sagte ich. »Aber die Reste der Eier könnten überall sein! Wir haben keine Zeit zum Suchen. Außerdem müssen wir nicht den Mörder finden – sondern eine Möglichkeit, Valdearg aufzuhalten.«

Da kam mir eine Idee. Eine verzweifelte, ausgefallene Idee. Und mit ihr ein überwältigendes Gefühl der Bedrohung. »Eremon! Ich weiß, was ich in der Zeit, die mir bleibt, zu tun habe. Es ist eine törichte Hoffnung, aber eine andere fällt mir nicht ein.« Ich schaute ihm in die Augen. »Und es ist viel zu gefährlich, um jemanden zu bitten mit mir zu gehen.«

Hallias finsteres Gesicht hellte sich auf. Eremon betrachtete mich ernst.

»Mein Großvater triumphierte im Kampf mit Valdearg vor vielen Jahren nur mit Hilfe eines Gegenstands von großer Kraft, das ist eins der wenigen Dinge, die ich darüber weiß. Es war ein Anhänger – voller Magie –, der als der Galator bekannt ist.«

Beide braunen Augenpaare starrten mich an.

»Eine Zeit lang trug ich ihn selbst um den Hals. Doch ich lernte sehr wenig über seine Geheimnisse.« Ich ließ die Schultern hängen beim Gedanken, dass ohne meine Kräfte der Zauber des Galators nutzlos für mich sein könnte. Und doch … es war wenigstens eine Chance. Ich richtete mich wieder auf. »Irgendwie muss ich ihn zurückbekommen! Wenn es mir gelingt, könnte er noch einmal den Drachen besiegen.«

»Wo ist der Anhänger jetzt?«, fragte Eremon.

Ich biss mir auf die Lippe. »Bei der Hexe Domnu – auch dunkles Schicksal genannt. Sie lebt am entlegenen Ende des verhexten Moors.«

Hallia atmete scharf durch die Nase ein. »Dann solltest du am besten … einen anderen Plan machen. Du kannst unmöglich in nur sechseinhalb Tagen dorthin und wieder zurück wandern.«

Bei ihren Worten zuckte ich zusammen. »Du hast Recht. Es wäre schon schwierig genug, wenn ich laufen könnte wie ein Hirsch.«

Eremon warf den Kopf zurück. »Aber das kannst du.«

Bevor ich fragen konnte, was er meinte, drehte er sich um und lief mühelos übers Gras. Er sprang schneller und schneller, bis seine Beine zu einer einzigen Bewegung verschwammen. Er beugte sich vor, bis sein breiter Rücken fast waagrecht war und die Arme den Boden berührten. Die Muskeln seines Nackens wölbten sich, sein Kinn sprang vor. Dann verwandelten sich zu meinem Erstaunen seine Arme in Beine, die über den Boden stampften. Seine Tunika schmolz weg und wurde durch Fell ersetzt, während seine Füße und Hände Hufe wurden. Aus seinem Kopf wuchs ein großes Schaufelgeweih, fünf Sprossen an jeder Seite.

Er wendete und spannte die mächtigen Keulen, während er übers Feld setzte. Im nächsten Augenblick stand er wieder vor uns, ganz und gar ein Hirsch.

XIV
EREMONS GESCHENK

rstaunt schaute ich in die tiefen braunen Augen
des Hirschs. »Du warst es also, der mich gerettet
hat!«

Eremon neigte den Kopf mit dem majestätischen Geweih. »Das stimmt«, erklärte er und seine Stimme klang
noch voller als zuvor. »Meine Schwester und ich wollten
dir helfen, wie du uns geholfen hattest.«

Hallia runzelte besorgt die Stirn, während sie mit ihrer
schmalen Hand das dicke Nackenfell des Hirschs streichelte. Leise sagte sie: »Einmal sollte genug sein, mein
Bruder. Die Hilfe ist vergolten. Musst du wirklich noch
mehr tun?« Sie schaute zu mir herüber und ihr Gesichtsausdruck wurde hart. »Und einem Menschen zuliebe?
Muss ich dich daran erinnern, dass Menschen unsere
Eltern umgebracht haben? Dass sie unserer Mutter und
unserem Vater die Schultern herausgeschnitten haben, um
sie zu verzehren ... und den Rest ihrer Körper verfaulen
ließen?«

Ihre Blicke trafen sich. Schließlich sagte Eremon sanfter als zuvor: »Eo-Lahallia, dein Schmerz ist groß wie
alles, was du fühlst. Doch ich fürchte, statt dein Leid zu
durchqueren, wie du und ich viele Moraste durchquert
haben, hast du es an dir haften lassen wie eine blutdürstige Zecke, die sich monatelang an unseren Rücken
klammert.«

Hallia blinzelte die Tränen zurück. »Diese Zecke wird nicht abfallen.« Sie schluckte. »Und … noch etwas. Vergangene Nacht, nachdem wir unsere zweibeinige Gestalt angenommen hatten, träumte ich. Es war ein schrecklicher Traum! Ich kam an einen … dunklen und gefährlichen Ort. Ich glaube, da war ein Fluss mit starker Strömung. Und direkt vor mir der Körper eines Hirschs. Überall Blut! Er zitterte am Rande des Todes. Allein der Anblick brachte mich zum Weinen! Gerade als ich ihm nahe genug kam, um in seine Augen zu schauen, wachte ich auf.«

Eremon kickte nervös mit dem Huf gegen das Gras. »Wer war dieser Hirsch?«

»Ich … weiß es nicht.« Sie schlang die Arme fest um seinen Hals. »Aber ich möchte nicht, dass du stirbst!«

Beim Zuhören wurde mir das Herz schwer vor Angst. Nur zu gut erinnerte ich mich an Rhias Abschiedsumarmung im Quellgebiet des Flusses und an meine Sehnsucht, wieder bei ihr zu sein. »Achte auf ihre Warnung!«, beschwor ich Eremon. »So sehr ich mir auch deine Hilfe wünsche, das wäre ein zu hoher Preis. Nein, ich muss allein tun, was ich tun muss.«

In Hallias Augen flackerte Erleichterung auf.

Eremon beobachtete mich. »War die Trennung von deiner Schwester schwer für dich?«

Seine Vermutung überraschte mich, doch ich nickte.

Er neigte das Geweih, so dass ein Spross leicht Hallias Wange streifte. »Kann ein Volk, in dem Brüder und Schwestern einander so lieben, ganz böse sein?«

Hallia schwieg.

Der Hirsch hob den mächtigen Kopf und sagte zu mir: »Mein eigenes Volk, die Hirschmenschen, haben lange

Angst und Wut gegenüber deinem empfunden. Ich weiß nicht, ob es dazu beiträgt, uns ans Volk der Männer und Frauen zu binden, wenn ich dir helfe. Doch das weiß ich: Es ist richtig, einem anderen Geschöpf zu helfen, gleich wie seine Fährte aussieht. Und ich werde es tun.«

Hallia holte hörbar Atem. »Steht ... dein Wille fest?«

»Absolut fest.«

»Dann«, erklärte sie und zitterte am ganzen Körper, »werde ich mit dir gehen.«

Sie hob die Hand, als Eremon protestieren wollte. »Ist deine Entscheidung zu respektieren, aber meine nicht?« Sie spürte seine Angst und streichelte sanft sein Ohr. »Wenn ich weinen muss, dann lieber an deiner Seite als irgendwo fern von dir.«

Zart berührte der Hirsch mit der feuchten Nase die ihre. »Du wirst nicht weinen.« Nach einer Pause fügte er hinzu: »Und ich hoffe, ich auch nicht.«

Hallia trat von ihrem Bruder zurück. Sie schaute hinunter auf ihre Hände und streckte die Finger im Sonnenlicht. Dann wandte sie sich zum offenen Feld; der Spierstrauch duftete stark unter der Mittagssonne. In Blitzesschnelle lief sie davon, sprang dann und flüchtete schließlich mit der Anmut eines Damtiers durch die grünen Halme. Sie kehrte um und hüpfte zu uns zurück, ihre Hufe tänzelten leicht übers Gras.

Eremon zuckte mit den Lauschern, dann sah er mich an. »Jetzt zu dir.«

Überrascht trat ich zurück, rutschte vom schlammigen Ufer und landete mit einem Platsch im Bach. Tropfnass, mit einer Schlammspur im Gesicht, kletterte ich zurück ins Gras.

Hallia wich meinem Blick aus, aber ihr Kichern entging mir nicht. »Auch wenn er ein Zauberer ist, könnte er ein bisschen mehr Übung im Gehen auf zwei Beinen brauchen, bevor er es mit vieren versucht.«

»Er wird es schnell lernen«, prophezeite Eremon.

»M-moment mal«, stotterte ich und wrang meine Ärmel aus. »Ich beherrsche keinen Zauber mehr! Und selbst als ich es konnte, war die Kunst des Veränderns mir noch neu. Ich könnte mich ebenso wenig in einen Hirsch verwandeln wie in einen Windhauch.«

»Es gibt eine Möglichkeit. Auch wenn es um meine Magie geht und nicht um deine, kannst du daran teilhaben.« Er senkte sein großartiges Geweih. »Hier, nimm dein Schwert.«

»Nein!«, rief Hallia und trat mit den Vorderbeinen. »Das kannst du nicht machen.«

»Würdest du ihn lieber den ganzen Weg auf dem Rücken tragen? Ich habe es kaum geschafft, ihn vom Land der Zwerge bis hierher zu bringen. Bis zu Domnus Lager ist es viel weiter.«

Er befahl mir: »Schneide einen meiner Sprosse ab. Ein glatter Schlag genügt.«

Ich packte das Heft und zog das Schwert aus der Scheide. Es klirrte leicht wie eine gedämpfte Glocke. Ich zielte auf den Spross, der am weitesten von Eremons Kopf entfernt war, und schlug mit aller Kraft zu.

Es blitzte und der Spross fiel zu Boden. Ein frischer würziger Duft wie in einer Waldlichtung erfüllte die Luft. Ich atmete tief und dachte an das Tannengehölz, das mir vor langer Zeit meinen Stock geschenkt hatte. Eremon hob einen Hinterhuf und stampfte schwer auf den Spross. Immer wieder. Als er schließlich aufhörte, blieb ein Häuflein silbriges Pulver zurück.

Ich schob mein Schwert in die Scheide und kniete mich hin, um das Pulver genauer zu betrachten. Die winzigen Kristalle glitzerten im Licht.

Eremons Vorderlauf stieß mich an der Schulter. »Wenn du das Pulver in deine Hände und Füße reibst, junger Falke, wirst du für einige Zeit die Kraft meines Volkes erlangen. Du kannst dich von einem Menschen in einen Hirsch verwandeln und wieder zurück, einfach indem du es dir wünschst.« Dann hörte ich eine Warnung aus seiner Stimme: »Aber denk daran, wenn du als Hirsch überleben willst, musst du nicht nur wie ein Hirsch aussehen, sondern auch wie einer denken.«

Ich schluckte und fragte mich, was das bedeutete.

»Und es gibt ein Risiko, das du verstehen musst. Die Kraft zur Verwandlung könnte drei Monate anhalten – oder drei Tage. Das lässt sich nicht voraussagen.«

»Und wenn sie aufhört, während ich in Hirschgestalt bin?«

»Dann bleibst du für immer ein Hirsch. Diese Gabe kann dir nie wieder gewährt werden, deshalb kann ich dir nicht helfen dich zurückzuverwandeln.«

Einen Moment schaute ich ihm in die großen Augen. »Ich nehme die Gabe an. Und auch das Risiko.« Ich zog die Stiefel aus, verteilte das Pulver auf meinen Handflächen und rieb es gründlich in Füße und Hände.

Eremon stieß mich mit dem Geweih in den Schenkel. »Vergiss kein einziges Zehengelenk.«

Als ich schließlich fertig war, stand ich auf. »Wenn –

falls – ich mich in einen Hirsch verwandle, was geschieht dann mit meinem Beutel? Und meinem Schwert?«

»Der Zauber wird sie verbergen, solange du ein Hirsch bist, und sie wieder zum Vorschein bringen, wenn du ein Mensch bist.«

»Dann bin ich bereit.«

Hallia schnaubte laut durch die Nase. »Noch nicht ganz! Du solltest lieber … deine Stiefel wieder anziehen. Sonst bist du barfuß, wenn du Menschengestalt annimmst. Und hast bald zahllose Blasen.«

Ihr Ton ärgerte mich, doch ich gab keine Antwort.

Eremon lachte leise und kehlig. »Jetzt lauf, junger Falke! Genieße deine Bewegung. Sei so geschwind wie der Bach dort drüben und so leicht wie der Wind.«

Ich stapfte durchs Gras, meine nassen Stiefel schlugen schwer auf den Boden. Wasser platschte unter meinen Zehen. Ich brauchte Hallia nicht anzuschauen, um zu wissen, dass sie mich kritisch beobachtete.

Ich rannte schneller, immer schneller. *So geschwind wie der Bach.* Ich beugte mich vor und ließ die Arme baumeln. *So leicht wie der Wind.* Meine Knie bogen sich zurück. Meine Schritte wurden sicherer, kräftiger. Mein Kinn streckte sich vor. Beide Hände – nein, etwas anderes – berührten das Gras. Mein Rücken streckte sich, auch mein Hals. Plötzlich sprang ich übers Feld.

Ich war ein Hirsch.

Mein geschmeidiger Schatten flog übers Gras. Auf meinem Kopf saß ein kleines Geweih mit zwei Sprossen auf einer Seite und drei auf der anderen. *Das ist nicht so schwierig*, sagte ich mir. Ich schaute über die Schulter und sah den schönen Hirsch und das Damtier neben dem eiligen

Bach. Ich beschloss zu ihnen zurückzulaufen und wendete scharf. Mein linker Hinterhuf schlug an die Innenseite meines rechten Vorderlaufs. Ich verlor das Gleichgewicht und stürzte.

Kaum hatte ich mich mit zitternden Knien aufgerichtet, da waren Eremon und Hallia neben mir. Der Hirsch stieß mich besorgt an. Meine Flanke war weniger verletzt als mein Stolz, und so machte ich ein paar Schritte, um ihm zu zeigen, dass ich mir nichts getan hatte. Was Hallia anging – nun, es war mir wirklich gleichgültig, was sie dachte.

»Komm«, dröhnte Eremon und zog die langen Lippen hoch. »Wir müssen den Bach überqueren. Mit ein bisschen Glück sind wir vor der Dunkelheit ein gutes Stück weit in der Ebene.«

Er sprang mit vorgelegten Lauschern zum glänzenden Wasserlauf und setzte mit einem Sprung darüber. Hallia folgte, ein Bild der Anmut. Ich sprang wesentlich weniger elegant hinterher. Zwar versuchte ich so mühelos wie die anderen über den Bach zu setzen, doch meine Hinterläufe platschten ins kalte Wasser und bespritzten meine Unterseite. Ich hastete das Ufer hinauf und gab mir alle Mühe, nicht zurückzubleiben.

Eremon führte uns eine Weile genau nach Süden, den Weg über die Wiesenterrassen zurück, den Rhia und ich gerade am Vortag gekommen waren. Mit der Zeit ging mir der Rhythmus unseres Laufs durch die hohen Gräser und spät blühenden Lupinen in Muskeln und Knochen über. So allmählich, dass es mir gar nicht auffiel, bewegte ich mich weniger hölzern, weniger wie ein dreidimensionaler Körper, sondern leicht wie die Luft.

Der Herbstbeginn färbte die Gräser schon bräunlich und während ich sie durchstreifte, wurde mir bewusst, dass ich gut sehen konnte. Sehr gut. Ich war nicht mehr auf mein zweites Gesicht angewiesen, das tagsüber nie meinem früheren Sehvermögen entsprach, und genoss jetzt die Einzelheiten, die Umrisse, die Strukturen. Manchmal lief ich sogar langsamer, nur um etwas genauer anzusehen: Tautropfen an einem Spinnennetz, Grasbüschel, die sich so anmutig wie ein Regenbogen neigten, fliegende Samen im Wind. Ob meine Augen immer noch pechschwarz waren oder braun wie die meiner Gefährten, wusste ich nicht. Doch das spielte überhaupt keine Rolle, endlich waren sie offene Fenster zur Welt.

Noch besser als meine Sehkraft war mein Geruchssinn geworden. Vertraute Aromen kamen von allen Seiten auf mich zu. Ich roch erleichtert die schwindenden Rauchspuren, während wir uns vom Zwergenland entfernten. Und ich nahm gierig die feinen Düfte des strahlenden Herbsttags auf: ein eiliges Flüsschen; ein alter Bienenstock im Stamm einer Birke; ein Fuchsbau, zwischen den Wurzeln eines Stechginsters versteckt.

Doch mein neuester Sinn war, so kam es mir vor, mein Gehör. Geräusche, von denen ich nie gewusst hatte, dass es sie gab, fluteten in einem ständigen Strom über mich hinweg. Ich hörte nicht nur das anhaltende Stampfen meiner Hufe und den charakteristischen Rhythmus der Hirschhufe vor mir – sondern auch den Nachhall in der Erde. Im Laufen fing ich das Schwirren von Libellenflügeln und das Huschen von Mäusebeinen auf.

Als die Sonne sich den Hügeln im Westen näherte,

merkte ich, dass mein Gehör sich nicht auf wache Ohren beschränkte. Auf geheimnisvolle Weise hörte ich nicht nur Geräusche, sondern das Land selbst. Nicht mit den Ohren, sondern mit den Knochen vernahm ich, wie die Erde unter meinen Hufen sich spannte und bog, wie sich die Windströmung änderte. Ich verstand die geheimen Verbindungen zwischen allen Geschöpfen auf diesen Wiesen – ob sie krochen, glitten, flogen oder liefen. Ich hörte sie nicht nur; ich feierte sie, denn wir waren so fest miteinander verbunden wie ein Grashalm mit der Scholle.

XV
DIE BEDEUTUNG DER FÄHRTEN

ie Sonne hatte fast den Horizont erreicht, als Eremon sein mächtiges Geweih dem Nebelstreifen zuwandte, der, wie ich wusste, die Ufer des unaufhörlichen Flusses anzeigte. Während ich folgte, wurde das Rauschen und Tosen der Stromschnellen lauter. Nebelarme kreisten mich ein. Ich lief langsamer und merkte, dass der Hirsch uns zu der Furt gebracht hatte, die ich gut kannte. Die gleiche seltsame Sehnsucht nach den großen Steinen am Flussrand überkam mich wieder, die ich zuvor bei Rhia gespürt hatte.

Obwohl ich die stürzenden Fluten deutlich hören konnte, sah ich den Fluss noch nicht durch den wabernden Nebel. Das braune Fell von Eremon und Hallia glänzte vor Schweiß, als die beiden auf eine Stelle mit dunkelgrünem Schilf zutrabten. Liebevoll stieß Hallia mit ihrer Schulter an die des Bruders. Dann senkten sie die Köpfe und ästen im Schilf.

Als ich näher kam, hob der Hirsch das Geweih und begrüßte mich mit anerkennendem Nicken. »Du lernst laufen, junger Falke.«

»Ich lerne hören.«

Hallia schien nicht auf uns zu achten und riss Schilfbüschel aus. Ihre Zähne mahlten laut.

Auch ich fing an am Schilf zu knabbern. Es schmeckte fast bitter, doch ich spürte beinah sofort neue Kraft in den

Gliedern. Selbst der samtige Belag meines Geweihs schien zu prickeln. Ich biss kräftiger zu.

Kauend nickte ich beifällig. »Was ist das, *knirschknirschknirsch*, für eine Binse?«

»Seegras«, antwortete Eremon zwischen zwei Maulvoll. »Von den Tagen, in denen mein Stamm der Hirschmenschen am Meer lebte. Spürst du es auf der Zunge? Es fühlt sich an wie die getrocknete Haut eines Aals.«

Er riss ein paar Halme aus und kaute eine Weile nachdenklich. »Obwohl wir nicht mehr an der Küste leben, haben wir den Namen des Schilfs beibehalten – und viele seiner Verwendungsmöglichkeiten. Wir flechten daraus unsere Körbe, weben unsere Vorhänge und unsere Kleidung. Zerrieben, zerstoßen und mit Haselnussöl vermischt benutzten wir es an Winterabenden zum Anfeuern. Es begrüßt unsere Kinder als Decke bei ihrer Geburt und schickt sie als Beerdigungsschal bei ihrem Tod auf die lange Reise.« Seine schwarze Nase stöberte in einem anderen Büschel. »Doch am besten verwendet man es einfach als Nahrung.«

Plötzlich schrie Hallia laut auf. Sie machte einen Satz und schüttelte wild den Kopf. Eremon war schon neben ihr, als sie auf dem Boden landete, und streichelte mit der Nase ihren Hals. Wimmernd warf sie den Kopf hin und her.

»Was ist, meine Schwester?«

»Ich muss auf etwas gebissen haben – oh, das tut weh! Ein Stein oder so etwas. Ich glaube, ich habe … mir einen Zahn abgebrochen.« Zitternd machte sie das Maul auf. Blut bedeckte einen ihrer hinteren Zähne und lief ihr über die Lippe. »Oh … das tut weh. Schmerzt.« Sie stampfte mit dem Huf auf. »Warum jetzt?«

Eremon schaute mich besorgt an. »Ich weiß nicht, wie man eine solche Wunde behandelt.«

Hallia schüttelte immer noch den Kopf und trat gegen das Schilf. »Ich gehe ... ah! ... zu Miach dem Gelehrten. Er wird ...«

»Zu weit«, unterbrach sie der Hirsch. »Miachs Dorf ist mehr als eine Tagereise von hier entfernt.«

Ein Schauder durchlief sie. »Dann heilt es vielleicht – oh! – mit der Zeit von selbst.«

»Nein, nein«, sagte Eremon. »Du musst Hilfe suchen.«

»Aber wo? Soll ich einfach ... losziehen?« Sie schloss fest die Augen. Als sie sie wieder aufschlug, sammelten sich Tränen an ihren Wimpern. »Ich will ... bei dir bleiben.«

Ich mischte mich ein. »Warte. Ich beherrsche zwar keinen eigenen Zauber mehr, aber ich verstehe ein wenig vom Heilen.«

»Nein!«, schrie Hallia. »Ich lasse mich nicht heilen von ... ihm.«

Eremon sah sie ernst an. »Lass es ihn versuchen.«

»Aber er könnte ...« Sie schauderte. »Er ist ... ein Mensch!« Vorsichtig rollte sie die Zunge zusammen und fuhr über den abgebrochenen Zahn. »Oh, Eremon!« Sie warf den Kopf hoch und schwieg einen langen Augenblick. Schließlich sagte sie matt: »Vertraust du ... ihm wirklich?«

»Ja.«

»Nun gut«, flüsterte sie. »Lass es ihn ... versuchen.«

Ich stampfte mit dem Huf auf den Boden. »Hände. Ich brauche Hände. Wie verwandle ich mich?«

»Fang einfach an zu gehen«, antwortete Eremon. »Und

konzentriere deinen Willen darauf, Menschengestalt anzu-
nehmen.«

Obwohl mir das Herz schwer war bei dem Gedanken,
meine neugefundenen Sinne zu verlieren, und sei es nur
kurz, drehte ich mich zu der Gegend um, über die wir
gesetzt waren. Ich sprang in die Nebelvorhänge und
versuchte mich zu erinnern, wo ich die zusammengerollten gelben Blätter gesehen hatte – die Pflanze, die
meine Mutter *die Decke des Verletzten* nannte. Ich hatte
oft gesehen, wie sie damit Schmerzen stillte, allerdings
nie an einem Zahn. Ich konnte es nur versuchen … und
hoffen.

Nach ein paar Schritten wurden meine Hufe flacher,
mein Rücken bog sich nach oben und mein Hals verkürzte
sich. Meine Bewegungen fühlten sich plötzlich abgehackt,
zusammenhanglos an. Und mein Atem – weniger tief.
Bald stapften meine Stiefel, noch nass von dem Bad im
Bach, auf dem Gras.

Als der Nebel sich etwas verzog, schaute ich mich nach
den gelben Pflanzen um, an die ich mich erinnerte. Mehrere Minuten lang suchte ich – ohne Erfolg. War meine
Sehkraft zu gering, um sie zu entdecken? Hatte der Nebel
sie ganz geschluckt? Endlich – da waren sie. Ich lief hinüber und pflückte eins der zusammengerollten, behaarten
Blätter. Steif lief ich zu den anderen zurück.

»Hier«, keuchte ich und zeigte das Blatt in meiner
Hand. »Das muss ich um deinen Zahn wickeln.«

Hallia wimmerte, sie zitterte am ganzen Körper.

Ich redete ihr gut zu. »Es wird helfen … jedenfalls sollte
es das.«

Sie stöhnte ängstlich. Dann, als Eremon sanft ihren

Hals berührte, öffnete sie den Mund, hob die Zunge und zeigte den blutigen Zahn. Vorsichtig, sehr vorsichtig fuhr ich mit der Fingerspitze darüber. Plötzlich spürte ich einen winzigen Stein, der in einem Riss saß. Ich zog ihn heraus. Obwohl Hallia wieder aufschrie, hielt sie den Mund so lange offen, dass ich das Blatt über ihren Zahn und Gaumen wickeln konnte. Gerade als ich fertig war, riss sie sich los.

»Das sollte genügen.« Es klang nicht ganz so zuversichtlich, wie ich mir wünschte.

Langsam schloss Hallia die Lippen. Sie schauderte und legte den Kopf von einer Seite zur anderen. Ich war überzeugt, dass sie das Blatt gleich ausspucken würde.

Doch sie spuckte nicht. Stattdessen schaute sie mich aus ihren braunen Augen an. »Das schmeckt scheußlich. Wie faulige Eichenrinde oder noch schlimmer.« Sie zögerte. »Trotzdem … es scheint ein bisschen … besser zu werden.«

Eremon nickte. »Wir sind dankbar, junger Falke.«

Ich war plötzlich scheu wie ein Reh und wandte mich ab. »Nicht so dankbar, wie ich dafür bin, ein Hirsch gewesen zu sein – wenigstens eine Zeit lang.«

»Du wirst bald wieder auf Hufen springen. Und oft, wenn der Zauber anhält.« Er sah zu seiner Schwester hinüber, die mit der Zunge an dem umwickelten Zahn spielte. »Aber jetzt sind wir froh, dass du Finger hast.«

Hallia kam einen Schritt näher. »Und …«, sie atmete langsam ein, »Wissen. Wirkliches Wissen. Ich dachte, die Männer und Frauen hätten die Sprache des Landes – der Pflanzen, der Jahreszeiten, der Steine – für die Sprache der geschriebenen Worte aufgegeben.«

»Nicht alle Männer und Frauen.« Ich klopfte auf das Heft meines Schwerts und grinste schief. »Glaub mir, ich habe einiges von Steinen gelernt.« Dann dachte ich an Cairpré, der immerzu Schätze zwischen Buchdeckeln fand. »Das geschriebene Wort hat allerdings seine eigenen Vorzüge.«

Sie betrachtete mich skeptisch.

»Es ist wahr«, erklärte ich ihr. »Wenn man eine Stelle in einem Buch liest, dann ist es, als würde man – nun, Fährten folgen. Nein, nein – das stimmt nicht. Eher, als würde man die *Bedeutung* der Fährten finden. Wohin sie gehen, warum sie flüchtig oder ungleich sind, wie sie sich von denen des Vortags unterscheiden.«

Hallia sagte nichts mehr, obwohl sie die Ohren spitzte, als sei sie fasziniert. In diesem Moment drehte sich der Wind. Im Nebel vor uns öffnete sich eine Lücke und ließ ein paar leuchtende Lichtstrahlen durch. Sie streiften das Seegras, so dass es aussah, als würde es von innen leuchten.

Hallia seufzte. »Wie schön.«

Ich nickte.

»Gefällt dir nicht«, sagte sie leise, »wie sich der Nebel bewegt? Wie ein Schatten aus Wasser.«

Ich hörte auf zu nicken. »Ich habe das Sonnenlicht beobachtet, nicht den Nebel. Wie es die Binsen färbt und alles, was es berührt.«

»*Hmmm.*« Ihre Ohren zuckten. »Du hast also das Licht gesehen, während ich die Bewegung sah?«

»Es scheint so. Zwei Seiten des gleichen Bildes.«

Eremon gab einen kehligen Laut von sich, der fast wie Lachen klang. Nebelschwaden schlängelten sich durch sein Geweih. Plötzlich drehte sich der Wind wieder. Der Hirsch erstarrte, seine Nüstern bebten.

Hallia kaute nervös an dem Blatt. »Dieser Geruch … was ist das?«

Eine ganze Weile gab er keine Antwort, regte sich nicht. Schließlich senkte er das Geweih. »Es ist der Geruch des Todes.«

XVI
NOCH UNGEBORENE TRÄUME

Vorsichtig näherten wir uns dem Ufer des jagenden Flusses. Stromschnellen klatschten und stampften. Nebelschwaden, von der sinkenden Sonne rot getönt, wanden sich um unsere Beine und kräuselten sich wie duftige Schnüre. Die Erde wurde weich und rutschig unter meinen Füßen – und den Hufen der anderen.

Oben am Damm blieb ich stehen und sah zu, wie Eremon und Hallia hinunterstiegen. Trotz des unsicheren Bodens bewegten sie sich so anmutig wie zwei Tautropfen, die ein Blütenblatt hinunterrollen. Anders als sie stand ich aufrecht und senkrecht – ein junger Mann, halb Mensch, halb Fincayraner. Zwei Beine kamen mir so schmal, so unsicher vor. Auch wenn ich meine Finger krümmte und spürte, wie geschmeidig sie waren, fehlten mir meine Hufe. Und noch mehr fehlte mir meine eigene Zauberkraft. Dank Eremons Geschenk hatte ich wenigstens für kurze Zeit die Leere in meiner Brust vergessen.

Verändere dich! Ja. Jetzt. Ich drehte mich um und wollte den Damm entlanglaufen – da sah ich, wie Eremon plötzlich mit erhobenem Kopf stehen blieb. Auch Hallia erstarrte, das Fell auf ihrem Rücken sträubte sich.

Wie sie stand ich reglos. Denn durch den zerreißenden Nebel konnte ich jetzt das gegenüberliegende Ufer sehen. Und die Spuren des Gemetzels, die es beschmutzten.

Die Steine, an die ich mich erinnerte, kennzeichneten nicht mehr die Stelle. Nur noch zerbrochene Schalen und ihr stinkender Inhalt, mit Blut verklumpt, lagen da. Plötzlich begriff ich, dass es nie Steine gewesen waren. Es waren Eier gewesen. Dracheneier.

Über das schlammige Ufer verstreut lagen die zerbrochenen Eierreste in grässlichen Haufen. Ich sah ein Stück Kehle, brutal zerhackt. Und einen zerrissenen Flügel, grün und rot gestreift. Bis auf die paar Fleischfetzen, die im Gischt flatterten, schien alles im Moment des Todes erstarrt.

Keine Wölfe hatten die Kadaver fortgeschleppt. Keine Hyänen hatten die Fleischteile weggetragen, an denen noch die Schuppen der Neugeborenen glänzten. Sofort wusste ich, warum. Denn über der ganzen Szene hing so bedrohlich wie der Gestank des faulenden Fleischs die Möglichkeit, dass Valdearg jeden Moment auftauchen könnte.

Ich stieg den Damm hinunter zu den anderen. Schlamm zerrte an meinen Stiefeln wie die wachsende Angst an meinem Herzen. Als wir ins seichte Wasser traten, schlug es uns kalt an die Beine. Doch nichts ließ uns so das Blut in den Adern gefrieren wie der Anblick dieser Zerstörung. Wenigstens, sagte ich mir, waren es nur Drachen. Umgebracht, bevor sie andere umbringen konnten. Trotzdem ... Eremons Worte beschäftigten mich immer noch.

Der Hirsch sprang den Damm hinauf, dann wandte er sich scharf nach links. Mit erhobenem Vorderlauf beugte er sich über etwas und untersuchte es eingehend.

So schnell ich konnte, kletterte ich ihm nach. Unter seinem Huf sah ich eine leichte Vertiefung in der Erde, von

159

Blut dunkelorange gefleckt. Das musste ein Fußabdruck sein! Der Abdruck eines Menschen. Hier war der Beweis, den Urnalda angeführt hatte, um den Zorn des Drachen von den Zwergen abzulenken – und auf mich zu richten.

Vorsichtig ging Hallia näher. Sie senkte den Kopf und witterte den Abdruck, ihre Nase berührte ihn fast. Sie schaute mich an, in ihren Augen spiegelte sich wieder das alte Misstrauen. Sie spuckte das Blatt aus, das ich ihr gegeben hatte. Dann sagte sie kaum hörbar über dem Rauschen des Flusses: »Dieser Mann, wer immer es ist, hat viel Leid gebracht.«

»Und Valdearg wird noch mehr bringen«, fügte Eremon grimmig hinzu. »Wenn wir ihn nicht daran hindern. Doch unsere Zeit schwindet. Schon geht die Sonne unter.«

Traurig schüttelte ich den Kopf. »Diese Spur gleicht so sehr meiner eigenen.«

Hallia schnaubte. »Die Fußspuren aller Menschen sehen gleich aus. Schwer und unbeholfen.«

Eremon schlug mit dem Huf in den Schlamm. »Das stimmt nicht, meine Schwester. Siehst du hier? Der Absatzrand ist abgetreten, hat aber eine scharfe Kante. Normalerweise ist er durch das Gehen auf der Erde oder auch auf harten Böden abgerundet.«

Hallia untersuchte einen meiner Abdrücke. Nach einer Weile gab sie zu: »Ich glaube, da ist ein Unterschied.« Zögernd sah sie mich wieder an. »Entschuldige. Ich habe nur …«

»Schon gut«, antwortete ich. »Sag nichts mehr.« Eremon fragte ich: »Und was sagt dir die Form dieses Absatzes?«

»Dass er im Lauf der Zeit von etwas Gezacktem abgeschnitten wurde. Vielleicht lebt dieser Mensch in einer Art

Höhle mit rauem Steinboden. Oder in einem Tunnellabyrinth unter der Erde.«

»Urnalda lebt in einem Tunnelreich«, überlegte ich. »Aber sie trägt keine Männerstiefel. Und warum sollte sie Valdeargs Junge angreifen, wenn sie weiß, dass sie dadurch seinen Zorn auf ihr Volk lenkt?« Langsam atmete ich aus. »Das wäre unsinnig.«

Hallias Ohren zuckten. »Es gibt noch eine Möglichkeit. Diese Person, dieser Mann, könnte die Spur absichtlich hinterlassen haben, um uns in die Irre zu führen.«

»Möglicherweise«, gab der Hirsch zu. »Menschen können manchmal ...«

»Hinterlistig sein«, ergänzte sie.

Sein Geweih neigte sich zur Seite. »Willst du damit sagen, ein Hirsch sei nie hinterhältig? Würdest du nie einen Feind in die Irre führen?«

Das Damtier reckte den Hals. »Nur um mich zu verteidigen.« Sie schaute zum nächsten Eierrest zwischen den Nebelschwaden hinüber. »Oder eines Tages meine Jungen.«

Ich ging zu dem zerstörten Ei. Als ich ein Stück Schale zur Seite getreten hatte, erstarrte ich. Vor mir lag ein abgetrennter Arm, die Klauen waren wie Finger ausgestreckt. Er war nicht viel anders geformt als mein eigener, aber mindestens zweimal so groß. An der Unterseite war ein Kamm aus schillernden purpurroten Schuppen, das Handgelenk wirkte so zierlich wie ein Schwanenhals. Die Klauen schienen nach etwas zu greifen, das gerade außerhalb ihrer Reichweite war.

Etwas an diesem leblosen Arm weckte in mir den Wunsch, ihn zu berühren. Mit meinen eigenen Händen, meinen eigenen Fingern.

Ich kniete mich nieder und streichelte ihn. Der Arm fühlte sich weich an trotz der Schuppenreihen. Fast wie das rundliche Bein eines neugeborenen Säuglings. Vor nicht langer Zeit war es lebendig gewesen. Und jung. Und unschuldig.

Endlich verstand ich die ganze Entsetzlichkeit dieser Tragödie. Kein Leben, kein Geschöpf, keine Zukunft verdiente es, so zerstört zu werden. So gemordet zu werden. Kein Wunder, dass Valdeargs Zorn keine Grenzen kannte.

Ich sagte mir die Zeilen von Tuathas Prophezeiung vor:

> *So grenzenlos ist seine Kraft,*
> *sein Wüten so maßlos und ohne Besinnen,*
> *weil Valdearg seine Träume rächt,*
> *die sterben, bevor sie zu leben beginnen.*
> *Gleich nach dem Erwachen*
> *sieht er den Verlust,*
> *nur Gier nach Bestrafung*
> *ist ihm bewusst.*

Plötzlich hob Eremon ruckartig den Kopf, von seinem Geweih sprühten Wassertropfen. Er und Hallia standen starr wie Statuen. Sie spürten etwas, fühlten etwas, das mir völlig entging.

Dann hörte ich ein Geräusch, tief und schabend, als würde ein ferner Vulkan ausbrechen. Es kam von irgendwo weit jenseits des Flusses, doch es wurde ständig lauter. Ein Wind kam auf; die Luft wurde fast unmerklich wärmer. Ich fing einen schwachen Rauchgeruch auf. Plötzlich verdunkelte ein riesiger Schatten den sich rötenden Nebel.

»Der Drache!«, rief Eremon. »Lauft!«

Die beiden Hirsche stoben los und sprangen in den Nebel, während ich über den glatten Damm stolperte. Donnergrollen zerriss die Luft, als der Schatten vorüberzog. Entsetzt nahm ich mir vor, mich in einen Hirsch zu verwandeln – da rutschte ich im Schlamm aus und verlor das Gleichgewicht. Ich rollte zum Flussrand hinunter. Eisige Wellen liefen mir über die Beine und über mein Schwert. Atemlos kam ich wieder auf die Füße und rannte durch das seichte Wasser.

An einem steilen Abschnitt des gegenüberliegenden Damms entdeckte ich einen Überhang. Dichtes Gras, nass vom Gischt, hing über dem Rand. Doch hinter dem Gras gähnte eine dunkle Stelle, wo der Fluss die Erde fortgewaschen hatte. Eine Höhle!

Der Lärm über mir schwoll zum Gebrüll, als ich in die Höhle stürzte und auf dem Schlamm immer weiterrollte, bis ich an die gewölbte Wand des Damms stieß. Einen Augenblick lag ich keuchend im Dunkeln. Dann fühlte ich die Kälte vom Fluss, setzte mich auf und zog die Knie an die Brust. Mit einer gewissen Befriedigung spähte ich durch den tropfenden Grasvorhang. Ich war Valdearg entkommen. Natürlich nur vorübergehend. Doch selbst ein paar Tage Aufschub des Unvermeidlichen war Grund genug für ein wenig Stolz.

Ich horchte auf den tosenden Strom draußen und war dankbar für die Sicherheit dieser Höhle. Sie war eng und sie stank … irgendwie ranzig. Doch wer konnte ein besseres Versteck verlangen? Da streifte unversehens etwas mein Bein.

XVII
CDACHTLOS

Erschrocken wich ich zurück. Ich packte das Heft meines Schwerts und versuchte es aus der Scheide zu ziehen. Aber die Scheidenspitze war so mit Lehm verstopft, dass ich die Klinge nicht herausbekam. Unter die niedrige Decke geduckt riss ich immer wieder erfolglos am Heft.

Nichts wie raus aus der Höhle! Jetzt, so lange es noch möglich war. Bevor das, was sich geregt hatte, sich wieder meldete. Doch … ich zögerte. Hinter dem Grasvorhang könnte Valdearg auf mich warten. Wieder zerrte ich an meinem Schwert. Wieder rührte es sich nicht.

Plötzlich schallte durch die Höhle ein Laut, wie ich ihn noch nie gehört hatte. Teils Stöhnen, teils Zischen, teils Winseln, wurde er lauter, bis er plötzlich erstarb. Schlamm lief mir über den Nacken, aber ich bewegte mich nicht. Ich atmete kaum – doch der widerliche Geruch ekelte mich mehr denn je. Ich konnte nur hoffen, dass dieses Geschöpf, was es auch sein mochte, mich nicht mehr beachtete und verschwand.

Dann begann ganz allmählich ein schwacher oranger Schimmer die Höhle zu erleuchten. Zuerst wusste ich nicht, woher er kam, denn sein Flackern warf merkwürdige plumpe Schatten an die Wände, die wuchsen und schwanden: schleichende Riesen, sich windende Schlangen, umstürzende Bäume. Doch endlich entdeckte ich den

Ursprung: ein oranges Lichtdreieck nicht weit über dem Boden am Ende der Höhle. Das Licht flackerte und zitterte wie eine Kerzenflamme im Wind.

Obwohl mich die Furcht gepackt hielt, machte ich das Einzige, was mir einfiel. Mit beiden Händen schaufelte ich Schlamm vom Boden, drückte ihn zu einem Ball und schleuderte ihn auf das leuchtende Dreieck. Ein Klatschen – und sofort erlosch das Licht. Zugleich kam das Winseln und Stöhnen wieder, diesmal schwoll es so an, dass ich mir die Hände auf die Ohren legen musste. Ich kroch näher zur Rückwand.

Plötzlich verschob sich die ganze Wand hinter mir. Schlamm rann über meinen Kopf. Einen Augenblick glaubte ich, der Uferdamm würde über mir zusammenbrechen. Doch die Erdwand blieb stehen und tat, was ich am wenigsten erwartet hatte.

Sie atmete. Zitternd vor Anstrengung holte die ganze Oberfläche langsam, zögernd Luft. Stinkender Wind wehte über mich und wirbelte durch die Höhle. Ohne an Valdearg zu denken rollte ich zu dem Vorhang aus nassem Gras und hoffte noch rechtzeitig fliehen zu können.

Gerade als ich am Rand der Höhle war und fast in die brausenden Wellen draußen stürzte, brach der lange Atemzug ab. So plötzlich, wie er begonnen hatte, hörte er auf. Bestimmt war es einer der letzten Atemzüge – wenn nicht der allerletzte – eines Geschöpfs am Rande des Todes. Oder das Wesen war schon tot. Ich blieb am Eingang und beobachtete den Weg eines Lichtstrahls, so rot wie die untergehende Sonne, der dort, wo meine Schulter das Gras zur Seite geschoben hatte, in die Höhle fiel. Er landete auf der Stelle, wo ich das leuchtende Dreieck gesehen hatte.

Mein Herz setzte ein paar Schläge aus. Denn dort lag im schwarzen Schlamm ein riesiger Kopf – zweimal so groß wie der Kopf eines ausgewachsenen Pferdes. Ein Drachenkopf.

Sein Auge, dessen unheimliches Licht die Höhle noch vor ein paar Sekunden erleuchtet hatte, war jetzt geschlossen. Lange Wimpern umrahmten das Lid, ein paar Schalensplitter hingen daran. Eine schmutzig gelbe Beule wuchs auf der Stirn, lavendelfarbene Schuppen bedeckten die runzlige Nase. Dutzende Zähne, scharf wie Degen, glänzten im halb geöffneten Maul. Merkwürdigerweise lag nur das linke Ohr schlaff im Schlamm. Das rechte, silbrigblaue Ohr ragte steif in die Luft wie ein Horn am falschen Platz.

Plötzlich durchströmte mich Mitleid. Welches Schreckensbild hatte diesen jungen Nestling aus seinem Ei gejagt und in das Versteck der Höhle getrieben? Meine Haut prickelte, als ich mich daran erinnerte, wie der große Körper meinen Rücken berührt hatte, eine Bewegung, die vielleicht seine letzte gewesen war. Ein unerklärlicher Instinkt sagte mir, dass dieser Drache ein Weibchen war. Wenn das stimmte, würde es nie die Chance haben, eigene Eier zu legen.

Ich streckte mich und riss ein paar Hand voll Gras aus, die über dem Eingang hingen. Noch mehr rotes Licht drang in die Höhle. Ich strengte mein zweites Gesicht an und erspähte ein Paar scharfe Klauen, purpurrot gefleckt, die aus dem Schlamm ragten. Nicht weit von der Stelle, wo ich mich kurz ausgeruht hatte, lag zusammengerollt ein Schwanz mit zwei hakenförmigen Stacheln. Ich betrachtete wieder den Kopf und lächelte traurig über das widerspenstige Ohr. Nichts, noch nicht einmal der Tod, konnte es umlegen.

Welche Verletzungen mochte der Drache haben? War er verhungert? Verblutet aus tödlichen Wunden, die ich nicht sehen konnte? Oder hatte er wie jedes verlassene Kind einfach an Angst und Kummer gelitten – bis er schließlich gestorben war?

In diesem Moment ertönte wieder ein tiefes Stöhnen, schwächer als zuvor. Er lebte noch! Der riesige Körper des Drachen schauderte und ließ den Boden beben. Schlammklumpen fielen von oben herunter und bespritzten mir Kopf und Schultern. Das Drachenauge öffnete sich einen kleinen Spalt, das Lid flatterte und schloss sich wieder, aber erst nachdem ich den qualvollen Blick gesehen hatte.

Ich biss mir auf die Lippe und zögerte. Dann ... kroch ich langsam, ganz langsam näher. Vorsichtig legte ich die offene Hand über das Auge und streichelte die zarten Wimpern. Das Auge öffnete sich nicht. So sanft wie möglich streifte ich mit der Hand über die lavendelfarbenen Schuppen der Nase und hielt bei den riesigen Nasenlöchern an. Meine ganze Hand bedeckte sie kaum. Ein schwacher Lufthauch wärmte meine Finger – und erinnerte mich an dieses Pferd meiner Kindheit, dessen Name ich nicht mehr wusste; aber seinen nebligen Atem hatte ich nie vergessen. Der Atem dieses Geschöpfs, das merkte ich, wurde jedoch immer schwächer.

Und wenn noch ein winziger Lebensfunke in ihm war? Vielleicht konnte ich ... Aber nein! Ich hatte keine Zauberkraft mehr. Mit zusammengebissenen Zähnen verfluchte ich Urnaldas Niedertracht. Hätte sie meine Gaben nicht gestohlen, hätte ich vielleicht den Himmel über mir und die Erde unter mir anrufen können – aus beiden strömte die Kraft des Verbindens, die Fäden des Kosmos verweben und selbst die tiefste Wunde heilen konnte.

Schlaff rutschte meine Hand von der Drachennase. Ich konnte weder diese Kraft noch andere nutzen. Und ich konnte nichts für dieses unglückliche Geschöpf tun. Hilflos! Ich seufzte und spürte mehr denn je die schmerzende Leere in meiner Brust.

Etwas zog an meiner Hand. Eine Schuppe des Drachen hatte sich an dem Rankenarmband verfangen, das Rhia mir zum Abschied geschenkt hatte. Selbst im schwindenden Licht glänzte das Armband leuchtend grün. Was hatte sie gesagt, als sie es mir ums Handgelenk gebunden hatte? *Das wird dich an alles Leben um dich herum erinnern und an das Leben in dir.* Ich schloss die Augen und hörte wieder ihre Stimme. *Das Leben in dir.*

Doch … was nützte das einem anderen?

Fast aus Gewohnheit griff ich in meinen Lederbeutel und holte eine Hand voll Kräuter heraus. Ich zerrieb sie zwischen den Handflächen, so gut ich konnte. Sofort strömten Düfte von Ebereschenrinde, Buchenwurzel und Silberbalsam in die ranzige Höhlenluft. Dann zog ich mühsam einen meiner Stiefel aus. Ich benutzte ihn als provisorische Schüssel, warf die Kräuter hinein und sammelte sie im Absatz. Ich drückte ein bisschen Wasser aus meiner durchnässten Tunika in den Stiefel, mischte alles gründlich mit dem Finger und beugte mich näher zu dem Drachen. Da sein Kopf auf der Seite im Schlamm lag, konnte ich ihm ein paar grüne funkelnde Tropfen ins halb geöffnete Maul schütten.

Als die Tropfen seine Zunge berührten, wartete ich darauf, dass er schluckte. Doch er rührte sich nicht.

Wieder schüttete ich etwas von der Arznei aus meinem Stiefel. Und ich wartete hoffnungsvoll auf irgendein Lebenszeichen. Doch der Drache schluckte nicht. Rührte sich nicht. Stöhnte nicht.

»Schluck!«, befahl ich, meine Stimme hallte dumpf zwischen den feuchten Wänden. Ich goss noch ein paar Tropfen auf die Zunge, sie glitten herunter und fielen zu Boden.

Noch lange nachdem die letzten Strahlen des Zwielichts verschwunden waren, noch die unversöhnliche Nacht hindurch versuchte ich es weiter. Der Rücken tat mir weh, mein schuhloser Fuß schmerzte vor Kälte und mir war schwindlig vor Schlafmangel. Doch ich hörte nicht auf, auch wenn ich kaum zu hoffen wagte, dass das Lid wieder flattern und das orange Augenlicht die Höhle wieder erleuchten würde. Oder dass der Drache tatsächlich etwas schlucken könnte. Aber meine Hoffnungen wurden enttäuscht.

Als meine Arznei schließlich aufgebraucht war, versuchte ich mit langsamen, kreisförmigen Bewegungen den Nacken des Drachen zu massieren, wie es meine Mutter einst bei mir getan hatte – vor langer Zeit, als ich mich im Fieber gewälzt hatte. Es half nichts. Bis auf die seltenen, stockenden Atemzüge, die stündlich matter wurden, zeigte der Drache kein Lebenszeichen.

Als die ersten zaghaften Strahlen der Morgendämmerung in die Höhle drangen, wusste ich, dass alle meine

Anstrengungen vergeblich waren. Ich betrachtete die reglose Gestalt und bewunderte die geschmeidige Schönheit der Schuppen, den wilden Schwung der Klauen. Der Nestling lag völlig ruhig, völlig still da.

Niedergeschlagen wandte ich mich ab. Die Atmosphäre in dieser Höhle widerte mich jetzt an. Wie das Trümmerfeld jenseits des Flusses stank sie nach verfrühtem Tod. Ohne daran zu denken welche Gefahr draußen lauern mochte, rollte ich durch den Vorhang aus nassem Gras.

XVIII

NEBELSCHLEIER

Ich rollte den glatten Damm hinunter, rutschte über den Schlamm und kam am Rande des Flusses zum Halten. Das brausende Wasser dröhnte in meinen Ohren. Kalter Schaum nässte mein Gesicht. Wieder schlangen sich dicke Nebelschwaden um mich.

Vorsichtig suchte ich das gegenüberliegende Ufer nach einem Zeichen von Valdearg ab. Oder von meinen Gefährten. Ich sah nichts als die Reste der Eier – zerbrochene Schalen, verklumpter Inhalt und zerhackte faulende Fleischfetzen. Die wirbelnden Nebelsäulen und der Fluss selbst waren alles, was sich bewegte.

Voller Bedauern schaute ich zurück zu der Höhle, die den letzten Nestling barg. Den letzten Nachkommen Valdeargs. Hatte der Mörder dieser Geschöpfe den schlafenden Drachen der verlorenen Länder und seinen Zorn wecken wollen? Und hatte er auch gewollt, dass einem Menschen – ob nun mir oder einem anderen – die Schuld zugeschoben wurde? Das ließ sich nicht feststellen. Vielleicht hatte der Mörder nichts weiter beabsichtigt als Valdeargs Nachkommen zu töten.

Aber warum? Um die Nestlinge auszurotten? Oder um Feuerflügel zu wecken und auf seinen verheerenden Feldzug zu schicken? Aber das ergab keinen Sinn. Es sei denn … vielleicht war der Mörder ein Feind der Zwerge, jemand, der hoffte, Valdearg würde seine ganze Wut an ihnen auslassen. Oder ein Feind vom Volk meines Vaters, der Männer und Frauen Fincayras. Und es gab viele solcher Feinde, das wusste ich nur zu gut. Stangmars Regierungszeit war eine schreckliche Narbe auf dieser Insel! Eine Narbe, die nicht verheilen wollte.

Ich kniete mich an den Wasserrand, tauchte die Hände in den kalten Strom und wusch mir das schlammbeschmutzte Gesicht. Schließlich grub ich den Schlamm aus der Schwertscheide. Nachdem ich mehrere dicke Klumpen herausgeholt hatte, ließ sich die Klinge endlich wieder ziehen.

Ich fuhr mit den Fingern über den silbernen Griff, der im Gischt glänzte. Vielleicht hasste der Mörder nicht nur die Zwerge oder die Männer und Frauen, sondern alles Leben auf Fincayra. Vielleicht war er jemand, dem Valdeargs Terror wirklich nützte. Jemand wie … Rhita Gawr.

Ich trocknete mir mit dem Ärmel das Gesicht ab und überlegte. Nein, nein, das konnte nicht sein. Rhia hatte mich zu Recht gescholten, es war sinnlos, neue Feinde zu erfinden. Ich hatte so schon genug Ärger. Und doch … wer sonst außer Rhita Gawr wäre gerissen genug, die Dracheneier zu finden, und grausam genug, sie bei der Geburt zu zerstören?

Etwas flog über meinen Kopf und verdunkelte den Nebel. Valdearg! Er war zurückgekommen!

In diesem Moment durchschnitt ein hoher, durchdringender Schrei die Luft. Das war, ich wusste es sofort, nicht der Schrei eines Drachen. Dieses Kreischen hatte mich schon einmal überfallen. Ich konnte es nicht verwechseln.

Es war der Schrei eines Kreelix.

Ich schaute gerade zum Himmel, als die fledermausähnlichen Flügel aus dem Nebel auftauchten. Das Kreelix
flog direkt auf mich zu, es zeigte die tödlichen Fänge. Ich
fuhr mit der Hand an mein Schwert – und hielt auf
halbem Weg inne.

Was nützte mir meine Waffe? Ich konnte nicht vergessen, wie ich das letzte Mal diese Fänge gesehen hatte,
dort unter der klingenden Eberesche. Der Schock. Und
dann nichts als Schmerz. Obwohl ich keine Zauberkraft
mehr hatte, war mir die Angst geblieben.

Das Kreelix stürzte herab, das blutrote Maul war aufgerissen. Drei tödliche Fänge griffen nach mir. Wieder
gellte ein Schrei durch den wirbelnden Nebel. Die Klauen
waren bereit mich in Fetzen zu reißen.

Plötzlich schoss eine dunkle Gestalt aus dem Nebel jenseits des Flusses. Eremon! Mit großen Sätzen überquerte
er den Fluss und sprang dem Kreelix direkt in den Weg.
Mitten in der Luft krachten sie dröhnend zusammen. Ich
sprang zur Seite, als sie auf den Damm herunterstürzten.
Schlamm spritzte in alle Richtungen.

Die beiden taumelten in den Fluss. Eremon kam zuerst
auf die Beine und senkte das Geweih zum Angriff. Doch
das Kreelix holte kreischend aus und riss dem Hirsch
mit den Klauen die Flanke auf. Trotzdem drang Eremon auf das Monster ein und durchbohrte einen seiner
Flügel. Rotes und violettes Blut färbte die schäumenden
Wellen.

Ich zog mein Schwert – da blitzte scharlachrotes Licht
auf. Über dem Klirren meiner Klinge hörte ich Eremons
durchdringenden Schrei, als das Kreelix wieder zuschlug.
Der große Hirsch schwankte und brach mitten im Fluss

zusammen. Ich sprang in den Gischt und schwang mein Schwert, während ich durch die Wellen lief.

Das Kreelix fuhr herum. Wie eine riesige Fledermaus, die Fänge bloßgelegt, schlug es mit dem unverletzten Flügel nach mir. Ich wich aus – aber eine knochige Spitze traf mich an der Wange. Während ich mit dem Schwert auf seine Brust einstach, rutschte ein Flusskiesel unter meinem Fuß und ich taumelte nach hinten. Das Schwert flog mir aus der Hand. Eisiges Wasser überspülte mich.

Bevor ich mich aufrichten konnte, fiel etwas Schweres auf mich und stieß mich tiefer unter Wasser. Meine Rippen schienen zu brechen. Ich würgte, schluckte Wasser und versuchte der Fellmasse zu entkommen, die mir Gesicht und Brust zerquetschte. Ich bekam keine Luft mehr, mir wurde schwarz vor Augen.

Plötzlich packte eine starke Hand meinen Arm und zog mich aus der grässlichen Umklammerung. Luft füllte endlich wieder meine Lungen, auch wenn ich heftig hustete und Wasser spie wie ein Springbrunnen. Endlich legten sich die Krämpfe so weit, dass ich Hallia in Menschengestalt erkannte, die mich aus dem Fluss zog. Sie ließ mich spuckend am Wasserrand zurück und ging sofort weg.

Nach einem Augenblick hob ich mich auf den Ellbogen. Nicht weit stromabwärts lag halb untergetaucht das Kreelix, eine abgebrochene Geweihschaufel steckte in seinem Rücken. Dann überlief es mich kälter als die eisigen Wellen: Auf der anderen Seite des Kreelix lag noch ein Körper am schlammigen Ufer. Eremon.

Ich stand auf und taumelte zu ihm. Hallia saß im Schlamm und hielt seinen Kopf in ihrem Schoß. Ihr langes Gesicht war von Trauer gezeichnet, sie achtete nicht auf das Blut, das aus dem Hals ihres Bruders in ihr Kleid sickerte. Wortlos streichelte sie seine Stirn und das zerbrochene Geweih und schaute ihm dabei in die tiefen braunen Augen.

»Mein Bruder«, sagte sie leise. »Du darfst nicht sterben, nein! Du darfst mich nicht verlassen.«

Eremons Brust zitterte, als er versuchte Atem zu holen. »Kann sein, ich sterbe, meine Eo-Lahallia. Aber dich verlassen? Das ... werde ich nie tun.«

Ihre großen Augen waren unverwandt auf die seinen gerichtet. »Wir haben noch so viel zu tun, du und ich! Wir sind immer noch nicht in der Frühlingsblüte durch die Collwynhügel gelaufen.«

Sein Gesicht straffte sich und er stieß sie mit dem Huf an den Schenkel. »Du weißt, wie ich mich danach sehne, als Hirsch neben dir zu laufen. Und als Mann neben dir zu stehen. Aber jetzt ... fehlt mir sogar die Kraft, mich wieder in einen Mann zu verwandeln.«

»Oh, Eremon! Das ist schlimmer, viel schlimmer als mein Traum.«

»Warte.« Ich stand auf und schlug vor: »Ich könnte dir einen Breiumschlag machen, der vielleicht hilft.«

Eremons Huf traf mich. Sein Blick, streng, aber freundlich, schien mich mit Haut und Haaren zu verschlucken. »Nein, junger Falke. Es ist zu spät für so etwas. Und sogar für deine Kräfte, falls du sie noch haben solltest.«

Ich biss mir auf die Lippe. »Die Kräfte, die ich einmal hatte, sind jetzt nur noch eine Qual.«

»Das Kreelix ...«, fing er an und holte dann stockend Atem. »Es war ein Kreelix, oder nicht? Ein Zauberfresser?

Ich dachte, sie wären alle ausgerottet worden. Schon vor langer Zeit.«

»Mein Lehrer Cairpré dachte das auch.«

Eremon blinzelte. »Der Barde Cairpré ist dein Lehrer? Du bist wirklich gesegnet.«

Ich runzelte die Stirn. »Als einzigen Segen wünsche ich mir dir zu helfen. Jetzt, Eremon.«

Er ignorierte die Bemerkung und fragte: »Aber woher... ist das Kreelix gekommen? Warum hat es dich angegriffen?«

»Ich weiß es nicht. Cairpré glaubt, dass jemand sie züchtet und sie zum Töten abrichtet.«

Er schluckte mühsam. »Das Kreelix – es glaubte, du hättest immer noch magische Kräfte. Sonst hätte es dich nicht angegriffen.«

Ich schüttelte den Kopf. »Meine einzige Zauberkraft habe ich von dir. Es muss sie gespürt haben.«

Eremon zuckte zusammen. Er wandte sich an seine Schwester. »Verzeih mir.«

Sie blinzelte die Tränen zurück und antwortete traurig: »Ich will es versuchen.«

Eine Gischtwelle hob sich aus dem Wasser, legte sich sanft wie Kerzenschimmer auf den Hirsch und liebkoste seinen blutbefleckten Körper. Dann kam eine zweite Gischtwelle, eine dritte. Fast als würde der Fluss selbst trauern, so schmerzerfüllt wie Hallia und ich. Dann bemerkte ich, dass die Luft um uns angefangen hatte zu zittern, zu schimmern wie der Nebelschleier, der diese Welt von der Anderswelt trennte. Ich spürte, dass eine andere Gegenwart, noch weniger fassbar als der Nebel, bei uns war.

Hallia hob den Kopf, zuerst zweifelnd, dann überrascht, als sie merkte, dass sich etwas im Körper ihres Bruders veränderte. Seine glänzenden Muskeln entspannten sich. Sein Gesicht, jetzt ganz friedlich, neigte sich leicht, als horche er auf geflüsterte Worte. Als er schließlich sprach, lag immer noch Kummer in seiner Stimme. Doch sie war volltönend wie zuvor und hatte einen neuen Klang, den ich nicht recht definieren konnte.

»Meine Schwester, die Geister sind gekommen – um mich mitzunehmen, mich auf der langen Reisen zu führen. Doch bevor ich gehe, sollst du wissen, dass auch ich einen Traum hatte. Einen Traum ... von einer Zeit, in der du vor Freude überströmst, wie der Fluss im Frühling von Wasser überströmt.«

Hallias Kopf sank tiefer und berührte fast seinen. »Ich kann mir eine solche Zeit ohne dich nicht vorstellen.«

Er atmete langsamer und sprach mit größerer Anstrengung. »Diese Zeit ... wird kommen, Eo-Lahallia. Und in den Tagen davor, in deinen Momenten der Angst und in deinen Momenten der Stille ... werde ich selbst zu dir kommen.«

Sie schloss die Augen und wandte sich ab.

Eremons Huf zitterte und streifte meine Hand. »Sei ... tapfer, junger Falke. Finde den Galator. Du hast mehr Kraft ... als du weißt.«

»Bitte«, bat ich. »Nicht sterben.«

Die tiefen braunen Augen schlossen sich, dann flatterten kurz die Lider. »Mögen grüne Wiesen ... dich finden.«

Er atmete ein letztes Mal aus, dann lag er still.

XIX
DER WIRBELWIND

Cremons Blut lief Hallia und mir über die Arme, während wir uns im Nebel abmühten den schweren Körper des Hirschs zu einer geschützten Biegung am Flussufer zu tragen. Dort wuchs grünes Gras und dort gruben wir sein Grab in die feuchte, schwere Erde. Hallia wob aus Seegras einen Beerdigungsschal, den sie ihrem Bruder sorgsam um den Hals legte. Nachdem ich das Grab aufgefüllt hatte, ging ich daran, es vor Störungen zu schützen. Obwohl ich erschöpft war, schleppte ich mehr als ein Dutzend Steine herbei. Schwere. Doch so sehr mein Rücken auch schmerzte, mein Herz schmerzte noch mehr.

Während ich arbeitete, stand Hallia schweigend am Grab, hin und wieder lief ihr eine Träne zum Kinn hinunter. Sie sagte nichts, aber manchmal zerrte sie am Stoff ihres gelben Gewands oder stampfte auf den Boden, Beweise für die heftigen Stürme, die in ihr tobten. Als ich genug Steine gesammelt hatte, blieb ich in der Nähe stehen und wagte kaum, sie anzuschauen, geschweige sie zu trösten.

Endlich sagte sie, ohne den Blick vom Grab ihres Bruders zu heben: »Er nannte dich *junger Falke.*«

Schweigend nickte ich.

»Der Name hat in meinem Volk eine Bedeutung.«

Ich sagte nichts.

Immer noch ohne mich anzuschauen sprach sie weiter, ihre Stimme klang wie von weit her. »Es gibt eine Geschichte, so alt wie die erste Fährte des ersten Hufs, über einen jungen Falken. Er freundete sich mit einem Rehkitz an. Brachte ihm Nahrung, als es sich am Fuß verletzt hatte, führte es nach Hause, als es sich verirrte.«

Ich schüttelte den Kopf. »Dein Bruder glaubte an mich. Mehr als ich.«

Aus ihren runden Augen warf sie mir einen kurzen Blick zu. »An mich auch.« Sie seufzte schwer. »Ich nehme an, bald wirst du gehen.«

»Ja.«

Sie warf ihren Zopf über die Schulter. »Nun, wenn du glaubst, ich komme mit, dann irrst du dich.«

»Ich habe dich nie gebeten …«

»Gut. Denn meine Antwort wäre Nein gewesen.« Sie trat gegen einen der Flusssteine. »Nein, sage ich.«

Einen langen Augenblick betrachtete ich sie. »Ich habe dich nicht gebeten, Hallia.«

»Du nicht, aber *er*.« Wütend schaute sie die Steine an. »Er hat mich gebeten. Nicht mit Worten, sondern mit seinen Augen.«

»Du solltest nicht mitkommen. Du hast genug gelitten.«

Sie senkte den Kopf. »Das stimmt.«

Ich sah mein Schwert am Ufer liegen, hockte mich neben den Fluss und spülte den Schlamm von der Klinge. Niedergeschlagen steckte ich es in die Scheide zurück. Dann ging ich langsam zu Hallia hinüber, meine Füße fühlten sich schwerer an als die Steine, die ich auf Eremons Grab gelegt hatte. Sie rührte sich nicht, beobachtete mich nur mit ihren klugen, traurigen Augen. Einen Schritt entfernt blieb ich stehen.

Ich hätte gern ihre Hand gefasst, doch ich hielt mich zurück. »Es tut mir leid. Wirklich leid.«

Sie antwortete nicht.

Minutenlang standen wir steif und stumm da. Bis auf den wirbelnden Nebel um unsere Beine und die tosenden Wasser des endlosen Flusses bewegte sich nichts, veränderte sich nichts. Ich empfand wieder die tiefe Stille, die ich in dem lebenden Stein gespürt hatte. Und irgendwo tief innen die stille Magie eines Hirschs.

Aus dem Nichts traf uns ein heftiger Windstoß. Hallias Gewand schlug gegen ihre Beine. Gischt flog vom Fluss herüber und durchnässte uns; Nebel riss ihn in Fetzen. Der Wind nahm zu – heulend trieb er uns beide rückwärts. Hallia schrie auf, als ihr Zopf sich senkrecht vom Kopf hob. Ich versuchte angestrengt das Gleichgewicht zu halten, aber der Wind warf mich auf den glitschigen Schlamm. Ich stürzte zum Fluss hinunter, gleich würde ich im Wasser landen, da –

Ich landete nicht im Wasser.

Plötzlich war ich in der Luft, von wilden wirbelnden Winden getragen. Meine Tunika flatterte und blähte sich, manchmal legte sie sich über mein Gesicht. Hallias Fuß traf mich, als sie neben mir durch die Luft purzelte, aber als ich sie anrief, drückte mir der Wind die Worte in die Kehle zurück. Wir drehten uns wie toll und stiegen höher in die Luft.

Einmal sah ich mit meinem zweiten Gesicht durch den spiralförmigen Nebel den Grasfleck, wo wir Eremon begraben hatten. Gleich flussaufwärts lagen die Reste von

Valdeargs Eiern. Dann verschluckten dicke Wolken alles, so wie der Wind uns geschluckt hatte. Die heftigen Luftströmungen schrien in meinen Ohren.

Erbarmungslos durchgeschüttelt und -gedreht, nach allen Seiten herumgeworfen verlor ich jede Orientierung, die ich noch gehabt haben mochte. Mein Körper fühlte sich an wie zerdehnt, zerschlagen, umgestülpt. Angegriffen – von allen Seiten zugleich. Meine Augen tränten, inmitten der peitschenden Winde konnte ich kaum atmen. Ging es Hallia besser? Wohin uns dieser Wirbelsturm auch trug, ich hoffte nur noch, dass wir lebend ankamen. Es dauerte nicht lange, da wurde ich bewusstlos.

Als ich zu mir kam, lag ich bäuchlings auf einem Boden aus glatten Fliesen. Immer noch drehte sich alles in meinem Kopf, in dem ein brüllendes Geräusch pulsierte, so endlos wie Ozeanwellen. Schließlich schaffte ich es, mich auf den Rücken zu rollen und trotz des Schwindels aufzusetzen.

Hallia lag neben mir. Ihr Gesicht war bleich, sie atmete unregelmäßig. Ihr hellbraunes Haar hatte sich aus dem Zopf gelöst und war auf den Fliesen ausgebreitet. Ich streckte eine zitternde Hand nach ihr aus, da hielt ich plötzlich inne.

Dieses brüllende Geräusch … es war nicht in meinem Kopf, kam nicht von einem Ozean, es waren Stimmen. Hunderte und Aberhunderte Stimmen. Überall um uns herum schrien sie.

Wir beide lagen mitten in einem großen Kreis von Sitzen voll lärmender Leute. Ein Amphitheater! Obwohl ich nie zuvor eins gesehen hatte, erinnerte ich mich gut daran, wie meine Mutter in meiner Kindheit in Gwynedd die römischen Amphitheater beschrieben hatte. Sie waren, hatte sie erklärt, kolossale Sportarenen – und manchmal Opferstätten.

Verwirrt schüttelte ich den Nebel von meinem zweiten Gesicht und versuchte alles zu überschauen. Der Fliesenboden erstreckte sich weiter als jeder Hof, den ich je gesehen hatte, bis zu den vielen Zuschauerreihen um uns herum. Viele Leute drohten uns mit Fäusten, daraus schloss ich, dass ihre Rufe eher Schmähungen als Beifall waren.

Plötzlich wurde am anderen Ende des Amphitheaters eine riesige Doppeltür aufgerissen. Aus dem Dunkel galoppierte ein mächtiger schwarzer Hengst, der einen zweirädrigen Triumphwagen zog. Darin saß ein muskulöser Krieger. Er hob die stämmigen Arme zum Publikum, und als es aufmunternd zurückbrüllte, ließ er die Peitsche über der wehenden Mähne des Pferdes knallen und lenkte den Wagen direkt auf uns zu.

Er wird uns zertrampeln! Der Gedanke schoss mir wie ein Blitz durch den Kopf.

Ich stand mühsam auf und griff Hallia unter die Arme. Verzweifelt versuchte ich sie auf meinen Rücken zu heben. Dabei hörte ich die ganze Zeit über dem Gebrüll der Menge das Stampfen der Pferdehufe auf den Steinen. Näher kam der Wagen, immer näher.

Schließlich schaffte ich es, zitternd unter dem Gewicht, Hallia vom Boden hochzuheben. Ich schaute mich um und sah die wahnsinnigen Augen des Pferdes und das triumphierende Lächeln des Kriegers auf uns zurasen. Mein Herz hämmerte gegen meine Rippen. Ich machte einen zögernden Schritt, dann einen zweiten. Die Menge tobte vor Wut.

Die Beine gaben unter mir nach. Ich fiel auf die Knie. Hallia stürzte und schlug mit lautem Stöhnen auf den Boden. Einen Moment bevor der Triumphwagen uns unter seinen Rädern zerquetschte, drehte ich den Kopf. Instinktiv warf ich mich vor Hallia.

Da löste sich der Triumphwagen in Luft auf. Ebenso das Amphitheater, die Menge, das Gebrüll. Alles, was blieb, waren die Steine, der schwarze Hengst und der Krieger. Unheimliche blaue Lichter flackerten an den Rändern des Raums, falls das wirklich ein Raum war, doch mehr konnte ich nicht sehen. Keine Wände, keine Decke. Nur Finsternis, von den tanzenden blauen Lichtern am Horizont schwach erhellt.

Der Krieger kam herüber, eine Hand in den glänzenden Brustharnisch geschoben, in der anderen die Peitsche. Er grinste auf uns herunter und lachte gackernd, offensichtlich war er zufrieden. Dann begann auch er sich erstaunlich zu verändern. Sein bärtiges Gesicht wurde breiter und glatter, alle Haare verschwanden. Zwei dreieckige Ohren wuchsen ihm, eine runzlige Warze spross mitten auf der hohen Stirn. Über den kahlen Schädel liefen Falten wie Furchen auf einem Acker. Zwei uralte Augen, schwärzer als meine eigenen, schauten mich an. Nur das Grinsen des Kriegers war geblieben, auch wenn es jetzt durch schiefe, hässliche Zähne verunstaltet war.

»Domnu!«, keuchte ich heiser, meine Kehle war plötzlich trocken.

»So eine Freude, dich wieder zu sehen, mein Schatz!«

Sie patschte auf ihr sackähnliches Gewand und begann uns zu umkreisen, wobei ihre nackten Füße auf die Steine klatschten. »Und du hast mir eine so glänzende Gelegenheit gegeben, diesen Triumphwagen zu fahren! Die Menschen haben alles in allem keine sonderlich guten Einfälle. Aber diese Römer hatten da mal einen guten.«

Sie schwieg einen Moment und kratzte die Warze auf ihrer Stirn. »Oder waren es die Gälen? Die Pikten? Egal – jedenfalls Menschen, von welcher Sorte auch immer. Eine ungewöhnlich gute Idee hatten sie da. Selbst wenn es ihnen an Fantasie fehlte, etwas Aufregenderes daraus zu machen.«

Der schwarze Hengst stampfte mit dem Huf und wieherte laut. Domnu blieb stehen und betrachtete das mächtige Ross. Die Spitzen ihrer Zähne wurden sichtbar, als sie breiter grinste. Dann sagte sie leiser und noch bedrohlicher: »Bist du anderer Meinung, mein Fohlen? War die Aufregung zu viel für dich?«

Sie kam näher und fuhr dem Hengst langsam mit der Hand über die Nase. Er zitterte leicht, hielt aber weiter den Kopf hoch.

»Vielleicht wärst du lieber wieder eine Schachfigur?«

Sofort fiel mir die Schachfigur eines schwarzen Pferdes ein, die ich bei meinem ersten Besuch in Domnus Lager gesehen hatte. Es hatte schon damals Charakter gezeigt, genau wie jetzt. Und es erinnerte mich vage an dieses Pferd ... diesen Hengst. Wie hieß er noch? Ich biss mir auf die Lippe und dachte an jene Tage vor langer Zeit, als ich die starken Arme meines Vaters um mich gespürt hatte und der noch stärkere Rücken uns trug, während wir über das Schlossgelände ritten. Was ich auch sonst vergessen hatte, den tänzelnden Schritt des Hengstes, seine würde-volle Art würde ich nie vergessen. Und wie er mir Äpfel aus der Hand fraß.

Während Domnu weiter mit dem Hengst sprach, be-wegte sich Hallia neben mir und öffnete die Augen. Als sie die kahle Hexe sah, erstarrte sie. Obwohl wieder ein we-nig Farbe in ihren Wangen war, wusste ich, dass sie noch sehr erschöpft sein musste.

»Kannst du aufstehen?«, flüsterte ich.

»Ich ... weiß nicht.« Sie schaute mich ängstlich an. »Die-ser Wind ... wo sind wir? Wer ist diese ... Hexe? Was habe ich versäumt?«

»Viel.« Ich lächelte schief. »Du würdest es mir nicht glauben, wenn ich es dir erzählen würde.«

Hallia runzelte die Stirn. Sie nahm meinen Arm und kam auf die Knie. Wieder sah sie zu Domnu hinüber. »Mir schaudert ... vor ihr. Wer *ist* sie?«

»Domnu. Ich glaube, wir sind in ihrem Lager.«

»Aha«, unterbrach uns Domnu. »Unser zweiter Gast ist wach.« Sie warf dem Hengst einen scharfen Blick zu und glitt dann zu uns herüber. Während sie sich zu Hallia beugte, fuhr sie sich mit der Hand über den runzligen Schädel. »Eine Hirschfrau, nicht wahr?« Sie schnalzte wissend mit der Zunge. »Ich sehe es immer am Kinn. Kräftige Knochen, ich kenne diese Form! So entzückend zugespitzt.«

Obwohl Hallia steif wurde vor Angst, bemühte sie sich um einen ruhigen Klang ihrer Stimme. »Ich bin tatsäch-lich eine Hirschfrau ... von der Sippe der Mellwyn-bri-Meath.« Sie schaute weg. »Und ich bitte – nein, ich for-dere –, dass du uns freilässt. So... sofort.«

»Du forderst? Hast du gesagt, du forderst?« Wieder fing die Hexe an im Kreis um uns herumzugehen und uns zu belauern wie ein hungriger Wolf. »Am besten stellst du keine Forderungen mehr, mein Schatz. Schlechte Manieren, wirklich. Ich werde rechtzeitig entscheiden, was mit euch geschieht, genau wie ich entscheiden werde, wie einem gewissen Pferd eine Lektion erteilt wird.«

Bei diesen Worten stampfte der Hengst wieder auf den Boden. Er schnaubte stolz.

Domnu blieb stehen. Sie kniff die dunklen Augen zusammen. An den Rändern des Raums schwoll das blaue Licht seltsam an und prasselte wie die Flammen eines Feuers ohne Hitze.

»Ich verstehe, mein Fohlen.« Domnus Stimme klang sanft – und sehr bedrohlich. »Du brauchst einfach eine Abwechslung. Eine andere Lebensperspektive.«

Sie hob einen Zeigefinger. Kurz musterte sie ihn und beobachtete, wie das blaue Licht über ihre Haut flackerte. Dann leckte sie ihn langsam und bedächtig ab. Schließlich hielt sie den nassen Finger an die Lippen und blies ganz sacht.

Der Hengst bäumte sich auf und wieherte laut. Er trat mit den mächtigen Hufen in die Luft. Plötzlich schrumpfte er zu einem kleinen scharfnasigen Tier, dünn wie eine Schlange, mit staubig braunem Fell und winzigen schwarzen Augen. Ein Wiesel. Das kleine Geschöpf sah uns niedergeschlagen an, dann huschte es über den Boden und verschwand in den blauen Flammen.

Hallia schrie erschrocken auf und umklammerte mein Handgelenk.

Domnu ließ ihre hässlichen Zähne blitzen. »Armes kleines Fohlen. Jetzt hat es Gelegenheit, sich auszuruhen.« Ihr Blick huschte zu uns. »Natürlich habe ich dafür gesorgt, dass es keine Zähne hat. So kommt es nicht in Versuchung, sie, sagen wir mal, unpassend zu benutzen.«

»Du Scheusal!«, rief ich. »Das war gemein! Das Pferd war nur ...«

»Respektlos.« Domnus Gesicht schimmerte in dem zunehmenden blauen Licht. »Und ich gehe davon aus, dass ihr euch nicht ebenso benehmt.« Nachdenklich kratzte sie ihre Warze. »Besonders da ich vorhabe euch ein üppiges Mahl vorzusetzen.«

Sie klatschte in die runzligen Hände. Sofort erschien ein komplettes Festessen auf einem Eichentisch mitten im Raum. Vor uns lagen dampfende Brote, Milchpudding, Backäpfel, gebuttertes grünes Gemüse, Flussforellen, Karaffen mit Wasser und Wein und eine große Torte, die nach gerösteten Kastanien duftete.

Mir lief das Wasser im Mund zusammen. Mein Magen knurrte. Ich konnte diese Torte fast schmecken. Doch ein Blick auf Hallia sagte mir, dass sie so misstrauisch war wie ich. Einmütig schüttelten wir den Kopf. Ich kam auf die Füße und half ihr auf, obwohl sie noch unsicher schwankte. Während Hallia dem verschwundenen Wiesel nachschaute, sah ich Domnu an. »Wir wollen dein Essen nicht.«

»Wirklich?« Sie fuhr sich über den Schädel. »Vielleicht wäre euch Wildbret lieber?«

Ich verzog das Gesicht. »Hexe wäre mir lieber.«

Das blaue Licht am Zimmerrand flammte auf, doch Domnu betrachtete uns gelassen. »Es überrascht mich, meine Süßen, dass ihr keinen Hunger habt. Schließlich seid ihr schon einige Zeit hier.«

»Einige Zeit?« Ich funkelte sie wütend an. »Wie lange sind wir hier gewesen?«

Domnu fing wieder an, um uns herumzugehen, ihre Füße klatschten auf den Fliesen. »Oh, wie entzückend euresgleichen sein kann, wenn ihr trotzig werdet! Wie kleine Spatzen, die wütend sind, weil sie noch nicht fliegen können! Aber ja, mein Schatz, es ist schon einige Zeit her, dass mein kleiner Wirbelwind euch geholt hat. Ich fing schon an zu befürchten, dass ihr gar nicht mehr aufwacht, wenigstens nicht, solange ich noch in der Laune zum Kutschieren war.«

Sie kratzte die vielen Falten an einem Ohr. »Ich bin sogar eine Wette eingegangen – gegen mich, weil gerade sonst niemand da ist –, dass ihr nie mehr aufwacht. Obwohl ich diese Wette verlor, habe ich auch gewonnen, wenn du weißt, was ich meine. Ein großartiges Ergebnis.« Sie kicherte leise. »Ich gewinne so gern.«

»Wie lange?«

Immer noch uns umkreisend gähnte Domnu und zeigte alle ihre krummen Zähne. »Nun, ich würde sagen, dass es mindestens zwei Tage waren.«

»Zwei Tage!«, rief ich. »Dann bleiben mir nur noch drei!«

»Bleiben, mein Schatz? Hast du irgendeine Verabredung?«

Ich trat vor sie und zwang sie stehen zu bleiben. »Ja. Eine Verabredung mit …« Ich hielt plötzlich inne und fragte mich, ob ich noch mehr verraten sollte. »Mit jemand Wichtigem.«

»Tatsächlich?«, fragte die Hexe mit einem kalten Blick.

»Zu schade. Wirklich zu schade. Ich hatte gedacht, du bist auf dem Weg zu Valdearg.«

Ich zuckte zusammen. »Ja. Das stimmt. Und deshalb wollte ich dich sehen, Domnu.« Ich richtete mich auf. »Denn ich will endlich … den Galator holen.«

Sie grinste seltsam. »Wie interessant. Ich wollte dich aus genau dem gleichen Grund sehen.«

»Was meinst du damit?«

Blaues Licht tanzte über ihre Stirn. »Verstehst du, mein Schatz, der Galator ist gestohlen worden.«

XX
IONN

eine Knie gaben fast nach. »Gestohlen?« Blaue Flammen loderten ringsum. Zarte Schatten, so dünn wie tote Bäume, tanzten über den Fliesenboden. »Ja, mein Schatz. Der Galator ist gestohlen worden. Beim Skelett des Skarabäus! Mir, der rechtmäßigen Besitzerin.«

»Nein!« Ich stemmte die Fäuste in die Hüften. »Ich bin sein rechtmäßiger Besitzer. Nicht du.«

Domnu winkte nachlässig mit der Hand. »Nun, rein technisch hast du vermutlich einen Anspruch darauf.«

»Einen Anspruch!«

»Man könnte sogar sagen, dass er dein Eigentum ist. Aber, und das ist wichtiger, ich *besitze* ihn. Oder zumindest habe ich ihn besessen. Wer ihn gestohlen hat, wird ihn mir zurückgeben müssen.« Sie drückte fest ihre Hand. Ich hörte deutlich Knochen krachen und splittern, als würde sie einen Schädel zerquetschen. »Und«, fügte sie mit leisem Grollen hinzu, »ich werde dafür sorgen, dass es nicht wieder geschieht.«

Hallia richtete die Hirschaugen auf Domnus Füße und fragte vorsichtig: »Wer ... sollte ihn gestohlen haben?«

Domnu öffnete die rechte Hand mit der Handfläche nach oben und blinzelte. Ein silberner Kelch, randvoll mit rotem Wein, erschien. Verschlungene Schlangen zierten den Rand. Domnu trank langsam und schmatzte. »Die

Frage, mein Schatz, ist nicht, wer ihn gestohlen haben *sollte*, sondern wer es getan haben *könnte*. Mein Haus ist zwar einfach, aber einigermaßen gut geschützt.«

Ich betrachtete den Tisch mit dem Festmahl. Dann schaute ich zum Horizont, wo der Triumphwagen, von dem Hengst gezogen, zuerst aufgetaucht war. Nur der Ring aus blauen Flammen kennzeichnete jetzt die Stelle. Ich konnte kaum glauben, dass ich überzeugt gewesen war gleich zertrampelt zu werden. Und doch war der Eindruck ganz echt gewesen. Zweifellos hätte es sich ebenso echt angefühlt, unter diesen Rädern zerquetscht zu werden. »Ich kann mir nicht vorstellen, dass irgendjemand in deinem Lager stiehlt. Deine Magie ist zu mächtig.«

Die Hexe hielt mitten im nächsten Schluck inne. Sie schaute finster auf den Kelch hinunter, der zu flüssigem Silber schmolz und in ihrer Hand brodelte und dampfte. Sie blinzelte und die Reste verschwanden. Domnu richtete ihre Augen, die dunkler schienen als die Nacht, auf mich.

»Das ist es gerade, mein Schatz. Wer den Galator stahl, war durch Magie überhaupt nicht aufzuhalten. Nein, er oder sie konnte sich einer Waffe bedienen, die mir seit vielen, vielen Jahrhunderten nicht mehr begegnet ist. Eine Waffe, die Magie ausschaltet.«

Mir stockte der Atem. »Meinst du ... *negatus mysterium*?«

Sie nickte, ihr Gesicht glänzte im blauen Licht. »Weil ich überzeugt war – zu überzeugt –, dass es in Fincayra nichts mehr davon gibt, war ich unvorbereitet. Nie wieder! Die Person, die es anwandte, wartete einfach, bis ich das Lager verlassen hatte. Das mache ich alle paar Jahrzehnte einmal. Dann zog sie ein paar Fäden aus meinem magischen

Gewebe – und spazierte herein. Das *negatus mysterium* löschte alle Spuren.«

Sie grinste drohend und zeigte dabei die krummen Zähne. »Die Sache hat allerdings einen Haken.« Sie beugte sich zu mir und flüsterte: »Vielleicht erinnerst du dich, dass der Galator seinem Besitzer nur dient, wenn er freiwillig gegeben wurde. Nun, in diesem Fall kann davon keine Rede sein.«

Ich fuhr mit der Hand über den Lederriemen meines Beutels und überlegte. »Wer den Galator hat, kann ihn also nicht nutzen.«

»Genau, mein Schatz. Dieser Fehler ist zugleich verräterisch. Er sagt mir, dass der Dieb viel über Magie weiß, dass er aber auch gierig, arrogant und impulsiv ist.«

Ich griff in meinen Beutel und tastete nach der einzigen übrig gebliebenen Saite meines Psalters. Sie fühlte sich so steif, so spröde an. »Ich weiß, wer der Dieb ist.«

Domnu beäugte mich skeptisch. »Wirklich?«

»Ja.« Ich spürte deutlich die Leere in meiner Brust, als ich nickte. »Dieselbe Person, die meine Kräfte gestohlen hat.«

»Drück dich deutlicher aus, mein Schatz.«

Ich wechselte einen Blick mit Hallia. »Zuerst muss ich wissen, ob ich mich auf dich verlassen kann. Keine Hinterlist diesmal.«

Sie zeigte einen Mund voll abgebrochener Zähne, die von den flackernden Flammen beleuchtet wurden. »Was ist denn los, mein Schatz? Traust du mir nicht?«

»Nein! Und daran wird sich nichts ändern.« Ich beobachtete sie misstrauisch. »Aber unter Umständen bin ich bereit mit dir zusammenzuarbeiten – eine Zeit lang.«

Domnu knurrte leise. »Ein Bündnis also?«

»Ein Bündnis.«

»Was sind die Bedingungen?«

Ich ballte die Fäuste. »Wenn wir gemeinsam den Galator zurückbekommen, dann kann ich ihn in drei Tagen im Kampf gegen Valdearg einsetzen. Falls ich überlebe, gehört der Galator dir. Ich verliere jedes Anrecht auf ihn.«

Sie riss die dunklen Augen auf. »Und falls du nicht überlebst?«

»Dann gehört er dir auch. Du musst dich vielleicht mit Valdearg um ihn streiten, aber ich mache dir keinen Ärger mehr.«

»Hmm! Verführerisch.« Sie sah mich streng an. »Doch ich bin für eine weitere Bedingung. Wenn du mit meiner Hilfe den Galator zurückbekommst, musst du mir etwas zeigen.«

Verwirrt hob ich den Kopf. »Was kann ich dir schon zeigen?«

Die Hexe zögerte und tätschelte sekundenlang ihren kahlen Schädel. »Oh, eigentlich nichts Wichtiges. Nur eine Kleinigkeit.«

»Was?«

Sie kam mir so nahe, dass unsere Nasen sich fast berührten. »Ich möchte, dass du mir zeigst, wie der Anhänger – vor allem dieser grüne Edelstein in der Mitte – funktioniert.«

Ich trat zurück und stieß fast mit Hallia zusammen. »Das – das weißt du nicht? Bei all deinen Zauberkräften?«

Domnu zischte: »Würde ich dich fragen, wenn ich es wüsste? Ich weiß nur, was jeder wandernde Barde dir sagen könnte. Dass die Kraft des Galators wahrhaft gewaltig ist. Und äußerst geheimnisvoll.«

Ich erinnerte mich an Cairprés Beschreibung und zitierte: »*Gewaltig über alles Wissen hinaus.*«

»Richtig. Zweifellos könnte ich alle seine Geheimnisse in kurzer Zeit entschlüsseln. Vielleicht in einem Jahrtausend oder so. Aber jemand, der dich kennt, brachte mich darauf, dass du mir helfen kannst sie schneller zu enträtseln. Beim Skelett des Skarabäus! Wie hieß er denn gleich? Der kleine Kerl, der ständig in Spiele mit Rhita Gawr verwickelt ist.«

»Dagda.« Ich bekam einen roten Kopf. Kleiner Kerl! »Seine Kämpfe mit Rhita Gawr sind kein Spiel.«

Die Hexe kicherte in sich hinein. »Wie naiv! Entzückend, mein Schatz, entzückend.« Ohne meine Empörung zu beachten fuhr sie fort: »Eines Tages erkennst du vielleicht, dass alles ein Spiel ist. Manchmal ein ernstes Spiel – wie einen Triumphwagen lenken. Oder ein sinnloses Spiel voller Leichtfertigkeit – wie das Leben.«

»Davon wirst du mich nie überzeugen.«

Sie winkte mit der Hand, die in blaues Licht gebadet war. »Das macht nichts. Ich bezweifle, ob du lange genug lebst, um dazuzulernen. Trotzdem gehe ich das Risiko ein, dass Dagda Recht hatte. Er sagte mir, dass eines Tages der Halbmensch Merlin die Kraft des Galators wirklich beherrschen werde.«

Überrascht hielt ich den Atem an. »Nun, ich akzeptiere deine Bedingung, auch wenn ich bezweifle, dass diese Voraussage eintrifft. Wie denn? In der ganzen Zeit, in der ich den Anhänger trug und sein Gewicht an meiner Brust spürte, habe ich nur eins gelernt: Was Magie auch sein mag, sie hat etwas zu tun mit … einem Gefühl.«

Domnu wurde plötzlich nervös und zupfte an den Falten ihres Halses. »Mit welchem Gefühl?«

»Liebe.«

Sie machte ein Gesicht, als hätte sie etwas Verdorbenes geschluckt. »Beim Skarabäus! Weißt du das genau?«

Ich nickte.

»Nun … das Risiko trage ich, wie gesagt. Ich muss nur eine andere Möglichkeit finden, die Kraft des Galators zu erschließen. Wir sind uns also einig, mein Schatz. Verbündete – jedenfalls vorübergehend.«

»Moment.« Ich schaute zu den flackernden Lichtern. »Auch ich habe noch eine Bedingung.«

Die Hexe betrachtete mich misstrauisch. »Und das wäre?«

»Bevor wir weiterreden, musst du diesem Hengst seine ursprüngliche Gestalt wiedergeben.«

Hallia fuhr auf. Ihre braunen Augen starrten mich erstaunt an – und, so kam es mir vor, auch dankbar.

»Dem Pferd?«, fragte Domnu. »Warum sollte ich?«

Ich erinnerte mich an das Gefühl, auf meinen eigenen Hufen, meinen eigenen vier kräftigen Beinen zu laufen. »Weil du meine Hilfe brauchst.«

Die Hexe murrte. »Wahrscheinlich bin ich darauf angewiesen. Nun gut. Obwohl ich bezweifle, dass dieses dumme Tier schon seine Lektion gelernt hat.«

Sie schnalzte mit den Fingern zum Rand des Raums. Plötzlich erklang lautes Gewieher, gefolgt von Hufgetrappel. Der schwarze Hengst galoppierte herüber, hielt aber Abstand zu Domnu. Vorsichtig näherte er sich Hallia und beschnupperte ihre ausgestreckte Hand. Dann kam er schwanzschlagend zu mir. Sanft berührte ich sein schimmerndes Fell und fühlte die seidige Oberfläche. Er wieherte leise als Antwort.

»Er kennt dich«, sagte Hallia.

Ich streichelte seine schwarze Mähne und atmete den vertrauten Pferdegeruch ein. Langsam begann ich zu lächeln. »Und ich kenne ihn. Er heißt ... Ionn. Ionn y Morwyn. Er war das Pferd meines Vaters und mein erster Freund.«

Domnu zuckte die Schultern. »Wie rührend. Sehr schön. Vielleicht gebe ich dir das Pferd noch obendrein. Ein kräftiges Tier, aber mir hat er nichts als Ärger gemacht seit dem Tag, an dem ich ihn aus diesem zugigen alten Stall, nun, gerettet habe.«

Ionn schnaubte laut, aber sie achtete nicht darauf. »Was ich wirklich brauche, ist etwas Sanfteres und Gehorsameres – vielleicht einen Goblin – für mein Schachbrett. Wenn du also mit unserem kleinen Bündnis einverstanden bist, gehört der Hengst dir.«

Ich spürte Ionns warmen Atem am Hals und nickte. »Nur dass er nicht mir gehört. Oder sonst jemandem, was das angeht. Dieses Pferd gehört nur sich allein.«

Ionn drückte den Kopf an meine Schulter. Ich fuhr fort seine Mähne zu streicheln und erinnerte mich, wie oft ich mich als Kind daran geklammert hatte. Dann nahm ich impulsiv einen Apfel aus der Schale auf dem Tisch. Der Hengst stieß mit der Nase daran und blies mir wieder warme Luft auf die Hand. Er stülpte die Lippen um die Frucht, biss zu und kaute laut. Hallia beobachtete ihn, auf ihrem Gesicht lag ein schwaches Lächeln.

»So soll es sein, mein Schatz. Ich gebe das Pferd frei.«
Ionn biss wieder zu. Ich sagte zu der Hexe: »Damit sind
wir Verbündete.«

Domnu griff nach einem der noch dampfenden Brot-
laibe auf dem Tisch. Sie riss einen Brocken ab und gab eine
Hälfte mir, die andere Hallia, die sie zögernd annahm.
»Hier. Wenn wir Verbündete sind, und sei es nur vorübergehend, braucht ihr Kraft.« Sie riss ein weiteres Stück ab
und steckte es in den Mund. »*Mmm*. Nifft fflefft, auch
wenn iff felbft ef fage.«

Ionn aß den Apfel auf und rieb beim Kauen die weiche
Nase an meinem Handgelenk. Zugleich biss ich in das
Brot. Sofort war mein Mund voll von dem köstlichen Röst-
geschmack. Bevor ich noch geschluckt hatte, stieß Ionn mit
der Nase an meine Schulter. Grinsend griff ich in die
Schale und gab ihm einen weiteren Apfel. Wir aßen beide.
Dann fing auch Hallia an zu kosten.

Zusammen gingen wir zum Eichentisch. Domnu
klatschte in die Hände und drei Holzstühle erschienen.
Hallia und ich fielen über das Essen her, wir aßen und
tranken heißhungrig, bis wir nicht mehr konnten. Domnu
verzehrte die ganze Torte in nur ein paar Sekunden und
beschmierte sich dabei mit Kastaniencreme. Als sie meinen enttäuschten Blick sah, winkte sie. Eine neue Torte,
mit Heidelbeeren gesprenkelt, lag plötzlich auf der Platte.
Irgendwie fanden Hallia und ich noch Platz für große
Stücke davon.

Schließlich schob Domnu ihren Stuhl zurück. »Jetzt erzähl mir von dieser Person, die dir deine Kräfte gestohlen
hat. Und warum du glaubst, es sei derselbe Räuber, der
den Galator genommen hat.«

Mit dem Handrücken wischte ich mir Buttercreme vom Kinn. »Ich rede von Urnalda, der Magierin der Zwerge.«

Domnu spottete: »Diese alte Hexerin der Tunnel? Sie hat jedenfalls die nötige Arroganz und Gier. Aber ihr fehlt die Geduld, die Schläue und vor allem das Verständnis für Magie. Ich bezweifle, dass sie mit *negatus mysterium* umgehen könnte, diesem gefährlichen Zeug, ohne dabei ihre eigene Zauberkraft zu zerstören.«

»Sie hat es gegen mich eingesetzt!« Ich stand auf und drückte die Hände auf die Rippen. »Meine ganze Magie, meine ganze Kraft ist jetzt weg.« Ich schluckte. »Sogar meinen Stock hat sie genommen.«

Die Hexe schaute mich mit ihren uralten Augen prüfend an. »Stimmt nicht. Ich spüre selbst jetzt Magie in dir.«

Traurig tauschte ich einen Blick mit Hallia. »Du musst die Magie ahnen, die mir von … einem Freund gegeben wurde. Doch diese Magie gestattet mir nur eins.«

»Was denn, mein Schatz?«

Hallia sah mich warnend an.

»Eine Art … Verzückung zu empfinden.« Ich atmete langsam ein. »Und noch nicht einmal das wird es viel länger geben.«

Domnus Schädel bekam noch tiefere Falten. Hinter ihr tanzten und drehten sich die blauen Flammen und warfen Schatten auf ihre dicken Hände. »So wenig wie dich, nehme ich an. Du bist entschlossen dich diesem Drachen entgegenzustellen, das sehe ich deutlich. Nun, dann sag mir eins. Erinnerst du dich an diese Prophezeiung über dich, als wir uns das letzte Mal trafen?«

Ich schauderte, immer noch konnte ich ihre spitzen

Worte hören. »Du sagtest, ich würde Verderben, größtes Verderben über Fincayra bringen.«

»Das stimmt, mein Schatz. Nimm es nicht zu schwer. Außerdem glaube ich jetzt, dass meine Vorhersage ein bisschen zu hart war.«

»Wirklich?«

Schatten flatterten wie Dämonen über die Tischplatte. »Nicht weil der Gedanke falsch war, keineswegs. Aber weil ich jetzt aufrichtig bezweifle, dass du lange genug lebst, um viel mehr Ärger zu machen.«

Ich konnte nur das Gesicht verziehen.

»Jedenfalls«, fuhr sie fort, »müssen wir überlegen, wie wir deine restliche Zeit am besten nutzen.« Die Flammen um uns herum zischten und knisterten. »Nein, nein, ich glaube, du würdest die kurze Zeit, die dir bleibt, nur vergeuden, wenn du Urnalda aufs Korn nehmen würdest.«

»Aber warum? Ich bin sicher, sie ist die Diebin.«

Die Hexe schüttelte den Kopf und ließ dadurch blaues Licht in Wellen über ihren Schädel fließen. »Du könntest, glaube ich, Recht haben. Auch wenn ich es ernsthaft bezweifle. Trotzdem hast du mich auf eine Idee gebracht. Beim Skarabäus! Ich hätte früher daran denken sollen. Es gibt einen Ort – eine Art Orakel. Es kann jede Frage beantworten, die ihm ein sterbliches Wesen stellt. Das schließt mich aus, fürchte ich. Aber bei dir könnte es klappen.«

Unsicher strich ich mir die Haare aus der Stirn. »Wo ist dieser Ort? Ist es schwierig, hinzukommen? Ich habe – so wenig Zeit.«

»Gar nicht schwierig, mein Schatz. Und diesmal ohne Wirbelwind! Ich könnte dich durch Springen hinbringen.« Sie kicherte leise. »Oder wenn du willst, könnte ich einen

Triumphwagen benutzen. Das dauert länger, aber dafür ist es viel aufregender.« Als sie mein Gesicht sah, runzelte sie die Stirn. »Na gut. Dann Springen.«

»Ich bin mir immer noch nicht sicher. Wenn Urnalda den Galator hat, könnte es meine ganze restliche Zeit kosten, ihn zurückzuholen.«

Domnu griff nach der Weinkaraffe, öffnete den Mund so weit wie eine Schlucht und schüttete sich die Flüssigkeit in die Kehle. »Ach, mein Schatz, verstehst du nicht? Wenn Urnalda ihn nicht hat, dann hast du deine ganze Zeit für nichts verschwendet. Wenn sie ihn jedoch hat, wird das Orakel dir das sofort sagen. So weißt du genau, wer wirklich der Dieb ist.« Sie zerdrückte die Karaffe in der Faust und spritzte Glasscherben auf die Steine. »Und das ist etwas – beim Skelett des Skarabäus, das ist etwas –, was ich zu gern wissen würde.«

Langsam nickte ich. »Nun gut. Erzähl mir von diesem Orakel. Was für eine Person ist das?«

»Keine Person. Nicht direkt. Das Orakel liegt weit im Süden, beim Meer, an einem Ort, von Klippen umgeben – steilen, rauchenden Klippen.«

Hallia hob den Kopf. Sie wollte etwas sagen, aber die Hexe war schneller.

»Es ist so einfach, mein Schatz! Du musst nur deine Frage stellen.« Sie schaute auf die flackernden Lichter. »Das heißt, nachdem du ein kleineres Hindernis überwunden hast.«

Ich krümmte mich. »Was für ein Hindernis?«

Blaues Licht explodierte im Raum und verschluckte alles.

TEIL DREI

XXI
Die Geburt des Nebels

Salz. Auf meinen Lippen. In der Luft.

Plötzlich merkte ich, dass meine Beine und der Rücken nass waren. Ganz und gar nass. Ich veränderte meine Lage, da kratzte mich etwas am Hals. Verblüfft setzte ich mich auf – und ein purpurroter Seestern fiel mir von der Schulter und landete platschend neben mir.

Flutlache! Ich saß in einer Flutlache. Ein Tangstrang hing an meinem Arm; eine Seegurke, schleimig und aufgedunsen, lag über meiner Hüfte. Und dort saß Hallia und lachte mich an. Sie lehnte sich an ein knorriges Stück Treibholz, den Rücken hatte sie den Wellen zugewandt, die an den Strand mit dem schwarzen Kristallsand rollten. Sie versuchte ihre Belustigung zu unterdrücken und wandte sich rasch ab.

»In Dagdas Namen!«, fluchte ich und stemmte mich aus der flachen Pfütze. Als ich aufstand, lief Wasser aus meiner Tunika und tropfte in meine Stiefel. »Von allen Orten, an denen man landen kann …«

Hallia schaute mich an – und wieder weg. »Du wirst schon noch trocken«, sagte sie ruhig und betrachtete lange die wallende Nebelwand hinter den Wellen. »Hier ist es heißer, als du glaubst.«

Ich rieb die empfindliche Stelle an meinem Hals und überlegte, was Hallia meinte. Der Schmerz von den Stacheln des Seesterns ließ nach, der Geruch – wie nach Knoblauch, aber kräftiger – jedoch nicht. Und das Reiben verstärkte ihn noch. Er umgab mich und übertrumpfte sogar den salzigen Atem des Ozeans. Vielleicht ließ er sich abwaschen; ich beugte mich über die Flutlache und spritzte mir Wasser auf die Haut.

»Warte ein bisschen«, Hallia schaute immer noch in den Nebel. »Der Geruch eines violetten Spitzstachels hält nicht lange an. Du hast Glück, dass es kein gelber war. Ihr Gestank verfliegt erst nach Tagen. Und an diesem Strand wimmelt es von ihnen.«

Ärgerlich schaute ich zu ihr hinüber. »Woher weißt du so viel über Seesterne? Und diesen Ort?«

Sie betrachtete mich aus Augen, die sanfter als der Nebel waren. »Weil das der Ort meiner Kindheit ist. Bevor meine Sippe, die Mellwyn-bri-Meath, in die Wälder des Westens zog.«

»Deiner ... Kindheit?« Das Wasser platschte in meinen Stiefeln, als ich zu ihr trat. »Weißt du das genau? Diese Insel hat so viele Strände.«

»Nicht mit solchem Sand.« Sie streifte mit den Fingern durch die dunklen Kristalle. Dann hob sie den Blick zu etwas hinter mir. »Nicht mit solchen Klippen.«

Ich drehte mich um und sah eine Reihe steiler Klippen, so schwarz wie der Sand zu unseren Füßen. Sie standen so drohend da wie eine Gruppe toter Bäume. Obwohl die Sonne noch ein gutes Stück über dem Horizont war und hell schien, waren auf den Klippen nur Schatten über Schatten zu sehen. An mehreren Stellen stiegen dünne Rauchfahnen zum Himmel.

Ich fröstelte, nicht nur wegen der nassen Tunika an meinem Rücken. »Die rauchenden Klippen. Von denen Domnu geredet hat.«

»Wo das Orakel liegt – unter anderem.«

Mit dem großen Zeh grub Hallia eine Muschelschale aus und drehte sie im Sand herum. Sofort kam ein langes graues Bein aus der Schale und schob sich zur Seite. Innerhalb von Sekunden drehte sich die Muschel herum – mit einem Seewasserspritzer als Dreingabe. Hallia schaute zu und lächelte wehmütig. »Es war ein guter Ort zum Leben. Voller ... Gefährten. Sogar jetzt sind sie noch da.«

»Gefährten?« Ich schaute wieder zu den bedrohlichen Klippen, dann über den dunklen Küstenstreifen. »Bis auf die Muscheln und Seesterne ist hier niemand außer uns.«

»Ach, nein?« Sie zögerte lange. Schließlich schüttelte sie den Kopf, dass das Sonnenlicht in ihrem offenen Haar funkelte. »Meine Angehörigen sind hier.«

»Aber hast du nicht gesagt, sie sind weggegangen?«

»Das stimmt – bis auf die, deren Fährten schon in den Sand geschmolzen waren.«

Verwirrter als zuvor atmete ich tief die salzige Luft ein. »Ich verstehe nicht, was du meinst.«

Sie zeigte auf die Klippen. »Gebrauche deine Hirschaugen, Merlin. Nicht deine Menschenaugen.«

Ich drehte mich um und ließ mein zweites Gesicht über die Klippen schweifen. Ihre Schatten erkunden. Ihre Ränder spüren. Das Klatschen der Wellen hinter mir erstarb langsam und verwandelte sich in ein anderes Geräusch – irgendwie näher und zugleich weiter entfernt. Klopfend. Trommelnd. Wie ein unaufhörlich schlagendes Herz, ein unaufhörlich stampfender Huf.

Mit der Zeit unterschied ich ein schwaches Netz aus Linien, das über die senkrechten Hänge gespannt war. Die Linien liefen in alle Richtungen, sie folgten jedem Heben und Senken der Klippenumrisse. Konnten es alte Pfade sein? Von zahllosen Hufen in zahllosen Jahren ausgetreten?

Und ... Vertiefungen. Höhlen. Dunkler als die Schatten. Voller Geheimnisse und noch etwas anderem.

Ich nickte, endlich verstand ich. »Deine Vorfahren sind noch hier.«

Mit der Anmut eines Damtiers stand Hallia auf. »Ja, sie sind hier, in den Höhlen begraben, und mit ihnen ein Teil von mir.« Sie seufzte. »Im Herzen hänge ich immer noch an dieser Küste, so wie diese blauen Muscheln an den Felsen dort drüben hängen. In meinen Träumen treibe ich durch diesen Nebel – wie die zarte silbrige Qualle, die durch die Untiefen schwimmt und immerzu das Wasser atmet, das zu ihrem Körper wird.«

Ihre Worte kreisten mich ein, umhüllten mich wie der Nebel. »Warum bist du dann weggegangen?«

»Wegen der Klippen. Der alte Vulkan, den sie umgeben, fing an zu grollen und dann zu rauchen.« Ihre Blicke schossen wie gereizte Möwen über die Küste. »Der Berg hat zwar nie Feuer gespuckt wie in der fernen Zeit, aber er ... ließ andere Dinge frei. Böse Dinge.«

Unter meinem Auge fing die empfindliche Narbenhaut an zu schmerzen. Wahrscheinlich weil Hallia vom Feuerberg gesprochen hatte – der mich an jene Flammen erinnerte, die mein eigenes Werk waren und mein Gesicht für immer gezeichnet hatten. Ich griff hoch und wollte die Haut streicheln, da stockte meine Hand. Diese Narbe unter meinem Auge stammte nicht von jenen Flammen. Nein! Sie rührte von einer älteren Wunde her, die mir Jahre zuvor beigebracht worden war.

Wie konnte ich das vergessen haben? An diesem längst vergangenen Tag hatte an einem verlassenen Strand ähnlich wie diesem hier ein wilder Keiler angegriffen – und ich war sein Opfer gewesen. Ich konnte immer noch sein Knurren hören, seine Hauer sehen, seinen heißen Atem spüren. Und mit jedem schmerzenden Pulsschlag konnte ich mich an den Schrecken erinnern, als ich entdeckte, dass es gar kein Keiler war, sondern der verruchte Kriegsherr der Geisterwelt: Rhita Gawr.

Hallia stieß mit der Schulter an meine, wie sie es als Damtier bei Eremon getan hatte. »Du bist beunruhigt, das sehe ich.«

Trotz der feuchten Luft war meine Kehle wie ausgedörrt. »Diese bösen Dinge ... vom Berg. Was waren sie?«

Hallia runzelte die Stirn, dann bückte sie sich nach einer Mondschnecke im Sand. Nachdenklich fuhr sie mit dem Finger über das runde, spiralige, perlmuttfarbene Schneckenhaus. »Etwas sagt mir, dass du es schon weißt. Geister – zornige Geister. Die allen, die hier lebten, den Tod und nicht das Leben bringen wollten.«

Ich nickte und ihr Gesicht wurde noch düsterer. »Sie kamen aus den Klippen, den Höhlen, anscheinend sogar aus dem Meer. Niemand wusste, warum. Wir wussten nur, dass Krankheit und Schmerz ihnen folgten.« Sie zuckte zusammen, als ihr etwas einfiel. »Und dass sie nur einmal zuvor gekommen waren.«

»Wann war das?«

Vorsichtig legte sie das Schneckenhaus auf den Rand

eines Steins, der mit Rankenfußkrebsen verkrustet war. Bevor sie sich aufrichtete, berührte sie die Blüte einer rosa Seeanemone, die schlaff auf die Rückkehr der Flut wartete. Schließlich stand sie wieder vor mir, ihre Augen waren jetzt eher traurig als verängstigt. »Eremon hätte es dir sagen können. Er kannte all die alten Geschichten.«

Ich legte die Arme um die Brust, um mich zu wärmen. »Er fehlt mir.«

»Mir auch«, flüsterte sie. »Mir auch.«

Ich sah, wie sie mit der Zunge die Lippen befeuchtete. »Was macht dein Zahn?«

»Er tut noch ein bisschen weh«, sagte sie. »Aber anderes schmerzt mehr.«

»Du musst diese Geschichte nicht erzählen, wenn du nicht willst. Ich hatte nur das Gefühl …«

»Ich will es versuchen.«

Sie wandte das lange Kinn den Wellen und dem wabernden Nebel dahinter zu und fing an in langsamem, feierlichem Rhythmus zu erzählen. »In der Zeit vor der Zeit konnten alle gesprochenen Worte gesehen, berührt und in Händen gehalten werden. Jede Geschichte wurde, sobald sie erzählt war, ein leuchtender Faden, der sich in einen endlosen, lebendigen Teppich verwob. Er reichte von diesen Klippen bis hinunter zum Meer, über den Strand und unter die Wellen, wo er außerhalb von Reichweite und Kenntnis lag. Der Teppich – voller Farben und Formen, schattigen und hellen Stellen – hatte viele Namen, doch die Hirschmenschen nannten ihn Carpet Caerlochlann.«

Sie beobachtete einen Krebs, der, mit einem zerfetzten Tangwedel geschmückt, über das Treibholz an ihrem Fuß stolzierte. »Der Teppich wurde mit jedem Jahr leuchtender, seine Struktur immer reichhaltiger. Bis ... er so herrlich war, dass er einem auffiel, der ihn haben wollte. Nicht um sich an den Geschichten zu freuen – um die vielen Schichten verwobener Sehnsüchte, Leidenschaften, Kümmernisse und Freuden zu fühlen –, sondern um ihn zu besitzen. Über ihn zu verfügen.«

»Rhita Gawr.« Ich griff an meine schmerzende Narbe.

»Ja. Rhita Gawr. Er schickte seine Geisterkrieger in die Klippen, damit sie die Hirschmenschen verjagten und alle vergifteten, die zu bleiben wagten. Dann riss er den Carpet Caerlochlann an sich. Es heißt, als an diesem Tag die Sonne aufging, war sie so von Kummer erfüllt, dass sie es nicht ertragen konnte, zurückzukehren. Deshalb herrschte von diesem Moment an Dunkelheit in ganz Fincayra.«

Wellen fluteten an die Küste, eine nach der anderen, fast klatschten sie an unsere Füße. Zwei Kormorane flogen aus dem Nebel und schlugen laut mit den Flügeln, bevor sie in den Untiefen planschten. Einer von ihnen tauchte den ganzen Hals ins Wasser und kam mit einem zappelnden grünen Fisch im Schnabel wieder hoch. In den goldenen Sonnenstrahlen blitzte der Fisch wie ein lebendiger Smaragd.

»Jetzt gibt es Sonnenlicht«, sagte ich leise.

»Jetzt ja. Weil der große Geist Dagda Rhita Gawr entgegentrat und den Teppich der Geschichten zurückholte. Niemand weiß, wie es ihm gelang, aber es heißt, dass er etwas schrecklich Wertvolles aufgeben musste – einige seiner kostbaren Kräfte –, damit er ihn bekam.«

Eine neue Art von Kälte überfiel mich, sie drang tiefer als die Haut unter meiner nassen Tunika. »Und was machte Dagda mit dem Teppich, nachdem er so teuer dafür bezahlt hatte?«

Hallia wandte mir die runden Augen zu. »Er gab ihn weg.«

»Was tat er?«

»Er gab ihn weg.« Sie schaute zum schlafenden Meer, das hinter dem dampfenden Vorhang verborgen lag. »Zuerst benutzte er die Spur eines Kometen als Nadel und zog alle Fäden der Geschichte auf. Dann verwob er sie mit eigenen Fäden, die teils aus Luft und teils aus Wasser bestanden. Als er schließlich fertig war, enthielt das neue Gewebe die ganze Magie der gesprochenen Worte und mehr. Es war nicht ganz Luft und nicht ganz Wasser – aber etwas aus beidem. Etwas dazwischen. Etwas namens …«

»Nebel«, ergänzte ich.

Sie nickte. »Dann gab Dagda den magischen Nebel den Bewohnern dieser Insel. Er hüllte die ganze Küste damit ein, so dass jeder Strand, jede Bucht, jeder Meeresarm seine geheimnisvollen Dämpfe berührt. Und damit jeder Atemzug an diesen Küsten sich mit seiner Magie vermischt.«

Schüchtern hob sie die Schultern. »So also wurde in den Erzählungen meiner Sippe Fincayras ewiger Nebel geboren.«

Wir schwiegen einen langen Moment. Eine Möwe schrie über uns, Muscheln sprudelten bei den Flutlachen. Sonst hörten wir nur, wie die Wellen an den Strand klatschten und den schwarzen Sand aufsaugten, wenn sie ins Meer zurückströmten. Dann verschwand die sinkende Sonne hinter einer Wolke und ich schauderte.

Hallia betrachtete mich prüfend. »Du frierst.«

Wieder ein Schauder. »Und ich bin nass. Was ich wirklich brauche, ist ein Feuer. Nur ein kleines. Was meinst du, wenn wir etwas von diesem Treibholz sammeln …«

»Nein.« Sie schüttelte den Kopf, dass die braunen Haare wehten. »Es lockt *sie* an.«

Ich riss die Augen auf. »Geister?«

Sie schaute zu den Klippen hinüber, die noch dunkler als zuvor aufragten. »Vielleicht sind sie verschwunden. Es ist viele Jahre her. Trotzdem … es macht mir Angst.«

»Ein kleines Feuer, sonst nichts.« Ich schwenkte die Arme. »Nur damit ich trocken werde.«

»Nun … wenn es sein muss.«

Ohne ein weiteres Wort lasen wir Treibholz auf. Weiter oben am Strand über den Muschelkolonien fand ich altes Tanggewirr, das zu einer Masse aus spröden Halmen getrocknet war. Fröstelnd zog ich es mit den Fingern zu einem groben Nest auseinander. Dann schlug ich zwei scharfe Steine über diesem Anfeuermaterial zusammen und versuchte Funken zu erzeugen. Die ersten landeten nicht in dem Nest, sondern auf dem nassen Sand. Schließlich traf ein Funke einen Halm. Vorsichtig blies ich darauf und brachte ihn zum Brennen. Endlich stieg eine dünne Rauchfahne auf.

Es dauerte nicht lange, da wärmten wir uns an den knisternden Flammen. »So sehr ich auch meine Hufe vermisse«, sagte ich, »Hände können nützlich sein.«

Hallia nickte ernst. »Eremon sagte oft, den Hufen verdanken wir Schnelligkeit, den Händen Musik.«

Ich dachte an meinen eigenen unglücklichen Versuch, Musik zu machen – es schien schon so lange her zu sein –, und verzog das Gesicht. »Manchen Händen jedenfalls.«

»Du hast es versucht?«

Ich zerbrach ein Stück Treibholz überm Knie und legte die Teile aufs Feuer. »Ich habe es versucht.«

Hallia schaute mich an, als hoffe sie auf mehr. Als ich schwieg, häufte sie ein bisschen Sand auf die Handfläche. »Musik, richtige Musik ist eine Art Magie. So flüchtig wie der Nebel.«

Langsam holte ich die verkohlten Reste meines Psalters aus meinem Beutel. Ich hielt das Stückchen Eichensteg in der Hand, drehte die geschwärzte steife Saite und versuchte sie mir als Teil des ganzen Instruments vorzustellen, das ich mit allen glänzenden heilen Saiten in der Hand barg. Doch die Vision ging in Flammen auf und zerfiel in Holzkohle und Asche. Vorbei, was diese Saite einst an Zauber besaß. Genau wie die Magie, die meine Finger einst beherrschten.

»Cairpré hat mich einmal gefragt«, erinnerte ich mich laut, »ob die Musik in den Saiten ist …«

»Oder in den Händen, die sie zupfen?« Hallia lächelte. »Meine Mutter, die mich lehrte die Weidenharfe zu spielen, stellte mir die gleiche Frage.«

»Und hast du sie beantwortet?«

»Nein.«

»Sie?«

»Nein.« Sie zog einen Rankenfußkrebs von einem Treibholzstück, dann warf sie das Holz in die Flammen. »Aber sie sagte, während wir hier an diesem Strand auf einem Stein saßen, dass ein Instrument von selbst keine Musik macht. Nur Klang.«

Sie runzelte die Stirn. »Ich kann mich nicht genau an ihre Worte erinnern, aber sie sagte noch etwas. Dass Musikinstrumente sich in etwas Größeres einbringen müssen – etwas Höheres. Das war es. Sie nannte es *eine höhere Macht.*«

Ich fuhr auf.

Hallia sah mich an. »Was ist los?«

»Das ist es, was ich brauche, wenn ich Valdearg je Einhalt gebieten soll. *Eine höhere Macht.* Damit könnte der Galator gemeint sein. Oder etwas anderes.« Mit dem letzten Holz schob ich die brennenden Stücke zusammen. »Was es auch sein mag, ich glaube nicht, dass ich es habe.«

Hallias Gesicht war zur Hälfte von den Flammen beschienen. »Vielleicht nicht, aber etwas hast du.«

Ich zog skeptisch die Augenbrauen hoch.

»Du hast, was nötig war, damit Domnu diesem Hengst seine natürliche Gestalt wiedergab. Und, ebenso wichtig, ihm die Freiheit schenkte.« Sie wandte sich den pulsierenden Wellen zu. »Das war edelmütig von dir. Fast ... wie Hirsche es tun.«

Ich hob die Lasche meines Beutels und legte die Psaltersaite zurück. »Dann habe ich vielleicht wenigstens eins richtig gemacht. Ich hoffe nur, diese Hexe hält ihr Wort und lässt Ionn frei.«

Hallia schüttelte die langen Haare. »Ich traue ihr nicht mehr als du, glaub mir! Aber sie braucht deine Hilfe, wenn sie diesen Anhänger zurückhaben will. Deshalb hat sie dir vom Rad erzählt.«

»Rad?«

»Das Orakel. Das in den rauchenden Klippen.« Ihr Gesicht bekam einen angespannten Ausdruck. »Es heißt ... das Rad von Wye.«

Ich drückte ihren Arm. »Du weißt davon?«

»Nicht viel. Nur dass es irgendwo dort oben versteckt ist.« Sie machte eine Pause. »Und dass es ein Ort der Furcht ist – und war, lange bevor die Geister zum Berg kamen.«

»Weißt du, was Domnu mit dem *kleineren Hindernis* meinte?«

»Nein. Und ich will es nicht herausfinden.« Sie holte stockend Atem. »Es gibt allerdings ein Dorf in der Nähe der Klippen, wo du vielleicht mehr erfahren kannst. Es ist ein schlimmer Ort. Voll mit ...« Sie unterbrach sich. »Dieser *Art* Männer. Die noch nicht einmal ihre eigenen Fährten bemerken, die nur als Sport einen Hirsch töten. Nicht wie ... nun, ein anderer Mann, den ich kenne.«

Einen Augenblick schien das Feuer hell auf ihre Wangen – und anscheinend auf meine. Plötzlich wurde ihr Gesicht finster. »Dieses Dorf ... ich bin nie dort gewesen. Und will nie hin! Aber mit dir ist es etwas anderes. Es war der Ort – wenigstens in meiner Kindheit –, wo die meisten Orakelsucher ihren Weg in die Klippen begannen. Dort weiß jemand vielleicht etwas Nützliches.«

Ich spürte, dass sie sich bald verabschieden wollte, und war traurig – zugleich aber auch dankbar für ihren Vorschlag. »Wenn ich dorthin ginge, würde ich wahrscheinlich Zeit sparen.«

»Auch wenn es ein rauer Ort ist, der dich schließlich Zeit kosten könnte.« Sie seufzte. »Der größte Zeitverlust droht dir allerdings, bis du das Orakel in seinem versteckten Tal gefunden hast. Wenn du nicht die richtigen Pfade kennst, kannst du tagelang in den Klippen und dem Labyrinth der kleinen Hügel an ihrem Westrand suchen.«

Sie schwieg, ihre Unterlippe zitterte. »Deshalb ... bringe ich dich hin.«

Mein Herz machte einen Sprung.

»Es wird allerdings dauern, bis wir dort sind. Umso mehr, als wir nicht unsere Hirschgestalt annehmen können. Zu gefährlich wegen der Jäger vom Dorf.«

Ich schaute ihr voll ins Gesicht. »Danke, Hallia.«

»Es ist nur, was ... mein Bruder getan hätte.«

»Dann lass uns gehen, solange noch Tag ist. Ich will nur noch das Feuer ausmachen.«

Mit dem Stiefel zertrat ich die restliche Glut. Doch sobald ich den Fuß hob, schossen wieder Flammen hoch. Verwirrt betrachtete ich meinen Stiefel. Wieder versuchte ich das Feuer auszustampfen, wieder loderte es auf. Ich trat das größte der brennenden Holzstücke in eine nahe Flutlache. Es spritzte und zischte, brannte aber weiter. Dampf stieg auf und mischte sich mit der Luft.

»Wir müssen gehen«, drängte Hallia. »Ich hoffe nur, wir gehen allein.«

hallia führte mich über die rutschigen muschelbeladenen Steine zu einer steilen Spalte am Fuß der nächsten Klippe. Dort fanden wir einen schmalen gewundenen Pfad, mit Staub bedeckt, der so schwarz wie die Klippen war. Wortlos folgten wir ihm eine Strecke landeinwärts, bevor wir uns auf einem weiteren Pfad nach links, auf einem dritten nach rechts wandten. Bald hatten wir so viele Abbiegungen hinter uns, dass ich völlig die Orientierung verloren hätte, wenn sich nicht ständig die Klippen vor uns getürmt hätten.

Während wir uns zwischen den steilen Vorsprüngen und schwarzen Felsenhaufen durchschlängelten, achteten wir auf Anzeichen von Berggeistern. Allmählich blieben die Geräusche und Gerüche der See zurück. Der Pfad, dem wir folgten, weitete sich etwas. Links tauchte eine Kette von Stoppelfeldern auf, während rechts die dunklen Klippen aufragten, durch eine Reihe steiler, felsiger kleiner Hügel von uns getrennt. Die Sonne, teilweise von Wolken verhüllt, stand tief im Westen und warf goldene Strahlen auf das Gras mit den Braun- und Rottönen des Herbstes.

An einem Feld, auf dem vier oder fünf Schafe grasten und sich von uns nicht stören ließen, blieb Hallia stehen. Aufmerksam musterte sie die länger werdenden Schatten. »Ich weiß nicht, was mich mehr beunruhigt«, sagte sie und schaute nervös von einer Seite zur anderen. »Die Abwesenheit von Geistern – oder die Anwesenheit von Menschen.«

»Ich mache mir über etwas anderes Sorgen«, sagte ich niedergeschlagen. »Die Zeit! In nur drei Tagen muss ich Valdearg gegenüberstehen – mit oder ohne Galator. Selbst wenn mir dieses Orakel hilft den Anhänger zu finden, muss ich ihn immer noch irgendwie zurückbekommen. Und lernen, wie er zu gebrauchen ist.«

Hallia schüttelte ihr loses Haar und fing an es mit den Fingern zu kämmen. »Und noch etwas, Merlin.«

Ich zog die Augenbrauen hoch.

»Du musst zurück zum Land der Zwerge – und das ist kein Katzensprung. Auch wenn du, falls du willst, wie ein Hirsch laufen kannst, musst du immer noch mindestens zwei Tage für den Weg rechnen. Und dann bleibt dir nur noch ein Tag, den Galator zu finden.«

Während ich über ihre Worte nachdachte, scharrte ich mit dem Stiefel auf dem Boden – demselben Stiefel, den ich benutzt hatte, als ich das Drachenbaby retten wollte. Der Versuch war mir misslungen. Würde es bei diesem ebenso sein?

Plötzlich polterte ein Stein von den Klippen über uns herunter. Hallia sah auf. Sie zog ängstlich an ihrem Haar. »Die Geister ...«

Ich hielt ihrem Blick stand. »Du weißt, dass du nicht weiter mitkommen musst. Du hast schon mehr getan, als ich von dir erbeten hätte.«

»Ich weiß.« Sie richtete sich auf. »Trotzdem werde ich noch ein wenig länger bei dir bleiben. Bis zum Dorf. Aber dort muss ich dich verlassen.« Sie schaute hinauf zu den schattigen Klippen. »Und dir alles Glück wünschen, das es in diesem Land noch gibt.«

Ich wollte ihr so gern sagen, wie dankbar ich ihr war. Und noch mehr, etwas jenseits der Worte. Doch meine Kehle versagte.

Während sie sich weiter die zerzausten Haare kämmte, drehte sie sich um und ging langsam den Weg hinunter. Ich sah an ihr vorbei zu den kleinen Felshügeln und den rauchenden Spalten dahinter. Die Sonnenstrahlen, die durch die zunehmenden Wolken drangen, hatten sich von Gold zu Orange gefärbt, doch die Klippen wirkten dunkler als zuvor. Dunkler, als mein zweites Gesicht ergründen konnte.

Schweigend gingen wir weiter. Der Pfad führte direkt zwischen die Hügel, die so dicht beieinander lagen, dass der Berg manchmal nicht mehr zu sehen war. Während Hallias nackte Füße kaum hörbar über Kiesel und Staub huschten, knirschten meine Stiefel bei jedem Schritt. Obwohl der Pfad immer breiter wurde und sich zu einer holprigen Straße weitete, schienen die schattigen Felsenhaufen immer näher zu rücken.

Hallia umging geschickt eine gelb gefleckte Schlange und sah mich besorgt an. »Das Rad von Wye muss als Orakel eine starke eigene Magie haben. Aber vielleicht ist sie nicht stärker als Rhita Gawrs Geister. Das kann sogar der Grund sein, warum er die Geister hierher geschickt hat – um das Orakel zu zerstören oder für seine Zwecke zu benutzen.«

Ich ging unentwegt weiter. Rundum vertieften sich die Schatten. Ich sagte leise: »Ich hoffe nur, er ist nicht selbst unter ihnen.«

Sie atmete hörbar ein. »Hältst du das wirklich für möglich?«

»Ich weiß nicht. Es ist nur … nun, ich werde das Gefühl nicht los, dass er irgendwie mehr beteiligt ist, als wir wissen. Nicht nur an der Rückkehr der Geister, sondern auch an anderen Dingen. Die Kreelixe zum Beispiel. Warum sind sie gerade jetzt zurückgekommen? Und der Ausbruch von *negatus mysterium* – stark genug, um den Galator direkt unter Domnus schwarzen Augen zu stehlen. Vielleicht sogar, obwohl ich nicht erklären kann warum, der Mord an all diesen Drachenbabys.«

Hallia schaute mich zweifelnd an. »Genauso gut könntest du sagen, der Schrei eines Kitzes hängt mit dem Rascheln der Eichenblätter im Wind zusammen.«

»Genau. Denn sie hängen zusammen! Ich verstehe nicht, warum oder wie. Nur dass sie miteinander verbunden sind.«

Nachdenklich wanderte sie weiter über die steinige Straße. »Du klingst fast wie … jemand anders.«

Kurz darauf kamen wir um eine Biegung – und blieben plötzlich stehen. Vor uns stiegen im Licht der rötlichen Strahlen drei Rauchsäulen auf. Nicht aus den Klippen, sondern aus Schornsteinen. Das Dorf.

Hallia drehte ängstlich einen Fuß auf den Kieseln hin und her. »Ich … fürchte mich.«

Ich fasste sie am Arm. »Du musst nicht mitkommen.«

Sie machte sich frei. »Ich weiß. Aber ich werde entscheiden, wann ich umkehre. Nicht du.«

Gemeinsam gingen wir weiter. Die hochwandigen Hügel zu beiden Seiten wichen zurück, ein enges Tal lag vor uns. Dort, von Schatten durchschnitten, lag eine verfallene

Siedlung, aus den gleichen Felsbrocken gebaut, die auf den steinigen Feldern lagen. Die Hütten, nicht mehr als sieben oder acht, sahen aus wie viereckige Steinhaufen. Bei einer war das Dach eingefallen, aber niemand schien sich die Mühe zu machen, es zu reparieren. Bis auf den Rauch aus den Schornsteinen, die Schafe, die an den wenigen Grasbüscheln nagten, und die beiden zusammengekauerten Gestalten an der Wand des größten Gebäudes hätte man das ganze Dorf mit den Felsvorsprüngen rundum verwechseln können. Am Ende des Tals stieg dunkel und bedrohlich der Berg mit seinen rauchenden Spalten auf.

Hallia drehte den Kopf und schnupperte. »Verstehst du jetzt, was ich dir über diesen Ort gesagt habe? Schau ihn nur an! Wer hier lebt, hat sich nicht mit dem Land verbunden. Noch nie. Siehst du? Kein einziger Garten, kein Blumenkasten, noch nicht einmal eine Bank, auf der man sitzen könnte. Die meisten dieser Hütten haben keine Fenster.«

Ich nickte. »In solche Orte kommen Leute, die vor Schwierigkeiten fliehen. Oder um anderen Schwierigkeiten zu machen.«

Ein paar Regentropfen trafen uns. Ich schaute zu der dicken Wolkenbank, die jetzt den Horizont verdeckte. Wolkenarme, die sich wanden wie dunkle Schlangen, griffen nach den Klippen. Der Wind blies kalt und heftig von Westen und kündigte bald weiteren Regen an. Heute würde es keinen Sonnenuntergang geben – und wahrscheinlich lange keine Sterne.

Finster betrachtete ich die Klippen. »Bei Gewitter kann ich kaum dort hinauf. Ob ich etwas Nützliches erfahre oder nicht, ich muss im Dorf abwarten, bis das Schlimmste vorbei ist. Sobald es sich aufklärt und ein paar Sterne zu sehen sind, gehe ich. Bis dahin sage ich einfach, ich bin auf der Durchreise.«

»Ich auch«, erklärte Hallia. Sie seufzte. »Obwohl ich lieber in den Felsen Zuflucht suchen würde, das kannst du mir glauben. Egal wie heftig es regnet.«

»Bist du sicher?«

Sie hob das Kinn ein wenig höher. »Nein, aber ich komme trotzdem mit.«

Der kalte Wind schob uns die Straße entlang, die das Dorf umrandete, bevor sie weiter in das enge Tal führte. Noch mehr Wolken zogen auf und verdunkelten alles bis auf die nächsten Hütten. Schneller als erwartet wurde aus dem Regen ein Schauer und dann ein Platzregen. Donner hallte von den Felsen und dröhnte wie himmlische Hufe. Als wir das größere Gebäude erreichten, knallten Regenwände auf das Steindach. Die beiden Gestalten, die wir aus der Ferne gesehen hatten, waren schon hineingegangen und hatten die Brettertür einen Spalt offen gelassen.

Nachdem ich mir das Wasser aus den Haaren geschüttelt und die Ärmel meiner Tunika ausgewrungen hatte, spähte ich hinein. Nicht viel zu sehen. Nur ein Torffeuer in der Feuerstelle, ein paar armselige Tische und Stühle und ein gebeugter, weißhaariger Mann, der aus einem anderen Raum kam. Hier war offenbar eine Art Schänke. Der Alte, der eine Kellnerschürze umgebunden hatte, hielt eine irdene Schüssel in den Händen. Aus dem Raum, den er verlassen hatte, brüllte ihm jemand nach – so laut, dass er fast die Schüssel fallen ließ. Unterwürfig nickte er und tauchte dabei die Spitzen seines hängenden Schnurrbarts in den dampfenden Inhalt.

»Meine Suppe!«, rief ein Mann von einem Tisch am Feuer. »Bring endlich meine verdammte Suppe!«

Eilig brachte der alte Kellner die Schüssel. Der Gast riss sie ihm aus den Händen, stemmte die Füße gegen die Wand neben dem Feuer und trank die Suppe in drei Schlucken. Dann warf er die Schüssel auf den Boden, wo sie in Stücke zersprang. Noch während der Alte sich nach den Scherben bückte, schrie der Mann ihn wieder an.

»Hol mehr Torf für das Feuer, wird's bald? Ich bin nass und friere, siehst du das nicht? Was ist das für ein Rattenloch von einer Schänke, in der die Gäste wie Leichen eingefroren werden?«

Der Alte, dessen weißes Haar jetzt zerzaust war, ging mit den Schüsselscherben in der Schürze zum Nebenraum. Er stolperte an dem anderen Gast vorbei, der aus dem Regen hereingekommen war, jetzt in einer düsteren Ecke saß und an trockenem Fleisch nagte. Zwar verhüllte die Kapuze seines schwarzen Umhangs das Gesicht fast ganz, doch seine Haltung war so bärbeißig wie die des Mannes am Feuer.

Ich sah Hallia stirnrunzelnd an und zog die Tür auf. Ihr Quietschen wurde von den Dissonanzen des Regens auf dem Dach übertönt, aber beide Männer wandten uns sofort die Köpfe zu. Auch wenn das Gesicht unter der Kapuze im Schatten blieb, konnte ich den scharfen Blick fast spüren. Hallia dicht hinter mir zögerte unter der Tür.

»Beim Tod des Leichnams«, brummte der Mann am Feuer. »Macht die verdammte Tür zu!« Seine Augen und sein struppiger Bart schimmerten rot im Feuerschein. »Wollt ihr, dass ich mir eine Lungenentzündung hole?«

Einen Augenblick sah Hallia aus, als wollte sie davonlaufen, doch sie trat herein und schloss die Tür. Ich wies auf einen roh gezimmerten Tisch am anderen Ende des Raums. Der andere Mann, von dessen schwarzer Kapuze noch der Regen tropfte, saß zwar nicht weit entfernt, aber er schien ein besserer Nachbar zu sein als der Grobian am Feuer. Während wir auf den Tisch zugingen, kam der Weißhaarige zurück, unter dem Gewicht einiger Torfklumpen noch tiefer gebeugt als zuvor. Er schaute uns kaum an.

Plötzlich sprang der mit der Kapuze auf. Ein rostiger Degen funkelte in seiner Hand. Bevor ich noch mein Schwert ziehen konnte, trat er den Tisch um und stieß mich gegen Hallia. Wir fielen beide zu Boden.

Der Mann in seinem schweren Umhang rannte an uns vorbei. Wir kamen gerade auf die Füße, da knallte die quietschende Tür zu. Ich lief ihm nach, zog die Tür auf und schaute die regennasse Straße entlang, über die Steinhütten und das trübselige Feld. Nirgendwo war eine Spur von ihm.

Ich strich mir die nassen Haare aus der Stirn und sagte zu Hallia: »Er ist verschwunden.«

»Warum hat er das nur gemacht?«, fragte sie erschrocken. »Wir haben ihn nicht bedroht.«

»Ihr seid ihm zu nah gekommen, mein Liebes.« Das war der Weißhaarige, der seinen Torf abgeladen hatte. Immer noch duckte er sich so tief, dass seine runzlige Stirn Hallia nur bis zur Brust reichte. »Er wollte für sich sein, verstehst du.«

Sie verzog das Gesicht. »Was für ein freundliches Dorf!«

Der Alte lachte schnaufend auf. »So freundlich, mein Liebes, dass es noch nicht einmal einen richtigen Namen hat. So wenig wie sesshafte Bewohner, bis auf meinen Herrn, Meister Lugaid, dem dieses Gasthaus gehört, und mich, den alten Bachod. Und ein paar lahme Schafe.« Er schaute böse zu dem Bärtigen am Feuer hinüber. »Es ist ein schlimmer Ort, mein Liebes, das kann ich dir versichern. Ein Ort, den man meiden sollte, wenn man kann.«

Keuchend stellte ich den Tisch wieder auf. »Hast du etwas dagegen, dass wir uns kurz hier hinsetzen? Nur um trocken zu werden.«

Bachod wiegte den Kopf mit dem fettigen Schnurrbart und den weißen Haaren, die ihm über die Ohren fielen, von einer Seite zur andern. »Solange ihr zahlt, bevor ihr etwas esst, sollte Meister Lugaid nichts einzuwenden haben.« Er zog einen Lumpen hervor und wischte den Tisch ab. »Gebt nur Acht, in wessen Nähe ihr sitzt, wenn ihr gesund bleiben wollt.«

»Das machen wir.« Ich fegte schimmlige Käsereste von einem Stuhl und setzte mich neben Hallia. »Übrigens«, fragte ich so beiläufig wie möglich, »wohin führt eigentlich diese alte Straße draußen? Doch bestimmt nicht zu den Klippen hinauf.«

Der Alte wischte weiter. »Ach, der kleine Weg ist älter als ich, vielleicht älter als die Felsen. Er windet sich bloß durch dieses Tal wie eine zusammengerollte Schlange und führt nirgendwohin.« Er senkte die raue Stimme. »Manche behaupten, die Geister hätten ihn angelegt.«

»Geister?«

»Von droben aus den Bergen. Hast du nichts von ihnen gehört, mein Junge? Dann wird es aber Zeit, wenn ihr hier herumreist.« Er hörte auf zu wischen und schaute sich furchtsam um, als würden sogar die Stühle und Tische zuhören. Schließlich krächzte er:»Sie sind wütend. Und so rachsüchtig. Vielleicht seid ihr in diesem kleinen Tal eures Lebens sicher. Aber irgendwo auf dem Berg ... also, ihr würdet euch lieber von tausend Speeren durchbohren lassen als ihnen in die Hände zu fallen.«

Nervös zupfte er an seinem Schnurrbart. Dann wandte er sich an Hallia. Drohend senkte er die Stimme.»Tod – das wäre eine Gnade im Vergleich zu dem, was sie deinem Herz, deinen Eingeweiden und vor allem deiner unsterblichen Seele antun, wenn sie herausbekommen, dass du ... ein Hirschmensch bist.«

Ihre Augen traten hervor, dann schoss sie wie der Blitz zur Tür, riss sie auf und verschwand im Regen.

Wütend fuhr ich Bachod an:»Du alter Narr!«

Er wich zurück.»Ich wollte bloß helfen, das ist alles.«

Am liebsten hätte ich ihm auch einen Schreck eingejagt, doch ich drehte mich um und rannte Hallia nach. Gerade als ich an der Tür war, sah ich, wie sie hinter die Hütte mit dem eingefallenen Dach lief. Dahinter ragten schwärzer als der Himmel die zerklüfteten Klippen über dem Tal auf.

»Hallia!«, rief ich und stürzte ihr nach. Schlamm spritzte unter meinen Stiefeln, der Regen lief mir in Strömen über Hals und Arme. Donner dröhnte gegen die Bergwand.

Bei der zerfallenen Hütte rutschte ich zu einem Halt und spähte in den Wolkenbruch. Nichts. Nichts als Regen.

Da hörte ich ein Flüstern direkt hinter mir.»M-e-e-erlin.« Ich fuhr herum. Da, unter einer überhängenden Steinplatte, die alles war, was von dem zerfallenen Dach noch blieb, kauerte Hallia. Ich duckte mich unter die Platte und kroch zu ihr. Ich legte die Arme um ihre triefenden Schultern und zog ihren zitternden Körper an mich.

Mehrere Minuten vergingen. Der Regen ließ nicht nach. Endlich hörte sie auf zu zittern und atmete gleichmäßiger. Ich spürte, wie sie sich entspannte und den Kopf an meine Schulter legte. Ringsum platschte der Regen, ein kalter Wind schnitt durch unsere Kleidung. Doch ich fror nicht.

Plötzlich wurde Hallia starr. Bevor ich mich bewegen konnte, spürte ich eine Degenklinge zwischen den Schulterblättern.

XXIII
ÐEGENSPITZE

Still jetzt«, knurrte eine Stimme hinter mir. Der Degen drückte fest auf meinen Rücken.

Hallia stand neben mir so wachsam, als hätte sie es mit einem Wolfsrudel zu tun. Wasser strömte von der überhängenden Platte, die uns schützte, und spritzte auf meinen linken Arm. Ich versuchte ruhig zu bleiben und atmete tief ein. »Wir wollen dir kein Leid tun, guter Mann. Lass uns in Frieden gehen.«

»Gewählte Worte! Du musst bei einem Barden in die Schule gegangen sein.«

Trotz der Klinge fuhr ich zusammen. Etwas an der Wortwahl, wenn nicht an der Stimme, klang vertraut. Doch ich konnte es nicht unterbringen.

»Sag mir die Wahrheit«, verlangte der Mann im Schatten. »Hast du auch gelernt den Psalter zu spielen?«

Ohne an irgendeine Gefahr zu denken fuhr ich herum. »Cairpré!« Ich warf ihm die Arme um den Hals.

»Gut pariert!«, erklärte der Dichter und warf die schwarze Kapuze zurück.

Hallia stieß einen kleinen Schrei aus. »Du kennst diesen ... Grobian?«

Die graue Mähne schwang auf und ab, als Cairpré nickte. »Gut genug, um zu wissen, dass ich einen Degen nicht gern für etwas Gefährlicheres als Brotschneiden gebrauche.« Er steckte die Klinge in die Scheide. »Ich hoffe, ich habe euch nicht erschreckt.«

»Oh nein«, zischte Hallia, ihre Blicke schossen durch den schattigen Unterstand. Zu meinem Kummer wich sie von mir zurück. »Ich hatte nur einen Augenblick die Hinterlist der Menschen vergessen.«

Cairprés Augen, tiefer als Teiche, waren nachdenklich auf sie gerichtet. »Ich sehe, du bist eine Hirschfrau. Von der Sippe Mellwyn-bri-Meath, wenn ich mich nicht irre.«

Sie schnaubte böse, sagte aber nichts.

»Ich bin Cairpré, ein einfacher Barde.« Er neigte leicht den Kopf. »Ich freue mich dich kennen zu lernen. Und mein Herz ist bekümmert, weil ich sehen kann, dass mein Volk Leid über das deine gebracht hat.«

Ihre Hirschaugen wurden schmal. »Mehr, als du dir vorstellen kannst.«

»Es tut mir leid.« Cairpré sah sie einen Augenblick an, dann wandte er sich an mich. »Meine Maskerade war nötig, genau wie diese kleine Szene in der Schänke, als ich fürchtete, du könntest mir so nahe kommen, dass du mich erkennst. Bachod, der alte Kellner, ist …«

»Ein Narr«, erklärte ich.

»Vielleicht.« Er wischte sich einen Regentropfen von der Nase, die scharf war wie ein Adlerschnabel. »Doch er weiß mehr, als er verrät, der gute Alte. Obwohl sein Wissen nicht aus Büchern kommt, ist er eigentlich im Herzen ein Barde, glaube ich. *Auch wenn's ihm an Sprache gebricht, die Weisheit hat Gewicht.*«

Er schaute hinauf zu den schwarzen Klippen. »Er hat mir schon mehr geholfen, als er weiß, indem er mir ein paar alte Geschichten über dieses Land erzählt hat. Aber um keinen Verdacht zu erregen, habe ich meine Identität geheim gehalten. Bachod hält mich deshalb einfach für einen wandernden Barden. Er hat keine Ahnung, wer ich wirklich bin oder was mich hierher führt.«

Der kalte Wind wurde stärker und mit ihm der Regen. Donner hallte zwischen den zerklüfteten Klippen hin und her. Während Hallia und ich uns tiefer in den Unterstand zurückzogen und versuchten den nassen Böen auszuweichen, wollte ich ihren Blick auffangen. Doch sie wich mir aus.

Cairpré hielt schützend die Hand über die Stirn und spähte hinaus zu den dicken Wolken, die sich über dem Tal zusammengezogen hatten. »Ich fürchte, das Unwetter wird schlimmer. Wir sitzen hier vielleicht eine Zeit lang fest.«

Ich konnte immer noch kaum glauben, dass wir wieder zusammen waren, und schüttelte den Kopf. »Was führt dich hierher? Suchst auch du den Galator?«

Sein Gesicht verfinsterte sich. Er wich einem neuen Wasserrinnsal von der Steinplatte über uns aus. »Nein, mein Junge. Nicht den Galator.«

»Was dann?«

»Ich suche die Person, die für die Rückkehr der Kreelixe verantwortlich ist.«

Hallia schrak zusammen, genau wie ich. »Der Kreelixe? Was hast du herausgefunden?«

»Sehr wenig, fürchte ich.« Der Barde schlug den Umhang um sich, setzte sich auf die nassen Steine und winkte uns zu ihm zu kommen. Ich gehorchte, während Hallia etwas entfernt stehen blieb. »Es genügt, wenn ich sage, dass ich kurz nach deinem und Rhias Weggang loszog – um zu erfahren, was ich nur konnte. Kreelixe waren seit langer, langer Zeit verschwunden! Ihre Rückkehr bedroht das Leben – nicht nur deines, mein Junge, obwohl mir das schwer auf der Seele liegt –, sondern das aller magischen Geschöpfe. Und das der ganzen Insel.«

Er zog die buschigen Brauen zusammen. »Hagelschlag und Hexenschuss, es war schwer, Elen zu verlassen! Und ich wusste, dass mein Weg gefährlich sein könnte, fast so gefährlich wie der deine. Trotzdem wollte sie unbedingt mit mir gehen. Wenn sie nicht schon versprochen hätte im Wald auf Rhia zu warten, hätte ich sie nicht davon abhalten können.«

Ich lächelte traurig. »Rhia ist auch nur deshalb nicht bei mir geblieben, weil sie versprochen hatte zurückzukommen.«

»Daran zweifle ich nicht. Ihr beide, Bruder und Schwester, könntet euch gar nicht näher sein. *So eng euer Band wie von Meer und Strand.*«

Hallia bewegte sich im Schatten. Und sie schien ein wenig näher zu kommen, auch wenn ich mir nicht ganz sicher war.

Cairpré ballte die Faust. »Vernichter der Magie! Ich habe viele Stunden lang nachgedacht, wer oder was auch nur einen von ihnen zurückgebracht haben könnte.« Ein zischender Blitz traf den Berg, gefolgt von einem Donnerschlag. »Und ich bin zu dem Schluss gekommen, dass nur einer so gemein und grausam ist, dass er dafür in Frage kommt.«

Bevor er den Namen nennen konnte, sagte ich: »Rhita Gawr.«

Er sah mich finster an. »Ja, Merlin. Die Vergeltung für jeden – und jedes Land –, die er nicht beherrschen kann.«

Er wandte den Kopf mit den tropfenden grauen Haaren Hallia zu. »Deshalb schickte er seinen schrecklichen Fluch auf diesen Ort herab. Und deshalb quälte er dein Volk, bis es seine angestammte Heimat verließ.«

»Aber ... warum?«, flüsterte sie aus dem Schatten. »Das war unser Land. Unser Zuhause.«

Der Dichter wartete, bis der nächste Donnerschlag verhallt war. »Weil er lange Zeit nicht gestört werden wollte – lange genug, um die Kreelixe zu züchten und zu dressieren. Und dein Volk kannte zu viele Geheimnisse dieses Bergs. Ihr hättet Rhita Gawr in die Quere kommen können. Denn um diese Bestien zurückzubringen, war er auf die vulkanische Kraft des Bergs angewiesen. Um *negatus mysterium* in der Lava freizusetzen. So ist es schon immer gewesen. Der Klan der Rechtschaffenen, die Leute, die vor langer Zeit Kreelixe züchteten, hatten aus diesem Grund in Vulkanbergen ihre Verstecke.«

Ein Blitz traf die Klippen, hell zeichneten sich ihre Umrisse ab. Schaudernd erinnerte ich mich an das Abzeichen des Klans der Rechtschaffenen, das Cairpré einmal beschrieben hatte: eine Faust, die einen Blitz zerquetscht. »Du glaubst also«, fragte ich zögernd, »dass Rhita Gawr zurückgekommen ist?«

»Ich weiß es nicht. Vielleicht ist er noch zu sehr in seine Kämpfe mit Dagda verstrickt und verlässt sich stattdessen auf sterbliche Verbündete. Oder«, fügte er ernst hinzu, »er ist näher, als wir wissen.« Die tiefen Augen unter seinen Brauen musterten mich. »Jetzt aber zu dir, mein Junge. Du hast gesagt, du suchst den Galator?«

Ich starrte hinaus in die dunkelnde Nacht, den heulenden Wind, den endlosen Regen. »Weil ich seine Kraft gegen Valdearg einsetzen will, falls mir das gelingt.«

Cairpré nickte bedächtig. »Wie dein Großvater vor langer Zeit. Aber – warum hier? Ist der Galator in den Klippen versteckt?«

»Nein. Aber ein Orakel – das Rad von Wye.«

»Das Rad! Hagelschlag und Hexenschuss, mein Junge! Wenn das Rad von Wye existiert, und ich bin mir da nicht sicher, könnte es genauso gefährlich sein wie der Drache. Warum gehst du ein solches Risiko ein?«

»Ich habe keine Wahl.«

»Man hat immer eine Wahl. Selbst wenn es nicht so aussieht.« Er legte mir die Hand auf die Schulter. »Erzähl mir, wo du gewesen bist, seit wir uns getrennt haben.«

Während der Regen auf den Stein über unseren Köpfen trommelte, erzählte ich nach einem tiefen Atemzug meine Geschichte. Ich berichtete von meiner Wanderung mit Rhia und wie ich knapp dem lebenden Stein entkommen war. Von meiner Begegnung mit Urnalda – und ihrem Verrat. Der Dichter drückte mir fest die Schulter, während ich mein Entsetzen beschrieb, als sie meine Kräfte zerstörte. Und meinen Stock. Ich fuhr fort mit meiner Flucht, mit Eremons wunderbarem Geschenk und unserer Entdeckung der verstümmelten Eier, den grässlichen Resten von Valdeargs Nachkommen.

Dann schilderte ich zur Überraschung von Cairpré und Hallia, wie ich den letzten überlebenden Nestling gefunden hatte – und versuchte sein Leben zu retten. Jene ganze lange Nacht hindurch. Und wie ich ohne Magie in den Händen versagt hatte.

Hallia setzte sich so anmutig wie ein fallendes Blatt neben mich. »Das hast du wirklich getan? Du hast nie davon gesprochen.«

»Ich habe nichts getan, was der Rede wert gewesen wäre.«

»Du hast es versucht.« Ihre Augen leuchteten in dem schwindenden Licht. »Das Leben zu retten, das du nicht retten musstest. So etwas würden die meisten ... Menschen nicht tun.«

»Vielleicht nicht«, sagte Cairpré. »Aber ein Zauberer würde es tun.«

Ich biss mir auf die Lippe. Dann, um das Thema zu wechseln und um meine Geschichte zu beenden, fuhr ich fort. Kurz berichtete ich von dem Angriff des zweiten Kreelix – und Eremons Opfer. Ich erzählte (obwohl mir fast schlecht dabei wurde) von dem schrecklichen Wirbelwind. Und schließlich von unserer Begegnung mit Domnu. Während ich Hallias warmen Atem im Nacken spürte, erklärte ich das Verschwinden des leuchtenden Anhängers und die wenn auch schwache Hoffnung, dass mir das Orakel helfen könnte ihn rechtzeitig zu finden. Als ich fertig war, betrachtete mich der Barde mit der struppigen Mähne einen Augenblick ernst.

Die letzte Andeutung des Zwielichts lag auf den Falten seiner nassen Stirn, als er wieder das Wort nahm. »Hagelschlag und Hexenschuss, mein Junge! Du scheinst dein Teil an Schwierigkeiten anzuziehen.«

Hallia brachte ein schwaches Lächeln zustande. »Das stimmt.«

Ich schlug mir auf den Schenkel. »Ich sollte jetzt sofort

zu den Klippen gehen! Sturm oder nicht! Jede Stunde, die ich hier unterkrieche, ist verloren.«

Hallia wollte etwas sagen, doch ein Donnerschlag schnitt ihr das Wort ab. Schließlich fragte sie: »Du willst es riskieren, mitten in der Nacht eine steile Felswand hinaufzuklettern, die glatt vom Regen ist? Mit Geistern des Bösen in der Nähe? Du bist eher tollkühn als mutig.«

Ich wollte aufstehen. »Aber ich muss …«

»Sie hat Recht, Merlin.« Wieder drückte der Dichter meine Schulter und zwang mich auf meinen Platz zurück. »Bleib. In der Zeit, die wir noch zusammen haben, lass mich dir wenigstens erzählen, was ich über das Rad von Wye weiß.«

Zögernd nickte ich.

Cairpré schaute in das Dunkel hinter der tropfenden Steinplatte und fuhr sich mit der Hand durch die nassen Haare. »Wenn das Rad tatsächlich existiert und du es schaffst, es zu finden, dann stehst du nach der Legende vor einer Wahl. Einer schwierigen Wahl.«

»Das Hindernis«, sagte Hallia. »Das Domnu vorausgesagt hat.«

Ungeduldig rutschte ich auf den Steinen herum und wischte mir ein paar Wassertropfen vom Kinn. »Welche Wahl?«

»Du wirst feststellen, dass das Rad nicht nur eine Stimme hat, sondern mehrere. Eine, nur eine einzige davon, sagt die volle Wahrheit. Alle anderen sind bis zu einem gewissen Grad falsch. Wenn du die richtige Stimme wählst, darfst du eine Frage stellen und die Antwort erfahren. Wenn du aber die falsche wählst – dann wirst du sterben.«

Stöhnend schüttelte ich den Kopf. »Ist das alles?«

»Nein.« Cairpré horchte einen Augenblick auf den Wind, der über die Klippen pfiff. »Die Legende sagt, das Rad von Wye wird einem Sterblichen nur eine Frage beantworten. Wenn du also so weit gekommen bist, stehst du vor einer Wahl, die genauso schwierig ist wie die erste: die Wahl deiner einzigen Frage. Entscheide klug, mein Junge. Denn nachdem das Rad geantwortet hat, wird es dir nie mehr etwas enthüllen.«

Hallia beugte sich dicht an mein Ohr. »Was wirst du fragen, wenn du die Möglichkeit dazu bekommst?«

Einen Moment überlegte ich in der Finsternis. »Die Frage, die ich stellen will – nach deren Antwort ich mich sehne. Die Frage, die mich mehr verfolgt als jene Geister dort oben: Gibt es irgendeine Möglichkeit, dass ich meine Kräfte zurückgewinne? Selbst wenn ich nie fähig bin Tuathas Bahn zu folgen. Selbst wenn ich dazu bestimmt bin, zwischen den Zähnen des Drachen zu sterben. Diese Kräfte waren ... ich selbst.« Ich ließ den Kopf sinken. »Und doch kann ich diese Frage nicht stellen. Denn das Schicksal Fincayras hängt offenbar davon ab, dass ich etwas anderes frage: Wo ist der Galator?«

Ich seufzte. »Die Wahrheit ist also ... ich weiß wirklich nicht, was ich fragen soll.«

Ich fühlte Cairprés Blick mehr, als ich ihn sah. »Such die Antwort in dir, mein Junge. Denn die Wahl ist für jeden Menschen anders. Nimm zum Beispiel deine Schwester, die sich danach sehnt, zu fliegen wie ein Cañonadler. Sie würde zweifellos fragen, wie die Fincayraner vor langer Zeit ihre Flügel verloren – und wie es möglich wäre, sie wiederzubekommen.«

Ich reckte meine steifen Schultern und nickte. »Und du?«

»Ich würde nicht fragen, wo die Kreelixe sich verstecken, denn ich glaube, das kann ich allein herausfinden. Dank dem alten Bachod, der mir hier immer noch einiges zeigen kann – wenn dieses Unwetter je aufhört. Ich bin der Antwort jetzt näher als je zuvor. *Muss nur um die Kurve gehen, um an meinem Ziel zu stehen.* Nein, die Frage, die mich am meisten quält, die ich dem Orakel stellen würde, ist: Wie *bekämpft* man sie.«

Er schaute noch finsterer drein. »In den Texten konnte ich darüber nichts finden. Ich weiß nur, dass die Waffen der Magie, direkt angewandt, versagen. Die alten Magier, die mit den Kreelixen kämpften, müssen etwas anderes entdeckt haben – etwas so Normales, aber Mächtiges wie die Luft. Die Schwierigkeit ist jedoch, dass nichts außer Magie stark genug scheint viele von ihnen zu besiegen. Und mit vielen, fürchte ich, werden wir es zu tun bekommen, bevor das alles vorbei ist.«

Ich horchte auf den Donner, der über den Berg hallte. »Wenn ich nur diese Worte am Ende der Prophezeiung verstehen würde!«

»Doch nicht die Voraussage, dass bei einem Kampf mit Valdearg ihr beide ...«

»Nein, nicht das. *Eine höhere Macht.*«

Cairpré nickte und rieb sich das Kinn. »Damit könnte der Galator gemeint sein. Oder *negatus mysterium*, nehme ich an. Oder ... etwas ganz anderes.«

Sanft fragte ich Hallia: »Sag mir, bevor ich gehe: Was würdest du das Rad fragen?«

Ihre Stimme war so leise, dass ich sie über dem Gewitter kaum verstehen konnte. »Ob ich in dieser Welt oder einer anderen je ... die Freude finden werde, von der Eremon geträumt hat. Wie könnte das möglich sein? Ohne dass seine Hufe neben meinen laufen?«

Sein Name brachte mich plötzlich auf eine Idee. »Es wäre für mich viel einfacher, auf diese Klippen zu klettern«, sagte ich langsam, »wenn ich vier Beine statt zwei hätte.«

Sie richtete sich auf. »Das stimmt.« Eine nasse Böe fegte über uns. »Und es wäre noch einfacher, wenn du jemand dabeihättest – jemand, der die Pfade kennt.«

»Nein, Hallia.«

»Und warum nicht?« Trotz ihrer tapferen Worte zitterte ihre Stimme. »Würdest du lieber ohne mich gehen?«

»Ich wüsste lieber, dass du in Sicherheit bist.«

»Merlin. Ich komme mit.«

»Aber du – «

»Ich bin die einzige Hoffnung, die du hast! Hör zu. Auf diesem Berg gibt es viele Pfade, viele Höhlen. Aber nur einer, nur eine sind die richtigen.«

Ich wusste, dass sie die Wahrheit sagte, und konnte nur nicken. Langsam kamen wir alle auf die Füße. Still wie die Steine standen wir da.

Dann fasste Cairpré unsere Hände. Rau flüsterte er: »Möge Dagda auf eurer Seite sein. Und auch auf der Fincayras.«

XXIV
DER AUFSTIEG

Wer in dieser Nacht durch die Regenströme
sehen konnte, hätte vielleicht zwei Gestalten
wahrgenommen, die aus der zerfallenen Hütte
liefen – zuerst auf zwei Beinen, dann auf vier. Am Anfang spürte ich nur meine Nässe und das Gewicht meiner
triefenden Tunika und der durchweichten Stiefel. Schon
nach Sekunden fiel das Gewicht ab. Ich fühlte mich wärmer und trockener, als ich den ganzen Tag gewesen war.
Die schlaffe Tunika löste sich auf und verwandelte sich in
dichtes, raues Fell. Die Stiefel verschwanden und machten robusten Hufen Platz. Mein Rücken verlängerte sich,
ebenso mein Hals. Das Trommeln des Regens mischte sich
mit dem stampfenden Rhythmus unserer Sprünge.

Als wir über das nasse Feld jagten, sah ich vor uns zwei
Schafe. Ich lief nicht um sie herum, wie ich es nur einen
Moment zuvor getan hätte, sondern sprang und flog so
leicht wie eine schwebende Wolke über sie hinweg.

Denn ich konnte wieder laufen wie ein Hirsch.

Hallia und ich stürmten die Talstraße entlang, platschten durch Pfützen und setzten über Bäche, die strömten
wie Flüsse. Oh, diese neue Kraft in meinen Schultern und
Hüften! Die neue Leichtigkeit meines Körpers! Im Laufen
kam es mir vor, als würde der heftige Regen sich teilen
und um mich herumfallen statt an mir hinunterzuflie-
ßen. In meiner Nase prickelten die Düfte von Seewasser,

Möwennestern und Klippenflechten. Das Beste war, dass ich wieder richtig hören konnte – nicht mit den Ohren, sondern mit den Knochen.

Allmählich verengte sich die Straße, bis sie nur noch eine gewundene Rinne war. Felsen kauerten zu beiden Seiten wie geduckte Gestalten; Wasser rann über unsere Hufe. Hallia, die sicherer lief als ich, übernahm die Führung. Ihre Ohren bewegten sich ständig, waren immer wachsam. Zusammen suchten wir unseren Weg den steiler werdenden Hang hinauf.

Der Wind heulte ununterbrochen, während der Regen gegen meine Ohren, meine Nase peitschte. Wir sprangen über manche Steine, umgingen andere und kletterten immer höher in dem wütenden Unwetter. Jetzt, wo ich nicht mehr rannte, stürzte das Wasser über mich, es schoss mir die Ohren, den Rücken und die nach hinten gewinkelten Beine hinunter. Ich fühlte mich wie unter einem Wasserfall. Mein kurzer fester Schwanz bewegte sich ständig und verlagerte dadurch so mein Gewicht, dass ich auf den glatten Steinen das Gleichgewicht halten konnte.

Trotz der Finsternis konnte ich besser sehen, als ich erwartet hatte. Ich nahm die Kanten der Felsvorsprünge wahr und die schwachen Schatten dort, wo vielleicht Höhlen waren. Dennoch war ich für die häufigen Blitze dankbar, während wir langsam bergan stiegen. Jähe Windstöße bliesen mich fast um. Mehrmals brachen Steine unter meinen Hufen plötzlich los und rutschten in die Tiefe. Nur die schnelle Reaktion und die kräftigen Beine meiner Hirschgestalt bewahrten mich vor Stürzen.

Die ganze Zeit wurde ich das Gefühl nicht los, dass wir an diesem sturmgepeitschten Abhang nicht allein waren.

Jemand, davon war ich überzeugt, beobachtete uns, vielleicht aus diesen Höhlen heraus.

Hallia, die direkt über mir kletterte, sprang von einer langen, schmalen Steinplatte auf ein flaches Felsgesims. Unerwartet brach die Platte ab. Sie schlug gegen den felsigen Hang und rutschte direkt auf meine Hinterbeine zu. Mir blieb keine Zeit für etwas anderes als einen Sprung. Die Platte streifte mich noch, aber ich landete neben Hallia auf festerem Boden.

Sie stieß mich mit der schwarzen Nase an die Schulter. »Du wirst jede Minute mehr Hirsch.«

Ich fühlte mich, als wäre mir ein neuer Spross an meinem Geweih gewachsen. »Ich habe dich beobachtet, das ist alles.«

Wieder grollten Donnerschläge um die Klippen.

Hallia machte sich steif und stellte die Ohren. »Sie sind hier. Ganz nahe. Spürst du sie?« Bevor ich noch nicken konnte, sprang sie davon, ihre Hufe klapperten auf den Steinen.

In immer steilerem Gelände kletterten wir höher. Der Wind blies kälter, er scheuerte an unserem Fell, während der Regen in stechende Graupel überging. Bald tauchte Eis unter Gesimsen und an Spalten auf und machte jeden Schritt unsicher. Langsam kämpften wir uns hinauf – ein Huf nach dem anderen, ein Stein nach dem anderen.

Hallia wandte sich nach rechts und folgte einem kaum sichtbaren Pfad. Ich spürte ihn mehr, als ich ihn sah, meine Hufe traten in schwache Vertiefungen, die viele Hufe zuvor geprägt hatten. Inzwischen war die Temperatur noch weiter gefallen. Sogar während wir uns bergauf arbeiteten und vor Anstrengung schwitzten, ließ uns die frostige Luft schaudern.

Wir erreichten gerade einen hohen Steinhaufen, schief wie ein sterbender Baum, da klatschten die ersten Hagelkörner auf den Hang. Und auf unsere Rücken. Innerhalb von Sekunden war die Luft voll von Schloßen, größer als Eicheln. Wie Hunderte von Hämmern prasselten die Geschosse auf uns herunter. Ich schrie auf, als eins meine Nasenspitze traf. Hallia drückte sich an mich, während wir uns neben den Steinhaufen duckten.

Plötzlich gab der ganze Haufen nach. Steine stürzten den Hang hinunter und rissen uns fast mit in die Tiefe. Während der Hagel auf uns eintrommelte, sprangen wir höher. Der Wind brüllte – und mit ihm noch etwas anderes, das klang wie hohes, kreischendes Gelächter.

Eine Höhle öffnete sich vor uns, dunkel hob sie sich vom weiß überpuderten Hang ab. Instinktiv liefen wir darauf zu – da tauchten mehrere Augenpaare auf, glühend wie Fackeln. Noch mehr Gelächter! Wir stoben davon, direkt in den Wind, unsere Hufe rutschten auf den eisigen Steinen. Donner hallte und übertönte nur kurz das heisere Gelächter.

Hagel! Er prügelte uns, biss in unser Fell. Meine Schultern schmerzten von der Kälte; meine Ohren hörten nur dieses grässliche Geräusch.

Direkt vor mir schwankte Hallia plötzlich auf der Kante einer tiefen Spalte, die wie eine Wunde durch den Hang schnitt und uns den Aufstieg versperrte. Hallia stand am Rand und schaute aus großen furchtsamen Augen zu mir zurück. Ich verstand sofort, dass sie diese Spalte nicht erwartet hatte – und nicht wusste, wo sie hinübersollte.

Nebeneinander versuchten wir am Rand weiterzukommen. Doch die Spalte wurde immer breiter. Nur wenn Blitze die Nacht erhellten, konnten wir die gegenüberliegende Seite erkennen. Dann ... ja! Sie verschwand am Fuß eines steilen Felsvorsprungs. Mit angespannten Muskeln kletterten wir hinauf. Bei jedem eisigen Atemzug stießen wir weiße Wolken aus. Endlich erreichten wir den Gipfel – und schauten in dieselbe Spalte hinunter wie zuvor.

Mühsam gingen wir denselben Weg zurück, wobei wir uns anstrengen mussten an der windgepeitschten Felswand das Gleichgewicht zu halten. Winzige Eiszapfen bildeten sich an meinen Wimpern und trübten mir die Sicht. Meine Lungen schmerzten, weil die Temperatur weiter sank. Schnee mischte sich in den Hagel und überzog die schlüpfrigen Felsen.

Am Fuß des Vorsprungs setzte Hallia über eine verkrustete Felsplatte. Beim Landen rutschten ihre Hufe im Schnee aus. Hilflos fiel sie den Hang hinunter und rollte über die Steine. Direkt am Rande der Spalte schaffte sie es, die Hufe festzustemmen und den Sturz aufzuhalten. Beim nächsten Blitz sah ich sie davonspringen, eine Blutspur zog sich über ihren Schenkel.

Gleich darauf war ich an ihrer Seite. »Bist du verletzt?«

»N-nicht schlimm«, antwortete sie, während ein heftiger Schauder durch ihren Körper lief. »Aber ich habe mich verirrt, Merlin! Diese Spalte ... ich kann mich nicht daran erinnern. Und wir müssen bald eine Stelle finden, wo wir sie überqueren können – oder wir müssen wieder hinunter.«

»Das kommt nicht in Frage!«

»Dann werden wir sterben«, schrie sie über den heulenden Wind. »Es gibt keine Möglichkeit ...«

Ein weiterer Donnerschlag ließ sie verstummen. Wieder ertönte Gelächter und durchbohrte uns wie Pfeile von Jägern. Die Haut unter meinem Auge begann zu schmerzen – ob die stechenden Hagelkörner schuld daran waren oder Rhita Gawrs Gegenwart, wusste ich nicht.

Der Hagel ließ nach, aber jetzt fiel nasser, dichter Schnee. Felsen und die Ritzen dazwischen verschwanden schnell unter der weißen Decke. In kurzer Zeit würde der ganze Hang darunter begraben sein und damit jede Hoffnung, die Höhle des Orakels zu finden.

Plötzlich erleuchtete ein strahlender Blitz den Berg – und zeigte eine kühne, breite Gestalt neben der Spalte. Hallia und ich hielten den Atem an. Obwohl es schwierig war, durch den wirbelnden Schnee etwas zu erkennen, kam uns das Geschöpf sehr bekannt vor. Fast wie ... ein Hirsch! Doch ich war mir nicht sicher. War das ein Geweih auf seinem Kopf oder waren es Hörner, oder noch etwas anderes? Bevor der Blitz erlosch, drehte sich die Gestalt um und lief davon, den Rand der Spalte entlang.

»Eremon!«, schrie Hallia und setzte ihm nach.

»Warte!«, rief ich. »Es könnte eine Täuschung sein!«

Aber das Damtier beachtete mich nicht. Es sprang davon und preschte durch die höher werdenden Schneeverwehungen. Ich lief hinterher, folgte seiner Spur und hoffte nur, dass wir nicht dem Tod hinterherjagten.

Wir rasten die Kante entlang. Manchmal kamen wir ihr so nahe, dass ich die Steine, die unsere Hufe losgetreten hatten, in die Tiefe rasseln hörte. Die Spalte zeigte selbst im Blitz nur Schatten – und keine Stelle, wo sie schmal genug zum Überqueren war. Je tiefer der Schnee wurde, umso mehr wuchsen meine Ängste. Wenn die hinterlistigen Geister uns in eine Falle locken wollten, in der wir hoffnungslos strandeten, dann war das die beste Möglichkeit.

Plötzlich blieb Hallia stehen. Meine Hufe rutschten und ich wäre beinah von hinten auf sie geprallt. Keuchend standen wir auf einer Felsplatte, die in die Spalte hineinragte. Nur Finsternis gähnte vor uns. Das Geschöpf – was es auch gewesen sein mochte – war fort.

»Wo«, schnaufte ich, »ist es hin?«

»Eremon. Er war es bestimmt. Er ist von hier aus gesprungen. Und ... verschwunden.«

Ich schüttelte mir den Schnee vom Geweih und beugte mich über den dunklen Abgrund. »Es ist eine Täuschung, glaub mir. Wir können da nicht hineinspringen.«

Ihre runden Augen wichen mir nicht aus. »Dort drüben ist bestimmt ein Gesims. Deshalb ist er gesprungen! Komm – es ist unsere einzige Chance.«

»Nein!« Ich stampfte mit dem Huf. »Es ist Tollheit!«

Ohne auf mich zu achten duckte sie sich, schauderte einmal – und sprang. Ihre Beine schnellten auf, ihr langer Hals streckte sich vor. Schnee stob mir ins Gesicht, als sie in der Nacht verschwand. Ich hörte einen Aufprall – dann nichts mehr.

»Hallia!«

»Du bist an der Reihe«, rief sie endlich, ihre Stimme war fast vom Sturm erstickt. »Komm, Merlin!«

Ich duckte mich, das Herz hämmerte mir gegen die Rippen. Ich versuchte nicht hinunterzuschauen, aber ich konnte nicht widerstehen. Die Schatten in der Spalte schienen nach mir zu greifen, mich zu packen. »Ich – ich kann nicht. Es ist zu weit.«

»Du kannst! Du bist ein Hirsch.«

Ein Zittern überlief meine Flanke. »Aber ich kann die andere Seite nicht sehen …«

Ein neuer Schneeschwall traf mich und warf mich fast in die Tiefe. Unter meinen Hufen bebte die Platte, als würde sie jeden Augenblick hinunterfallen. Ohne zu überlegen stieß ich mich mit aller Kraft ab. Ich flog durch die Luft, nur vom wirbelnden Schnee getragen, und landete mit einem Plumps auf einem Gesims neben Hallia.

Ihre Schulter rieb an meiner. »Du bist geflogen! Wirklich geflogen! Wie der junge Falke deines Namens.«

Wieder erleuchtete ein Blitz den Himmel, ich schaute zu den Klippen hinauf. Zum ersten Mal, seit das Unwetter begonnen hatte, konnte ich ihre Umrisse sehen, die aufragten wie riesige Eiszapfen. »Glaubst du wirklich, dass es Eremon war? Oder vielleicht Dagda in Gestalt eines Hirschs?«

Sie stellte die Ohren, eins nach vorn, eins nach hinten. »Hoffen wir, dass es Eremon war. Denn wenn Dagda hier ist, dann ist Rhita Gawr nicht weit.« Ihr Atem war wie eine Reifwolke. »Außerdem habe ich ihn ganz in der Nähe gespürt, näher, als ich sagen kann.«

Mit dem Kopf an ihrem flüsterte ich: »Dann muss er es gewesen sein.«

Wieder ein Blitz. Ich drehte mich zu den Klippen um, die im Licht leuchteten. Sie waren ganz in Weiß gehüllt bis auf die dunklen Flecken der Höhlen. »Der Sturm lässt anscheinend nach.«

»Du kannst Recht haben.« Sie spähte durch den sich lichtenden Schneeschleier zu den Hängen über uns. »Komm! Ich glaube, jetzt weiß ich, wo wir sind.«

Sie sprang davon und folgte schwachen Abdrücken im Schnee. Wir suchten unseren Weg durch die Wehen, traten Eisklumpen mit den Hufen weg und arbeiteten uns höher in die Klippen hinauf. Von irgendwo über uns hörte ich den schwachen Ruf von Dreizehenmöwen. Ich glaubte einen der Vögel sehen zu können, wie er aus den Wolken direkt über uns herabstieß.

In diesem Moment drehte sich der Wind. Als er über uns wehte, brachte er einen neuen Geruch mit sich. Rauch – Schwefelrauch. Und auch ein neues Geräusch, unheimlich und trillernd. Halb Seufzen, halb Geheul. Ein Schauder durchlief meinen langen Körper. Noch mehr Geister!

Hallia stand so starr wie die Felsen. Ihre Ohren stellten sich auf, dann drehten sie sich leicht. »Dieses Geräusch – ist ganz anders als dieses schaurige Gelächter.«

»Es könnten immer noch … sie sein.«

»Oder das Orakel.«

Plötzlich stürmte sie höher den Hang hinauf. Schnell, so schnell, dass ich kaum mithalten konnte. Eissplitter brachen unter unseren Hufen, Schnee stäubte hinter uns. Unermüdlich liefen wir bergan. Die ganze Zeit kam uns das quälende Geräusch entgegen, mal lauter, mal leiser.

Eine Nebelwelle, die nach Schwefel roch, wehte den Berg herunter. Wie eine Phantomlawine überrollte sie uns und hüllte uns völlig ein. Obwohl ich weiterstieg, konnte ich Hallia nicht mehr sehen. Sie war verschwunden – genau wie das unheimliche Heulen. Ich wollte sie rufen, da stieß ich plötzlich gegen ihre Flanke.

Sie machte eine scharfe Wende. »Wir müssen vorbeigelaufen sein.«

Schnell führte sie uns wieder den Hang hinunter und hielt nur an, um die Luft zu schnuppern oder die Ohren in die eine oder andere Richtung zu drehen. Allmählich wurde das Geräusch lauter, wir kamen näher. Plötzlich blieb Hallia stehen. Der Nebel vor uns teilte sich und enthüllte einen schwachen Schein zwischen den weißen Felsen.

Eine Höhle! Im Gegensatz zu anderen, die wir gesehen hatten, schien sie von innen erleuchtet zu sein. Oder war das nur eine Illusion? Noch mehr peinigte mich jedoch das ständige Heulen, das aus ihrem Inneren drang. Lange standen wir da und horchten. Schaudernd erkannte ich: Es gab keinen Zweifel. Das Geräusch kam weder vom Wind noch von rutschenden Steinen – sondern von Stimmen. Gequälten, gemarterten Stimmen.

XXV
EINE STIMME VON VIELEN

Gemeinsam stemmten wir die Hufe auf die eisbedeckten Steine am Eingang der Höhle. Tief drinnen seufzten Stimmen und riefen, klagten und flehten. Obwohl ich keine Worte unterscheiden konnte, war der schmerzliche, wehmütige Ton nicht zu überhören. Hallia und ich tauschten ängstliche Blicke. War das tatsächlich der Weg zum Rad von Wye? Oder eine Falle, die uns die Berggeister stellten? Und gab es eine andere Möglichkeit, das festzustellen – als hineinzugehen?

In Hallias Augen las ich, dass sie zum gleichen Schluss gekommen war wie ich. Gemeinsam traten wir in die Höhle. Auf unseren wortlosen Befehl nahmen unsere Körper andere Gestalt an. Wo noch vor einem Augenblick zwei Hirsche gewesen waren, standen jetzt eine barfüßige junge Frau und ein junger Mann in Stiefeln. Mein Seufzer mischte sich unter das Stöhnen der Stimmen, denn ich fühlte mich plötzlich zu aufrecht, zu steif, zu sehr wie Holz und nicht genug wie Wind.

Wortlos gingen wir tiefer in die Höhle und duckten uns unter eine Reihe Eiszapfen, die wie Gitterstäbe über dem Eingang hingen. Die Höhle führte nicht in die Tiefe, sondern direkt in die Klippenwand hinein. Die Luft war schwer und feucht, als würden wir in einer Wolke gehen, einer rauchigen Schwefelwolke. Zugleich war es wärmer, als ich erwartet hatte, und das erinnerte uns daran, dass die Lava, die vor so langer Zeit diese Felsen geformt hatte, immer noch unter der Oberfläche floss.

Während wir tiefer in den Berg hineingingen, wurde das flackernde Licht, das uns entgegenschien, stärker. Woher es wohl kam? Zweifellos würden wir es bald erfahren. Viele Tausende schwarzer Kristalle bedeckten Boden, Wände und Decke. Sie drangen sogar durch meine Stiefel und stachen mir in die Füße. Ich bewunderte Hallias Leichtfüßigkeit; so anmutig wie ein Damtier auf einem Moosteppich ging sie darüber und schmiegte sanft die Zehen an die Facetten.

Bei jedem Schritt leuchteten die schwarzen Kristalle heller. Ihre Flächen funkelten wie lauter Augen – die uns anstarrten und einander zublinzelten, während wir vorbeigingen. Selbst ohne meine Magie spürte ich, dass diese Kristalle einen seltsamen eigenen Zauber besaßen.

Höhlen hatte ich schon immer geliebt. Vor allem Kristallhöhlen mit ihren stillen Tiefen, ihren geheimnisvollen Schatten, ihren leuchtenden Facetten. Als wir weiter in die Tiefe vordrangen, schufen die schwarzen Kristalle immer verschlungenere Muster. Kreise, Wellen, Spiralen – und willkürlichere Formen. Die meisten waren schwarz, doch einige glänzten gelb, rosa und violett. Über unseren Köpfen hing eine Reihe Stalaktiten, lavendelfarben und so uralt! Sie schwebten da wie die Bärte der vergangenen Zeit.

Ich blieb stehen, um sie näher zu betrachten – und fuhr zusammen. Da klammerte sich an den Fuß eines Stalaktiten ein dunkles, knochiges Geschöpf. Obwohl ich gleich wusste, dass es nur eine Fledermaus war, glich es zu sehr einem anderen Wesen, dem ich nie wieder begegnen wollte.

Mit dem Licht in der Höhle wurden auch die Stimmen stärker. Und zugleich steigerte sich ihre Qual. Ob sie stöhnten, flehten oder schmeichelten, aus allen klang heftiger Schmerz. Aber ... ich konnte keines ihrer Worte unterscheiden. Nur ihre Gefühle. Wenn sie tatsächlich die vielen Stimmen des Rads von Wye waren, dann verkrampfte sich mein Magen bei der Vorstellung, eine – und nur eine Einzige – von ihnen allen auszuwählen.

Das silbrige Licht flackerte über Hallias Gesicht. »Kannst du sie verstehen?«

Ich schüttelte den Kopf. »Überhaupt nicht. Nur ... den Schmerz.« Ein spröder Kristall brach unter meinem Absatz. »Wie werde ich wissen, welche ich wählen soll?«

Sie ging langsamer und berührte einen gebogenen Kristallarm, der aus der Wand ragte. »Erinnerst du dich, was Eremon sagte, bevor er ... uns verließ?«

»Ja«, antwortete ich düster. »*Finde den Galator.*«

»Nein, nein. Danach. Er sagte: *Du hast mehr Kraft, als du weißt.*«

Mutlos schob ich meinen Stiefel über einen Buckel funkelnder Kristalle. »Er meinte sein Geschenk an mich – die Hirschkraft.«

Sie runzelte die Stirn. »Er meinte mehr als das, Merlin. Du hast – nun, eine bestimmte Art Magie. Und Kraft. Ja, sogar jetzt.«

Ich sah sie skeptisch an. »Welche Art Magie?«

Sie überlegte ein paar Sekunden lang. »Ich weiß nicht genau, wie ich sie nennen soll. Aber wie sie auch heißt, sie reichte aus, ihn zu seinem Geschenk anzuregen. Und in dir den Wunsch zu wecken, diesem neugeborenen Drachen zu helfen, selbst wenn du ihn nicht retten konntest.

Und sie könnte auch ausreichen dir zu helfen beim Orakel das Richtige zu tun.«

Langsam atmete ich aus. »Ich möchte dir glauben. Wirklich.«

Schritt um Schritt drangen wir tiefer in die Höhle hinein. Allmählich bog der Gang nach links, dann wurde er weiter und höher. Als wir um die Biegung waren, wölbte sich die Decke plötzlich hoch über unseren Köpfen. Glitzernde Steinwände bogen sich ihr entgegen. Das Licht in diesem riesigen Raum leuchtete sehr hell und spiegelte sich in den Kristallen. Seinen Ursprung konnte ich immer noch nicht entdecken.

Plötzlich verstand ich. Die Kristalle selbst waren es! Sie funkelten und strahlten mit eigenem silbrigen Licht.

Direkt gegenüber von uns hing ein großes glänzendes Rad, es bedeckte fast die ganze Wand. Langsam, sehr langsam drehte es sich und sein ständiges Knarren mischte sich in den Chor der Stimmen, die jetzt in unsere Ohren schrien. Die Stimmen waren immer noch unverständlich, doch sie kamen deutlich aus nächster Nähe. Woher, konnte ich nicht feststellen. Wie wenn Frösche nachts an einem verborgenen Teich quaken, schwebten die Stimmen um uns herum, schwollen an und erstarben ohne je ihre Herkunft zu enthüllen.

Überrascht standen wir da und betrachteten das Rad, das sich endlos um seine Achse drehte. Es schien aus irgendeinem Holz gemacht, obwohl es dunkler war als jedes Holz, das ich je gesehen hatte. Jede der fünf breiten Speichen und der Rand zeigten zahllose Facetten, als hätte die gleiche Hand sie geformt wie die Kristalle rundum.

Fünf Speichen in einem Kreis ... genau wie der fünf-zackige Stern im Kreis, der in meinen Stock geschnitzt war. Mein verlorener Stock! Wie deutlich erinnerte ich mich an jene Nacht vor langer Zeit, als Gwri mit den goldenen Haaren aus dem sternenbedeckten Himmel herabgestiegen war, um mich auf einem windgepeitschten Bergrücken zu treffen. Das Symbol, hatte sie gesagt, würde mich daran erinnern, dass alle Dinge irgendwie miteinander verbunden sind. Dass alle Worte, alle Lieder Teil dessen sind, was sie *das große und herrliche Lied der Sterne* nannte.

Ich schüttelte den Kopf. Dieses Gebilde erinnerte mich jetzt an alles, was ich verloren hatte. Meinen Stock. Meine Kräfte. Mein Wesentliches.

In diesem Moment bemerkte ich drei oder vier dunkle Flecken auf dem Boden des Raums. An diesen Stellen funkelten keine Kristalle, strahlte kein Licht. Neugierig ging ich näher. Plötzlich war mir, als gefriere mir das Blut in den Adern. Knochen! Durch mächtige Gewalt zersplittert und verkohlt. Aus ihrer Größe und Form schloss ich, dass es die Reste eines Mannes oder einer Frau waren – jemand, der zweifellos die falsche Orakelstimme gewählt hatte.

Als ich mich nach einem Schädelstück bückte, fasste mich Hallia am Arm. »Die Speichen!«, rief sie über die widerhallenden Stimmen. »Sie verändern sich.«

Ich hielt den Atem an und ließ den Schädel fallen. Die Facetten in der Mitte jeder der fünf Speichen veränderten sich tatsächlich. Langsam dehnten sie sich, wurden länger und breiter und zogen sich zu seltsamen Formen zusammen. Einige wölbten sich zu knolligen Klumpen, andere bogen sich nach innen und bildeten Schlitze oder Grübchen. Die mittleren Teile der Speichen blähten sich, während sich die anderen Formen vereinigten und zu größeren Gebilden entwickelten. Gebilde mit Mustern. Gebilde mit …

Gesichtern. Hallia und ich sahen einander an. Denn mitten in jeder Speiche war ein Gesicht erschienen, so verzerrt wie knorriges Holz. Während das Rad sich weiterdrehte, wurden die Gesichter deutlicher. Eins nach dem anderen öffnete die trüben gelben Augen, dehnte die Lippen und wandte den Blick uns zu. Als sich die Münder zum ersten Mal öffneten, kam aus jedem eine der körperlosen Stimmen im Raum. Zugleich redeten die Stimmen in der Sprache Fincayras.

»Befreie mich!«, kam es stöhnend aus einem breiten, eckigen Gesicht, das gerade im Rad hinaufgestiegen war. »Befreie mich und die Wahrheit wird dein sein.« Während das Rad sich langsam drehte, verzerrte sich das Gesicht und wurde noch breiter als zuvor. Es stieß einen tiefen, langen Seufzer aus. »Befreie mich! Hast du überhaupt kein Erbarmen? Befreiiie miiich.«

»Achte nicht auf diese – so eine Schande, so eine Schande – Stimme«, schnauzte ein zweites zuckendes Gesicht an einer tieferen Speiche. »Sie führt dich – wie schade, wie schade – in die Irre. Die richtige Stimme – so eine Schande – ist nicht seine, sondern meine!«

»Befreie mich, bitte. Befreie mich!«

»Oh, sei doch – welch ein Verbrechen – still.«

Die spitze Nase eines dritten Gesichts stach nach uns. Aus dem zusammengekniffenen Mund kam ein wütendes Zischen. »Hör nicht auf diessse Ssstimmen! Hör auf mich, damit du überlebssst.«

Hallia wollte mir etwas zuflüstern, da wurde sie von einer vierten Stimme unterbrochen. »Wehe dir, der leben will; wehe mir, der geben will.« Aus einem schiefen Gesicht mit tief liegenden Augen heulte die Stimme: »Wähle das Richtige und das bin ich. Wähle das Falsche, und Tod für dich.«

»Ssso ein Unsssinn!«

»Befreie mich, ich bitte dich …«

»Hört auf, biiitte«, kreischte eine fünfte Stimme, die klang, als kläffte ein Hund mit einem gebrochenen Bein. »Ich bin die einzigeee Stimme der Wahrheit! Du musst miiir glauben.«

Unsicher machte ich einen Schritt auf das drehende Rad zu. Ich schaute durch den Kristallraum, von den Gesichtern zu Hallias besorgten Augen und auf den Knochenhaufen zu meinen Füßen. Dann holte ich langsam Atem und sagte zu allen fünf Stimmen zugleich: »Ich bin hierher gekommen, um die Wahrheit zu finden.«

»Biiitte wähle miiich.«

»Wähle mich! Befreie mich!«

»Ssstille! Du mussst mich wählen oder du wirssst ssstterben!«

»Einer von fünfen schenkt dir das Leben; die anderen können nur Missklänge geben.«

»Du musst – so eine Zwangslage, so eine Zwangslage – mich wählen!«

Während die fünf lärmten, wurde das silbrige Licht der Kristalle ständig heller. Ich hob die Stimme über das Geschrei und sprach wieder das ganze Rad an. »Sagt mir, jeder von euch, warum ich euch wählen sollte.«

Ein paar Sekunden lang schwiegen die Gesichter auf

den Speichen. Nur das Knarren des drehenden Rads hallte im Raum. Doch das Licht der Kristalle wurde immer noch heller, bis die Wände fast zu sehr blendeten. Ich spürte, dass ich bald meine Wahl treffen musste, sonst würde die wachsende Kraft der Kristalle irgendwie explodieren – wie ein Blitzschlag – und aus mir einen weiteren Knochenhaufen machen. Ich winkte Hallia, damit sie sich in den Gang zurückzog, wo sie vielleicht sicherer war, doch sie blieb standhaft an ihrem Platz und blinzelte ins Licht.

»Befreie mich!«, rief eine Stimme in die Stille. »Befreie mich und ich werde dich immer lieben. Denn ich und nur ich bin die Wahrheit des Herzens.«

»Wähle mich!«, flehte eine andere. »Ich kann dir ssso viel mehr geben! Allen Wohlssstand, den du dir wünschssst, alle Macht, die du verdienssst. Denn ich bin die ssstärkste Wahrheit von allen, ja! Die Wahrheit der Hand.«

»Wähle mich – welche Freude, welche Freude!« Die Stimme brach in Gelächter aus, dann jammerte sie plötzlich unglücklich. »Ich bin – solches Leid, solches Leid – die Wahrheit der Seele. Alles, was ich weiß, ob fröhlich oder traurig, wohltuend oder schmerzlich, kann dir gehören, nur dir.«

»Biiitte«, bat die nächste Stimme. »Iiich kann dir Wunder und Geheimnisse bescheren! Denn iiich werde immer die Wahrheit des Unbekannten sein.«

Die letzte Stimme, nur ein Flüstern, bot lediglich an: »Wahrheit des Geistes bin ich. Weisheit und Frieden bringe ich.«

Inzwischen war das Licht so gleißend, dass ich noch nicht einmal mehr auf die rotierenden Gesicher sehen konnte, von den Kristallwänden ganz zu schweigen. Die Kristalle hatte angefangen zu summen, als könnten sie kaum ihre schwellende Kraft zurückhalten. Innerhalb von Sekunden hatte der ganze Raum angefangen zu vibrieren. Ich wusste, meine Zeit war fast um.

Ich zwang mich zum Nachdenken. Die Stimmen sprachen für verschiedene Wahrheiten – jede wichtig, jede kostbar. Wie die verschiedenen Teile vom Kreis der Geschichte, die Hallia, Eremon und ich gemeinsam erzählt hatten, als wir uns zum ersten Mal begegnet waren …

Wahrheit des Herzens, der Seele, der Hand, des Geistes, des Unbekannten. Wie konnte ich nur eine wählen? Was war die Wahrheit des Geistes ohne die Wahrheit des Herzens? Und die des Herzens ohne die der Seele?

Meine Gedanken rasten, während die Stimmen, die Wände, das Rad auf mich einbrüllten. Der Boden bebte unter meinen Füßen. Was hatte Cairpré mir gesagt? *Eine, nur eine einzige davon, sagt die volle Wahrheit.*

Aber welche?

Herz … Hand … Unbekanntes … Seele … Geist … was sollte ich wählen? Die Wände bogen sich und schwankten. Ich konnte kaum das Gleichgewicht halten. Die Kristalle leuchteten wie Sterne.

Sterne! Wieder hallten die Worte durch mein Gedächtnis: *Das große und herrliche Lied der Sterne.* Alle Worte, hatte Gwri gesagt, spielten eine Rolle in dem Lied. Alle Worte, alle Stimmen … Könnte das die Antwort sein? Vielleicht war die Stimme der Wahrheit doch *nicht* eine der Stimmen, die ich hörte! Vielleicht war das eine ganz andere Stimme – die einzige Stimme, die als *Stimme der vollen Wahrheit* bezeichnet werden konnte.

»Alle Stimmen!«, rief ich, hob die Hände zu dem rotierenden Rad und schrie noch einmal aus Leibeskräften: »Alle Stimmen sind wahr!«

Sofort hörten Wände und Boden auf zu beben. Das Licht der Kristalle verblasste; das Summen hörte auf. Das Rad von Wye jedoch drehte sich schneller als je zuvor. Bald wurde es ein verschwommener Fleck, dann ein Schatten. Zugleich wurden die lärmenden Stimmen immer undeutlicher. Je schneller das Rad sich drehte, umso mehr verschmolzen sie. Als das Rad schließlich fast unsichtbar war, hatten sich die Stimmen zu einem einzigen vollen Ton vereinigt. Dann sprach das Orakel – mit einer Stimme, in der alle aufgegangen waren.

»Fraaaage, waaas duuu wiiillst.«

Hallia trat neben mich. »Du hast es geschafft, Merlin! Aber denk daran: Du hast nur eine Frage.«

Ich schob mir ein paar widerspenstige Haare aus der Stirn. »Ich weiß, ich weiß.«

Aber welche sollte ich stellen? Eigentlich war ich hierher gekommen, um den Galator zu suchen. Und doch wollte ich von ganzem Herzen meine eigenen Kräfte wiederfinden. Mit ihnen hätte ich wenigstens eine Chance gegen Valdearg. Vielleicht würde ich den magischen Anhänger dann gar nicht brauchen.

Ich biss mir auf die Lippe. Tuatha war damals vor langer Zeit mit seinen eigenen Kräften und mit dem Galator ausgerüstet gewesen, als er dem Drachen gegenübertrat. Das Problem war – was brauchte er am meisten? Oder vielleicht … was brauchte Fincayra am meisten?

»Fraaaage jeeetzt.«

Ich bewegte die Zunge im Mund und wandte mich wieder dem wirbelnden Rad von Wye zu. Diese Wahl marterte mich noch mehr als die erste. Wie konnte ich ohne den Anhänger siegen? Aber wie konnte ich ohne meine Kräfte ich selbst sein?

»*Fraaage jeeetzt.*«

»Großes Rad«, fing ich an, meine Kehle war plötzlich trocken. »Ich suche die Kräfte … des Galators. Wo kann ich sie finden?«

»*Diiiese Kräääfte siiind seeehr naaah.*« Das Rad drehte sich noch schneller. »*Du fiiindest siiie iiin …*«

Etwas schoss schnell wie ein Blitz aus dem Gang hinter uns und traf die Achse des Rads. Scharlachrotes Licht füllte die Höhle, vielleicht auch nur meinen Kopf. Während die Achse zersplitterte, erschütterte ein ohrenbetäubender Knall den Raum und erstarb zu einem fernen Poltern, das von irgendwo weit unter uns auszugehen schien. Die Stimmen schwiegen, das Rad stand still. Die fünf Gesichter auf den Speichen erstarrten zu leblosen Grimassen. Verwirrt schauten Hallia und ich auf die schwarze Gestalt, die wie ein Pfeil in der Mitte der Achse stecken geblieben war.

Ein Kreelix.

XXVI
Das Ende aller Magie

Sucht ihr was, meine Lieben?«
Wir fuhren herum und sahen einen alten Mann hinter uns am Eingang der Kammer. Bachod! Die leuchtenden Kristalle ringsum funkelten nicht weniger als seine Augen. Denn dieser Bachod sah ganz anders aus als der abgezehrte Schankkellner. Er stand völlig aufrecht da, hatte die Arme über der Brust gefaltet und betrachtete uns wie eine Eule ihre Beute, bevor sie herunterstößt und ihr den Schädel zertrümmert. Doch seine heisere Stimme, der schlaffe Schnurrbart und das weiße Haar, das bis auf die Schultern seines Gewands fiel, waren unverkennbar.

Neben ihm kauerte sprungbereit ein weiteres Kreelix. Obwohl es die Flügel auf dem Rücken zusammengefaltet hatte, füllte der massige Körper einen großen Teil des Gangs. Als es das blutrote Maul öffnete und drei tödliche Fänge zeigte, wichen Hallia und ich zurück. Ich stolperte fast über einen der Knochenhaufen.

Bachod grinste. »Tut mir leid, dass euer kleines Gespräch mit dem drehenden Rad unterbrochen wurde, meine Lieben. Aber mein pelziger Gefährte konnte sich einfach nicht mehr zurückhalten. Ihr braucht euch aber keine Sorgen zu machen. Er wird euch nicht mehr belästigen.«

»Du hast das Rad angehalten!«, rief ich. »Seinem Zauber

ein Ende gemacht! Gerade als es mir sagen wollte, wo …«
Ich bremste mich, bevor ich noch mehr sagte.

Bachod schüttelte den Kopf, dass die weißen Locken
wehten. »Vielleicht kann ich dir helfen, mein Junge. Dir
Zeit und Ärger ersparen.« Er griff in die Falten seines
Gewands und zog schwungvoll einen Anhänger an einem
Lederband hervor. Die juwelenbesetzte Mitte blitzte in
verblüffend strahlendem Glanz.

»Der Galator!« Ich machte einen Schritt auf ihn zu,
doch das tückische Zischen des Kreelix hielt mich zurück.
»Wie – woher hast du ihn?«

»Ich habe ihn gestohlen«, antwortete Bachod stolz. »Mit
ein bisschen Hilfe eines schlauen Freundes.«

Meine Wangen brannten. »Du meinst Rhita Gawr!«

Seine dunklen Augen funkelten befriedigt. »Er hat mir
negatus mysterium beigebracht, verstehst du, und wie man
die Kreelixe züchtet und ausbildet, damit sie unsere Arbeit
erledigen.«

»Und was ist das für eine Arbeit?«, fragte Hallia; ihre
Stimme zitterte vor Wut.

»Die Zerstörung der Magie!« Bachod warf den leuchtenden Anhänger in die Luft. Er drehte sich funkelnd und
fiel in die Hand des Alten zurück, der ihn festhielt und
höhnte: »Magie ist die Plage dieser Insel. Schon immer
gewesen! Ob sie von Zauberern oder Anhängern oder
Orakeln wie diesem drehenden Rad kommt. Das alles ist
böse und gefährlich und, das ist das Schlimmste, gegen
die Natur.«

Er wandte sich dem Kreelix zu, das neben ihm kauerte.
»Deshalb sind diese Bestien so nützlich. Weil sie die Plage
bekämpfen.« Mit einem Blick auf mich gluckste er vor Ver-

gnügen. »Oder die zerstören, die sie verbreiten – wie junge Zauberer.«

Fast hätte ich einen Knochen vom Boden aufgehoben und nach ihm geworfen. »Du warst es also, der versuchte mich zu töten.«

»Zweimal, ja – unsere Bestien haben dich aufgespürt. Zweimal bist du entkommen, aber nie wieder.« Er zupfte an seinem hängenden Schnurrbart. »Mein Freund, der, den du erwähnt hast, scheint ein bisschen böse auf dich zu sein.«

Meine Stiefel bohrten sich in die Kristalle am Boden. »Genau wie ich auf ihn.«

»Das ist deine Sache, nicht meine. Ich kümmere mich um Magie. Nur das Ende aller Magie, meine Lieben, kann dieser Insel dauerhaften Frieden bringen. Und das ist die Arbeit von uns, wo begreifen.«

»*Uns, wo begreifen*«, wiederholte ich verächtlich.

Mit der freien Hand zog Bachod ein krummes Schwert aus dem Gürtel. Die Scheide glänzte im Licht der Kristalle. Als ich sie sah, hämmerte mein Herz an die Rippen. Denn unten beim Knauf war schwarz das Symbol einer Faust eingebrannt, die einen Blitz zerquetscht.

»Der Klan der Rechtschaffenen?«

»Ja, mein Junge! Es gibt nur drei von uns – zwei sind gerade oben auf den Klippen und kümmern sich um die Kreelixe –, aber ziemlich bald kannst du mit mehr rechnen.« Er lächelte grimmig. »Ziemlich bald. Denn wenn es sich herumspricht, dass wir das Land von Zauber befreien, wird fast ganz Fincayra sich erheben und uns beistehen.«

»Du irrst dich«, erklärte ich. »Was Fincayra angeht – und auch den Zauber. Magie ist ein Werkzeug. Nicht anders als ein Schwert oder ein Hammer oder ein Kochtopf, nur dass ihre Kräfte stärker sind. Und wie jedes andere Werkzeug kann sie missbraucht werden. Aber ob sie letzten Endes gut oder böse ist – nun, das hängt von der Person ab, die sie ausübt.«

Hallia nickte. »Und glaub bloß nicht, dass nur Zauberer über Magie verfügen. Nein! Es gibt sie auch an stillen Plätzen – vom hohlen Stamm einer winzigen Leuchtfliege bis zur Wiese, auf der die Hirschmenschen grasen.« Ihre Augen schienen Flammen zu sprühen. »Du hast kein Recht, das alles zu zerstören ... und so viel mehr.«

Bachod verzog das Gesicht. »Ich habe jedes Recht. Jedes Recht, versteht ihr! Und wenn Rhita Gawr und ich fertig sind, wird es in Fincayra keine Magie mehr geben.«

»Nein!« Ich funkelte ihn wütend an. »Es wird keine *Beschützer* mehr haben. Verstehst du denn nicht? Du bist betrogen worden, Alter! Rhita Gawr benutzt dich nur. Das stimmt. Du sollst ihm helfen alle zu vernichten, die irgendwelche Macht haben könnten, sich ihm entgegenzustellen.«

Er winkte verächtlich ab. »Magie hat dir den Kopf verdreht.«

»Es ist wahr«, widersprach ich. »Hör zu! Rhita Gawr könnte einfach hereinspazieren und diese Welt als seine eigene beanspruchen, wenn es keine Zauberer gäbe, keinen Galator, keine ...« Ich stockte. »Keine Drachen.« Ich schaute auf Bachods Stiefel und wusste, dass die Absätze von den scharfen Steinen dieses Bodens zerschnitten sein würden, genau wie Eremon es vorausgesagt hatte.

»Du warst es, nicht wahr, der die jungen Drachen getötet hat?«

Bachod grinste. »Natürlich, meine Lieben. Ich hatte nicht vor, ihren Vater jetzt schon zu wecken – aber es ist geradeso gut. Wenn er ein paar Städte verbrennt, wird das die Leute an die Plage erinnern.«

Er betrachtete sein Schwert, das im Licht der Kristalle funkelte. »Valdeargs Stunde wird bald genug schlagen. Genau wie deine! Und die deines Freundes, des Barden, wenn ich ihn in ein paar Minuten zu einem kleinen, äh, Spaziergang in die Klippen treffe.« Sein Grinsen wurde breiter. »Er glaubt, er hat von mir etwas über die Kreelixe erfahren. Das stimmt, meine Lieben, aber das war nicht viel. Die ganze Zeit habe ich mehr von ihm gelernt. Viel mehr. Er hat mir schon eine Menge über die Verstecke der Magie erzählt.«

Er fasste das Band des Galators und ließ den Anhänger schwingen. Strahlend grüne Funken spiegelten sich an den Wänden des Raums und tanzten im silbrigen Schein der Kristalle. Bachod grinste immer noch. »Aber zuerst, meine Lieben, dürft ihr zuschauen, wie ich dieses tückische Ding vernichte.« Er schnalzte vor Vorfreude. »Ich habe so lange auf den richtigen Moment gewartet und ich glaube, jetzt ist er gekommen. Mit euch beiden als Publikum.«

»Nein!«, rief ich. »Das kannst du nicht machen!«

»Der Galator ist so alt wie Fincayra selbst«, flehte Hallia.

Bachod hatte schon angefangen dem Kreelix einen Befehl zuzurufen. Die Bestie stellte die spitzen Ohren auf und spannte die Schultern an. Mit ihren degenscharfen Klauen kratzte sie über den Boden der Höhle. Sie wandte sich dem leuchtenden, geheimnisvollen Galator zu und zeigte die Fänge.

»Jetzt werdet ihr wahre Macht sehen«, versprach der Alte und schwang den Anhänger. »Die Macht von *negatus mysterium*.« Er lachte leise. »Passt auf, meine Lieben, wie dieses grüne Licht für immer erlischt.«

Gerade als er dem Kreelix den letzten Befehl geben wollte, stürzte ich mich auf ihn. Das Kreelix kreischte und strahlte blendendes scharlachrotes Licht aus, das sich an den Wänden der Höhle und in meinem Bewusstsein brach. Gleichzeitig fiel Bachod nach hinten. Der Galator flog durch die Luft und landete in der Nähe des reglosen Rads. Noch während ich zu Boden fiel, war Hallia mit einem Sprung neben mir. Aber bevor wir weiter angreifen konnten, schlug uns das Kreelix mit seinem riesigen keulenähnlichen Flügel nieder.

Wir wurden an die Kristallwand geschleudert. Scharfe Facetten rissen uns die Beine auf und stachen uns in den Rücken, bevor wir zum Halten kamen. Kaum waren wir wieder auf den Füßen, da erschütterte ein plötzliches Beben den Raum und warf uns erneut zu Boden.

Mehrere Kristalle an der Decke flackerten, dann explodierten sie und überschütteten das Rad mit Glutasche. Zugleich schüttelte ein zweites Beben den Raum. Ein großer schwarzer Felsbrocken brach von der Decke und knallte nur eine Armlänge von meinem Kopf entfernt auf den Kristallboden. Das Rad zitterte und knarrte, während die Achse ganz herausfiel, es neigte sich und schwankte gefährlich auf seinem Rand.

Bachod kämpfte sich auf die Füße, dann trat er das Kreelix in die Seite. Es zischte, holte aber nicht zum Schlag aus. »Du dummes Biest! Deine Kraft hat stattdessen die Kristalle getroffen! Und wer weiß, was das ...«

Das Rad von Wye krachte auf den Boden. Speichen und Rand zersplitterten und flogen in alle Richtungen. Oben explodierten weitere Kristalle. Zackige Risse klafften an den Wänden. Dann brach zischend und knallend Dampf durch die Öffnungen. Die Luft wurde heiß und heißer.

Mit einem verschlagenen Grinsen im Gesicht stieg Bachod auf den Rücken des Kreelix. »Ihr wollt also den Galator, meine Lieben? Nun, er gehört euch für immer! Seht zu, wie lange sein Zauber euch jetzt beschützt.«

Das Kreelix breitete die Flügel aus, flatterte und flog in den Gang. Zugleich stürzte ein anderer Teil der Decke ein. Mit einem Funkenregen landete er auf den Trümmern des Rads. Flammen schossen auf und loderten so heftig, wie ich es nicht mehr erlebt hatte seit dem Feuer, das mich die Augen gekostet hatte. Gerade drehte ich mich nach Hallia um, da krachte die Wand hinter uns, brach ein und überschüttete uns mit Steinsplittern. Dann brodelte zu meinem Entsetzen eine zischende orange Flüssigkeit aus den Ritzen, heller als die Flammen um uns herum. Lava.

»Flieh!«, befahl ich. »Du kannst immer noch schnell genug entkommen, um Cairpré zu warnen. Lauf wie ein Hirsch!«

Sie schaute die zerbröckelnden Wände hinauf. »Und was ist mit dir?«

»Der Galator! Ich muss ihn finden, bevor …« Die Wand, die sich über uns wölbte, wankte und ächzte wie ein sterbendes Tier. Ein Lavastrahl schoss aus einem Spalt. »Bevor er für alle Zeit verloren ist.«

Hallia packte mich am Arm. »*Du* wirst für alle Zeit verloren sein, wenn du jetzt nicht fliehst!«

Ich riss mich los. »Auch ich kann laufen wie ein Hirsch. Weißt du noch? Bitte, Hallia. Ich komme gleich.«

Ihre braunen Augen leuchteten so hell und unergründlich wie der Galator, als sie mich ernst ansah. »Gut, aber eile dich. Selbst ein Hirsch kann nicht durch Lava springen.«

»Dann werde ich fliegen, wenn es sein muss. Ja – wie ein junger Falke.«

Sie lächelte und sprang auf, umlief flammende, zischende Kristalle und stürmte zur Tür. Dort verwandelte sie sich in einen braunen Strich, der mit schlagenden Hufen im Gang verschwand.

Ich lief zu der Stelle, wo der Galator hingefallen war. Ein Funke traf mich am Nacken und verbrannte mir die Haut. Ich wischte ihn weg – da schoss eine Flamme neben meinem Stiefel auf und versengte mir das Bein. Von meinem zerkratzten Unterarm tropfte Blut. Doch das alles war nicht wichtig. Es ging nur um den Galator.

Ich stürzte mich auf die Trümmer und sprang über einen glimmenden Kristall. Hastig drehte ich auf der Suche nach dem Anhänger jeden heruntergefallenen Steinbrocken um, den ich finden konnte. Dann wurde mir klar, dass jetzt ein abgebrochener Teil des Radrands an der Stelle lag, auf die er gefallen war. Ich bohrte die Stiefel in den Boden und versuchte mit aller Kraft das Stück zu heben.

Es rührte sich nicht. Wieder nahm ich alle Kraft zusammen und zerrte. Das Stück bewegte sich nur schwach, bevor es mir aus der Hand rutschte. Ein weiterer Deckenabschnitt fiel herunter und krachte genau auf die Stelle, wo Hallia und ich noch vor ein paar Sekunden gesessen hatten. Kristalle spritzten über den Boden. Ein neues Beben erschütterte die berstenden Wände. Die Hitze war so erdrückend, dass ich kaum atmen konnte.

Ich änderte meine Beinstellung, um eine bessere Hebelwirkung zu erreichen, umklammerte das schwere Holz und zog. Und zog. Meine Beine zitterten. Mein Rücken schmerzte. Mein Kopf fühlte sich an, als würde er platzen. Schließlich hob sich das Stück ein wenig. Aufstöhnend schob ich es zur Seite.

Der Galator war nicht da! Fluchend hob ich die Arme. Wo sonst konnte er sein?

In diesem Moment spaltete ein großer Riss den Boden unter meinen Füßen. Schwefliger Rauch quoll hervor. Als ich zur Seite sprang, schoss ein neuer Funkenregen von der Decke. Dann sah ich zu meinem Entsetzen, wie sich eine gewaltige Felsplatte über dem Eingang zur Kammer löste. Ich zögerte, schaute ein letztes Mal über den Boden und warf mich dann in den Gang.

Während ich über die Kristalle rollte, schaute ich noch einmal auf die zerfallenden Wände. Plötzlich blitzte es grün am anderen Ende des Raums. Der Galator! Ich wollte zurück, da riss sich die große Platte los. Sie schlug auf den Boden und verschloss die Öffnung. Ein Vorhang aus geschmolzener Lava strömte darüber.

Mir schwindelte, als wäre die Platte auf mich gefallen. *Verschwunden. Der Galator war verschwunden.*

Mit trüben Augen stolperte ich durch den rauchigen Gang. Ein weiteres Beben, heftiger als die anderen, erschütterte die Klippen. Löcher öffneten sich und spien brennend heißen Dampf aus. Ich sprang zur Seite und prallte an die Wand. *Ein Hirsch. Ich muss laufen wie ein*

Hirsch. Mit aller Kraft, die mir geblieben war, versuchte ich zu laufen, ein Hirsch zu werden, bevor es zu spät war.

Nichts geschah. Ich lief schneller, meine Lungen schmerzten. Nichts geschah.

Die Kraft! Sie war verschwunden! Die noch tiefere Leere in meiner Brust sagte mir, dass mir Eremons Geschenk abhanden gekommen war. Er hatte mich gewarnt, dass es unerwartet seine Wirkung verlieren könnte. Aber warum gerade jetzt?

Eine Reihe flammender Kristalle an der Decke des Gangs spaltete sich und ließ Funken und spitze Splitter auf meinen Kopf regnen. Ein weiterer Teil der Wand brach ein, während ich vorbeilief. Ich taumelte weiter. In meinem Kopf krachte es so laut wie in den Felsen. Plötzlich hob sich der Boden unter mir und warf mich um.

Ich lag mit dem Gesicht auf den Kristallen. Sie stachen mich und versengten mir die Haut, doch ich war zu schwach zum Aufstehen. Ich konnte nicht laufen wie ein Hirsch. Ich konnte noch nicht einmal laufen wie ein Mensch. Hier würde ich sterben, mit dem Galator unter Lava begraben.

XXVII

SEHR NAH

twas Hartes schlug auf meinen Rücken. Sicher ein Steinbrocken. Oder Trümmer von den zersplitternden Kristallen. Ich drehte mich nicht um. Wieder ein Schlag. Und mit ihm ein Geräusch, das sich in das Krachen und Knirschen des einfallenden Gangs mischte. Ein Geräusch, das ich vor langer Zeit schon einmal gehört zu haben schien. Ein Geräusch ... wie Pferdegewieher.

Ich warf mich herum. Die Augen eines Hengstes, so pechschwarz wie meine eigenen, begrüßten mich. Ionn!

Er senkte den großen, schon wieder zum Stoß bereiten Huf auf den Kristallboden, schüttelte die Mähne und wieherte. Noch halb betäubt setzte ich mich auf. Ionn stupste mich mit der Nase und drängte mich aufzustehen. Ich warf einen Arm um seinen mächtigen Nacken, richtete mich auf und zog mich auf seinen Rücken. Im nächsten Moment jagten wir durch den Gang.

Steinwände zerbarsten und schmolzen in Lava, während wir durchritten. Der ganze Gang leuchtete jetzt strahlend orange – die Farbe der tiefsten Bergfeuer. Ich beugte mich auf dem Rücken des Hengstes vor, krallte die Finger in seinen Nacken und hielt mich so fest, wie ich nur konnte. Kristalle flammten auf und zischten. Dampf spritzte und verfehlte uns knapp. Doch Ionn zauderte keinen Moment. Seine Hufe stampften auf den bebenden Boden.

Gleich darauf stürmten wir aus dem Gang ans Tageslicht. Die Sonne – nicht Lava – warf ihr Licht auf mich. Ionn suchte sich seinen Weg hinunter über die tückische Wand der eingeschneiten Klippen. Hinter uns hörte ich ein Krachen, das sich zu donnerndem Gebrüll steigerte. Als ich mich umdrehte, sah ich einen Strahl geschmolzenen Steins aus dem glühenden Gang schießen.

Oben stürzten die Klippen ein. Während Lava über sie strömte, zerstoben große Steinbrocken zu Asche oder schmolzen einfach weg. Schneewehen lösten sich in Dampf auf. Tiefe Risse öffneten sich und spalteten die Felsspitzen. Höhlen, ob von Geistern bewohnt oder nicht, brachen brennend ein. Dunkle Rauchwolken quollen zum Himmel, während heftige Beben den Berg bis in die Tiefen erschütterten.

Ionn arbeitete sich weiter hinunter, er war der strömenden Lava nur knapp voraus. Vereiste Steine, die seine Hufe losgetreten hatten, rasselten die Wand hinunter. Über die bebenden Platten und Vorsprünge folgte der Hengst seinem eigenen Pfad. Er schaffte es, die breite Spalte zu umgehen, die wir beim Aufstieg überquert hatten, indem er eine Zeit lang ihrem Rand folgte, bis sie schmäler wurde und schließlich endete. Oft bog er plötzlich ab, um einem glühenden Lavaklumpen auszuweichen, der auf den Steinen zischte, oder sprang zur Seite, um besseren Halt zu finden. Doch er kam allmählich voran, immer weiter den Berg hinunter.

Schließlich wurde der Hang weniger abschüssig. Der Boden unter uns zitterte nicht mehr so heftig. Moos und Gräser wuchsen in den Spalten; ein paar dürre Kiefern klammerten sich an den Berg. Obwohl ich wusste, dass sie bald von geschmolzenem Fels bedeckt sein würden, gab mir das bisschen Grün ein wenig Hoffnung, dass wir doch noch entkommen könnten.

Wohin? In die Täler und Felder, die ich unten sehen konnte, von den goldenen Strahlen der Sonne gewärmt? Ich wusste es besser. Mein Ziel lag weit entfernt im Land der Zwerge. Und das Spätnachmittagslicht bedeutete, dass ich kaum noch zwei Tage hatte, um dorthin zu kommen.

Bei dem Gedanken krümmte ich mich. Was bedeutete jetzt überhaupt noch die Zeit? Ich hatte keinen Galator – und keine eigenen Kräfte. Nur die Aussicht, allein dem zornigen Drachen gegenüberzutreten. Und doch war ich zu meiner eigenen Überraschung immer noch davon überzeugt, dass ich es versuchen musste.

Über dem ständigen Dröhnen hörte ich einen Schrei. Ich drehte mich um, sah aber nur den schmalen überstehenden Rand einer Spalte mit zwei verkrüppelten Kiefern. Wieder der Schrei. Da bemerkte ich direkt hinter den Kiefern zwei Hände und einen Kopf mit struppigem grauem Haar. Cairpré!

»Ionn!«, rief ich. »Halt!«

Der Hengst blieb abrupt stehen, obwohl er zu den näher kommenden Lavaströmen zurückschaute und aufgeregt wieherte. Ich rutschte von seinem Rücken. So schnell ich konnte, lief ich an den Kiefern vorbei zu dem überstehenden Rand. Da hing Cairpré und hielt sich mit letzter Anstrengung fest. Ich umklammerte mit beiden Händen seine Handgelenke und zog, so fest ich konnte. Das Dröhnen um uns wurde lauter. Endlich hob er ein Bein über den Fels, dann das andere.

Der Dichter sah mich erschöpft an, sein Gesicht war weiß vor Entkräftung. »Kann nicht … aufstehen.«

»Du musst«, drängte ich und zog ihn auf die Füße. Er fiel gegen mich, unfähig sich gerade zu halten.

Unverhofft traf ein fliegender Lavaklumpen den Stamm der einen Kiefer. Das harzige Holz ging in Flammen auf, die ganze obere Hälfte des Baums brach ab und fiel auf den überstehenden Spaltenrand. Eine Feuerwand hob sich mit wütendem Gebrüll in die Luft und schnitt uns völlig ab.

Während ich in die sengenden Flammen schaute, sah ich vor meinem geistigen Auge eine andere Feuerwand. *Die Glut … mein Gesicht, meine Augen! Ich kann nicht hier durch. Ich kann nicht.*

Ich taumelte und fiel fast über die Kante.

»Merlin«, keuchte Cairpré. »Lass mich allein … Rette dich.«

Seine Beine knickten unter ihm ein. Ich hatte Mühe, mich aufrecht zu halten. Hinter dem brennenden Baum hörte ich das näher kommende Gebrüll der herabstürzenden Lava. Und am Ohr das Keuchen meines Freundes.

Es war mir unerklärlich, wie ich die Kraft fand, mir seinen schlaffen Körper auf den Rücken zu laden. Stöhnend hob ich ihn hoch und wankte auf die Flammen zu. Feuer schlug mir ins Gesicht, versengte mein Haar, leckte an meiner Tunika. Ein Zweig verfing sich an meinem Ärmel, aber ich machte mich los. Stolpernd fiel ich vorwärts.

Auf harten Stein. Ionn wieherte und stampfte ungeduldig. Lava bespritzte uns. Ich hob Cairpré auf den breiten Rücken des Pferdes und stieg auf.

Ionn stürmte los und vergrößerte den Abstand zwischen uns und dem Fluss aus geschmolzenem Stein. Der Hang neigte sich sanfter, der Boden wurde besser begehbar. Trotzdem hatte ich alle Mühe, mich und den bewusstlosen Dichter auf dem Pferderücken zu halten. Immer tiefer kamen wir – bis der Hang schließlich in die felsige Landschaft aus kleinen Hügeln überging. Gleich darauf erreichten wir das enge Tal. Ionn mied instinktiv Bachods Dorf und lief weiter oben auf die andere Seite des Tals.

Hinter uns leuchteten die Hügel immer noch orange von der Lava. Eine mächtige Dampfsäule erhob sich in der Ferne, vielleicht floss dort Lava ins Meer. Doch das Bergbeben hatte so gut wie aufgehört. Der Vulkanausbruch hatte sich erschöpft. Das Land wurde immer stiller.

An einer kleinen Quelle, die durch einen Eisring sprudelte, rasteten wir. Ich besprengte Cairprés Kopf mit dem Quellwasser; zuerst musste er husten, doch bald wollte er trinken. Es dauerte nicht lange, da hatte er sich so weit erholt, dass er redete und sein gesalzenes Fleisch mit mir teilte, auch wenn er immer noch bleich war. In der Nähe zupfte Ionn an ein paar Grasbüscheln.

Der Dichter sah mich dankbar an. »Das war eine Feuerprobe, mein Junge. Für den Berg ebenso wie für dich.«

Ich nagte an einer Fleischscheibe. »Die größere Probe kommt noch.« Ich zögerte, fast fürchtete ich mich die Frage zu stellen, die mir am wichtigsten war. »Hast du Hallia gesehen?«

Cairpré zögerte, schließlich sagte er: »Ja. Ich … habe sie gesehen.«

»Geht es ihr gut?«

Ernst schüttelte er die graue Mähne. »Nein, Merlin.«

Ich schluckte. »Was ist geschehen?«

»Nun, als der Ausbruch begann, stand ich ziemlich weit oben am Berg und wartete auf Bachod.« Er hielt inne und fuhr sich matt mit der Hand über die Stirn. »Wir sollten uns dort treffen. Er verspätete sich und ich machte mir Sorgen. Der Vulkan schien zu erwachen. Plötzlich kam Bachod. Er ritt auf einem dieser höllischen Geschöpfe! Hagelschlag und Hexenschuss, ich war ein Narr ihm zu vertrauen!«

Er zog eine Grimasse. »Ich versuchte zu fliehen, aber er jagte mich schließlich an den Rand dieser Spalte. Ich Tollpatsch – ich stürzte und konnte mich gerade noch festhalten. *Schon trübt sich die Sicht und nirgendwo Licht.* Er stieg ab, zog sein Schwert gegen mich – da sprang plötzlich Hallia über die Spalte. Als Bachod sie sah, fluchte er und sprang wieder auf das Kreelix. Und schon waren sie weg und jagten sie den Hang hinauf.«

Ich sah ihn entsetzt an. »Den Hang hinauf? Aber die Lava …«

»Sie wusste genau, was sie tat. Wenn sie Bachod hinunter in ebeneres Gelände geführt hätte, hätte sie weniger Möglichkeiten gehabt, sich zu verstecken. Höher am Berg konnte sie ihm länger entkommen und mir ein bisschen mehr Zeit verschaffen.«

»Auf Kosten ihres eigenen Lebens«, sagte ich bitter. »Also hat entweder Bachod sie erwischt oder die Lava.«

»Ich fürchte es. Weder er noch Hallia kamen zurück. Aber ich nehme an, er hat überlebt. Er hielt mich vermutlich für tot und versuchte so viele seiner Kreelixe wie möglich zu retten. Ihr Versteck war bestimmt irgendwo oben in den Klippen.«

Er drehte einen Weidentrieb zwischen den Fingern. »Es tut mir leid, mein Junge. Schrecklich leid. So elend habe ich mich nicht gefühlt, seit … ich mich von Elen trennte.«

Der Schmerz in seiner Stimme schien in mir seinen Widerhall zu finden. Minutenlang saßen wir schweigend da und horchten nur auf unsere eigenen Gedanken und die plätschernde Quelle. Dann bot Cairpré mir ein paar getrocknete Apfelschnitze an. Ich kaute eine Zeit lang, dann erzählte ich ihm, wie ich die wahre Stimme des Rads von Wye entdeckt hatte, meine Frage stellte – und die unvollständige Antwort bekam. Er ballte die Fäuste, als ich die Zerstörung des Orakels und des Galators schilderte.

Während ich meinen Bericht beendete, wehte eine leichte Brise über uns und ließ meine Tunika flattern. »Wenn ich mich Valdearg stellen soll, muss ich bald aufbrechen.«

»Willst du das wirklich tun, mein Junge?«

Ich spritzte mir kaltes Wasser ins Gesicht. »Ja. Wenn ich nur wüsste, was ich tun soll, wenn ich dort bin. Falls ich an Urnalda vorbeikomme. Nachdem ich ihr entkommen bin, will sie mich wahrscheinlich erst selbst bestrafen, bevor sie mich Valdearg ausliefert.«

Der Dichter zerteilte einen Apfelschnitz. »Ich habe über deine letzte Begegnung mit ihr nachgedacht. Es kommt mir unsinnig vor, dass sie als ein Geschöpf der Magie *negatus mysterium* gegen dich eingesetzt haben sollte.«

»Sie sieht in mir einen Todfeind ihres Volkes! Oder zumindest ihren einzigen Schutzschild gegen den Drachen. Und sie ist arrogant genug alle Waffen, die sie hat, gegen mich einzusetzen.«

Cairpré runzelte die Stirn, sagte aber nichts.

»Wenn ich nur Valdearg überzeugen könnte, dass er nicht gegen mich kämpfen soll – sondern gegen Bachod, der seine Jungen tötete, und Rhita Gawr, der es möglich machte.«

Cairpré kaute an der trockenen Frucht. »Drachen sind schwer zu überzeugen, mein Junge.«

»Ich weiß, ich weiß. Aber das könnte meine einzige Chance sein, ihn davon abzuhalten, dass er alles zerstört! Bestimmt kann ich ihn nicht im Kampf besiegen. Nicht ohne den Galator.«

»Es ist möglich, dass das Rad wie die meisten Orakel eine mehrdeutige Antwort gegeben hat.«

Ich beugte mich zu ihm. »Was meinst du damit?«

Der Dichter schaute hinauf zu den Klippen, auf denen jetzt die Lavaspuren und das Licht der untergehenden Sonne leuchteten. »Ich meine«, antwortete er zögernd, »es sagte, die Kräfte des Galators seien sehr nah. Das könnte bedeuten, dass der Galator selbst nah war – und das stimmte ja auch. Oder es könnte ebenso bedeuten, dass seine *Kräfte* sehr nah waren. Näher, als du wusstest.«

»Ich verstehe immer noch nicht, was du meinst.« Ich stand auf und ging hinüber zu Ionn. Der Hengst hob den Kopf von den Grasbüscheln und wieherte leise. Ich fuhr ihm mit der Hand über die Kinnbacken und dachte über Cairprés Worte nach. »Wir wussten so wenig über die Kräfte des Galators – außer, dass sie gewaltig waren.«

»Was glaubst du – waren sie gewaltiger als die Kraft, die dich und Ionn nach so vielen Jahren wieder zusammengebracht hat? Und welche Kraft gab dir die Stärke, mich durch diese Flammen zu tragen?«

»Das weiß ich nicht. Ich weiß nur, dass ich alle Kräfte brauchen werde, die ich finden kann.« Ich holte tief Atem und zog mich auf den Rücken des Hengstes. Ionn schüttelte kühn den Kopf, als ahnte er meinen Befehl: »Lass uns reiten, mein Freund. Zum Land der Zwerge!«

XXVIII
GALOPPIEREN

ir ritten hinunter ins Tal und in die Nacht hinein. Ionns mächtige Hufe donnerten in meinen Ohren und erinnerten mich an den Vulkanausbruch, vor dem wir geflohen waren. Während der Hengst über die Steine stampfte und seinen Weg zwischen den kleinen Hügeln suchte, schimmerte das Licht der Lava nicht mehr auf seiner schwarzen Mähne. Wie oft hatte ich mich als Kind an diese Mähne geklammert … Ich fragte mich, ob dieser Ritt aus einem Flammenmeer in ein anderes unser letzter sein würde.

Die Luft war so kalt wie der erste Atem des Winters. Tränen strömten mir über die Wangen. Obwohl ich mir sagte, dass der Wind sie mir in die nutzlosen Augen trieb, wusste ich, dass sie auch von der Erinnerung an die vielen Gesichter kamen, die ich vielleicht nie wieder sehen würde. Cairpré. Rhia. Meine Mutter. Und noch ein Gesicht voller Klugheit und Gefühl, mit braunen Augen, die leuchteten wie Teiche aus flüssigem Licht.

Während Ion galoppierte, schaute ich zurück zu den Klippenwänden mit den orangen Streifen. Ich schauderte bei dem Gedanken, dass irgendwo dort oben der leblose Körper eines Damtiers lag. Ob Hallia vom Kreelix oder vom Ansturm der Lava getötet worden war, würde ich nie erfahren. Die Vorstellung, dass sie jetzt endlich wieder mit ihrem Bruder vereint war, tröstete mich nicht.

Vor uns verblassten die letzten Strahlen der Dämmerung und ließen noch ein paar trübe Szenen erkennen – einen verkrüppelten Baum hier, ein paar schiefe Felsen dort. Hinter uns stiegen schwere Aschewolken, noch dunkler als die Nacht, zum Himmel empor. Die grollenden Klippen verschwanden bald hinter den kleinen Hügeln, die zurückblieben, als das Tal sich weitete. Bald ritten wir über dichtes, struppiges Gras statt über die mageren Büschel zwischen den Steinen. Das Tal öffnete sich und ging in welliges Weideland über, die Ostregion der verdorrten Ebenen.

Ich hatte die Arme um Ionns breiten Hals geschlungen und umklammerte mit den Beinen seine Brust. So galoppierten wir über die Ebene. Die Nacht um uns wurde schwärzer. Bis auf das gelegentliche Heulen eines Wolfs in der Ferne waren die einzigen Geräusche das unaufhörliche Stampfen von Ionns Hufen und das anhaltende Rauschen seines Atems. Ein- oder zweimal nickte ich fast ein, doch jedes Mal fuhr ich wieder auf, bevor ich vom Rücken des Hengstes fiel.

Als das erste Licht des Morgengrauens das Gras streifte, wieherte Ionn und bog nach Norden ab. Minuten später sah ich vor uns die schimmernde Oberfläche eines Flusses mit mehreren Armen. Ionn wurde langsamer, er trabte und ging schließlich im Schritt zum Ufer. Steif stieg ich ab. Auf unsicheren Beinen wankte ich zum Fluss und steckte den ganzen Kopf hinein. Selbst als das eisige Wasser mir über die Ohren lief, hörte ich immer noch das Stampfen der Hufe.

Wir tranken in tiefen Zügen. Schließlich hoben wir zur gleichen Zeit den Kopf. Während ich Hals und Rücken streckte, tollte Ionn ein wenig herum, als wollte er sich die

Müdigkeit von den Knochen schütteln. Ich winkte ihn zu ein paar hohen Grasbüscheln, doch er kam nur zögernd. Offenbar wusste er genau wie ich, dass unsere Zeit schnell schwand. Erst als er sah, dass ich ein paar runzlige Beeren von den Büschen am Ufer zupfte, fing er an zu fressen. Bald stupste er mich an der Schulter zum Zeichen, dass ich wieder aufsteigen sollte.

Wir ritten weiter. Die Ebene hob und senkte sich in sanften Wellen, die von den Gelb- und Brauntönen des Herbstes gefärbt waren. Wir folgten dem Bogen der Sonne über uns nach Westen. Als sich die Gipfel nebelumwehter Hügel am Horizont zeigten, war es schon Spätnachmittag. Während sich die Ebene vor uns dehnte, suchte ich immer wieder den Horizont nach den dunstigen Ufern des unaufhörlichen Flusses ab. Dort, wusste ich, lag die Grenze des Zwergenreichs.

Auch während Ionns Rücken ständig gegen meinen Körper schlug, war ich mir immer der Leere in meiner Brust bewusst. Was würde ich darum geben, meine alten Kräfte wieder in den Adern zu spüren! Meinen Stock wieder umklammern zu können!

Ob sich Urnalda irgendwie überzeugen ließ, dass sie mir meine verlorenen Kräfte wiedergeben sollte? Ich verzog das Gesicht, ich wusste die Antwort. Wenn sie mir nicht geglaubt hatte, bevor ich sie demütigte – indem ich unter ihren Augen floh –, würde sie mir jetzt bestimmt nicht glauben. Sicher war ihr Zorn auf mich so groß wie der des Drachen. Außerdem bezweifelte ich, ob sie meine Kräfte überhaupt wiederherstellen konnte. Auch wenn Cairpré anderer Meinung war, fühlte ich zutiefst, dass sie völlig zerstört waren, genau wie der Galator.

Das Weideland schien sich endlos zu strecken. Wieder ging ein Tag mit wieder einem Sonnenuntergang zu Ende. Wir ritten tief in die Nacht, in der kein Mond unseren Weg beleuchtete. Ich spürte, wie Ionn die Muskeln anspannte, um weiterzugaloppieren. Mein Rücken, meine Schultern schmerzten, mir war schwindlig vor Erschöpfung.

Irgendwann nach Mitternacht mischte sich ein neues Brausen in den Wind. Wir eilten weiter. Plötzlich wieherte der Hengst und wendete scharf. Panik packte mich und die Angst, Ionn wäre gestolpert. Dann schlug eine kalte Welle an mein rechtes Bein und bespritzte mir das Gesicht.

Der unaufhörliche Fluss! Ionn watete tiefer hinein und lehnte die mächtige Gestalt in den Strom. Ich drehte mich um und überschaute mit meinem zweiten Gesicht die zerklüfteten Erdwälle am Ufer hinter uns. Zwar fing ich nur einen Hauch vom Gestank faulenden Fleisches auf, aber das reichte, um die Erinnerung an die zerstörten Eier wachzurufen – und an den letzten Nestling. Irgendwo in der Nähe musste sein großer junger Körper liegen und verwesen. Und nicht weit entfernt lag die Leiche Eremons unter einem Haufen Flusssteine. Ionn preschte durch das brausende Wasser und den kalten Gischt, aber mir ging es nicht schnell genug.

Endlich stieg der Hengst ans andere Ufer, seine Hufe klatschten in den Schlamm. Auf seinem Fell glitzerte Gischt, der im Sternenlicht leuchtete. Ich streichelte Ionns Hals. »Lass uns rasten, alter Freund. Du brauchst eine Pause, genau wie ich. Aber nicht hier. Such uns einen abgelegenen Fleck flussabwärts, wo wir nicht damit rechnen müssen, dass Zwerge oder Drachen uns stören.«

Gleich darauf kamen wir an eine Stelle mit duftendem Farn. Ich stieg ab und ließ mich auf den Boden fallen. Obwohl ich ein paar essbare Pilze sah, war ich viel zu müde, um sie zu essen. Zusammengerollt, mit dem Kopf zwischen den Knien fiel ich in einen unruhigen Schlaf. Ich träumte, ich würde durch ein endloses Flammenmeer laufen ohne Möglichkeit, mich auszuruhen, ohne Gelegenheit zur Flucht.

Die Sonne stand schon hoch am Himmel, als Ionns nasse Nase mich an der Wange berührte. Jäh wachte ich auf. Meine Tunika war tropfnass, entweder weil ich im Traum so geschwitzt hatte oder von der nebligen Luft. Noch schlimmer, es war fast Mittag. Von meinem ersten Lauf als Hirsch erinnerte ich mich gut daran, dass noch fast eine halbe Tagesreise vor uns lag. Nach einer kurzen Mahlzeit aus Pilzen für mich und Farnwedel für Ionn zogen wir wieder los.

Wir ritten durch Wiesen und Zederngehölze und folgten den Terrassenstufen ins Herz des Zwergenreichs. Als die Sonne tiefer sank, wurde die Luft rauchiger und die Spuren neuerer Brände nahmen zu. Auf der Hut vor Zwergen schaute ich über die verkohlten Felder und versengten Felsen, die jetzt statt grüner Landschaften den Fluss begleiteten. Noch war nichts von ihnen zu sehen ... noch nicht.

Die sinkende Sonne goss rotes Licht über die Erde, als ein hoher pyramidenförmiger Hügel in Sicht kam. Hier würde Valdearg landen. Ich zeigte ihn Ionn. »Dorthin wollen wir. Aber sei vorsichtig. Die Zwerge könnten ...«

Da brach lautes Geschrei los. Hinter Felsen und Büschen, aus Gräben und Rinnen sprang eine Armee untersetzter Krieger. Sie schwenkten ihre Speere und Schwerter, während sie eine Linie zwischen uns und dem Hügel bildeten. Ionns Ohren zuckten. Noch schneller galoppierte er auf sie zu.

Immer mehr Zwerge verstärkten die Sperre, ihre Bärte und Helme leuchteten rot im Sonnenuntergang. Jetzt war die Barriere schon mindestens vier Mann tief. So klein sie auch waren, sie standen fest wie Eichen vor uns. Doch der Hengst wurde nicht langsamer.

Aus der Mitte der Linie sprang ein dicker Zwerg mit kegelförmigem Hut und schwarzem Umhang. »Halt!«, rief Urnalda und schwang ihr Cape um sich. »Das sein mein Befehl!«

Ionn galoppierte schneller. Ich beugte mich vor und schaute der Zauberin, die meine größten Hoffnungen vereitelt hatte, direkt in die Augen.

Sekunden bevor die mächtigen Hufe sie zertrampelten, hob Urnalda ihren Stock, als wollte sie uns durch Magie anhalten. Doch bevor sie etwas tun konnte, wechselte Ionn abrupt die Richtung und schwenkte nach rechts. Irgendwie schaffte ich es, auf seinem Rücken zu bleiben. Er stürmte auf eine dünne Stelle in der Linie zu und segelte mit einem mächtigen Sprung direkt über die Köpfe der verblüfften Zwerge.

Bald waren die wütenden Schreie hinter uns nicht mehr zu hören. Wir näherten uns dem pyramidenförmigen Hügel. Da ertönte plötzlich ein heftiges Grollen.

XXIX
kampf bis zum Letzten

Wie ein Erdrutsch über uns dröhnte das überwältigende Donnern aus dem Himmel und erschütterte den verkohlten Boden unter uns. Ein Felsenvorsprung am Gipfel des pyramidenförmigen Hügels brach ab und polterte den Hang hinunter. Ionn verhielt im Galopp und bäumte sich auf, während wir uns beide dem Ursprung des Lärms zuwandten.

Valdearg kam mit ausgestreckten Flügeln und ungeheurer Geschwindigkeit auf uns heruntergestürzt. In den Strahlen der untergehenden Sonne sah er zuerst wie ein roter Klumpen vor dem rauchigen Himmel aus, doch bald waren die grünen und orangen gepanzerten Schuppen an Schwanz und Flügeln zu erkennen. Dann, als er sich schräg zur Seite wandte, blitzten seine schrecklichen Klauen auf. Immer näher kam er, bis wir das glühende Gelb seiner Augen sehen konnten.

Aus seinen geblähten Nüstern stiegen zuckende Rauchsäulen. Unter seiner Nase waren die Schuppen so geschwärzt, dass sie einem dichten Schnurrbart glichen. An den Rändern seiner orangen Ohren hingen große Holzkohlestücke, von denen sich bei jeder Bewegung Brocken lösten. Mehrere seiner Klauen trugen schwarze Höcker, die Knöcheln glichen. Noch mehr Holzkohlebrocken, dachte ich zuerst – bis mich die Wahrheit wie ein Hammer traf. Es waren Schädel, in den Flammen seines Zorns verbrannt, die er wie Schmuckringe trug.

Als wären wir in Trance, rührten wir uns nicht, während der Drache herabstieg. Schallwellen überrollten uns. Ich dachte, wenn der Himmel aufgerissen wäre, hätte der Lärm nicht lauter sein können. Ich täuschte mich. Der Drache flog direkt auf uns zu und öffnete dabei sein höhlenartiges Maul. Viele Reihen degenspitzer Zähne blinkten im rötlichen Licht. Die gewaltige Brust hob und senkte sich und stieß ein so lautes, explosives Gebrüll aus, dass ich fast von Ionns Rücken fiel.

Das Gebrüll weckte uns aus unserer Erstarrung – zum Glück, denn eine riesige sich windende Flammenzunge begleitete es. Ionn wieherte und stürmte davon. Das Feuer verbrannte den Boden direkt hinter uns und zersplitterte mit seiner Hitze die Steine. Weiße Flammen versengten mir den Rücken und Ionn die Flanke, während wir davongaloppierten.

»Schnell!«, rief ich. »Hinter den Hügel!«

Der Hengst raste auf den pyramidenförmigen Hügel zu, während weiteres betäubendes Gebrüll unsere Ohren marterte. Ionn hatte kaum Zeit, sich hinter einen Felsen zu ducken, der wie eine große Faust aussah, da schossen weitere züngelnde Flammen über uns. Während wir hinter dem Steinwall kauerten, griffen lodernde Finger über den Rand und um die Seiten und verschmorten alles, was sie berührten. Nur der dicke Fels schützte uns davor, zu Aschehaufen zu werden.

Die Flammen hatten sich kaum gelegt, da hob ich vorsichtig den Kopf und schaute mich nach dem Drachen um. Er war gerade gelandet! Er legte die Flügel auf den Rücken und ließ seinen gigantischen Körper, fast so groß wie der Hügel, über den Boden gleiten. Merkwürdigerweise bog er ab – nicht zu uns, sondern auf die Seite. Blitzschnell begriff ich, warum.

Ich schlug Ionn auf den Nacken und er raste auf die Seite des Hügels zu. Im gleichen Moment entrollte der Drache seinen mächtigen Schwanz, der wie eine grässliche Peitsche mit stachligen Spitzen durch die Luft sauste. Er traf den faustförmigen Felsen. Steinbrocken flogen in alle Richtungen und ein Splitterregen traf uns, während wir gerade rechtzeitig um den Hügel bogen.

»Enkel Tuathas!« Die Stimme des Drachen, tiefer als Donner, schallte gegen den Hang. »Du hast meine Kinder ermordet!«

Ionn galoppierte weiter hinter den Hügel und ich beugte mich vor. »Warte. Ich muss ihm antworten.«

Der Hengst fiel in Trab, doch er wieherte laut und schüttelte heftig den Kopf.

»Ich muss, Ionn.«

Wieder protestierte er.

Traurig streichelte ich seinen Hals. »Du hast Recht – es wäre Irrsinn, wenn wir beide zurückgingen. Warte, ich steige ab, dann kannst wenigstens du dich in Sicherheit bringen.«

Bevor ich das Bein heben konnte, bäumte sich Ionn auf und zwang mich seine Mähne fester zu packen. Er drehte sich um, wandte mir das Maul zu und sah mich aus einem dunklen Auge an. Mit lautem Schnauben trabte er zurück an den Rand des Hügels.

Von seinem Rücken aus spähte ich vorsichtig um die verkohlten Felsen. Ich holte tief Atem und rief Valdearg zu, so laut ich konnte:»Dein Zorn brennt gewaltig, großer Drache! Aber du musst mich anhören. Ich habe deine Kinder nicht getötet!« Ich wartete, bis das Grollen aufhörte. »Es war ein anderer Mann – der Rhita Gawr dient. Und der das Kreelix, den Magievernichter, in unser Land zurückbringt. Sein Name ist – «

Ein Flammenstrom schnitt mir das Wort ab und trieb mich zurück hinter die Felsen. »Du wagst es, dein Verbrechen zu leugnen?« Valdeargs Stimme erschütterte die Luft, während sein Schwanz auf den Boden schlug. »Selbst dein übler Großvater hat nicht versucht seine Taten abzustreiten! Du verdienst es nicht, den Titel eines Zauberers zu tragen.«

Die Leere in meiner Brust schmerzte fast. Grimmig führte ich Ionn an den Hügelrand zurück. »Was du sagst, ist wahr. Ich verdiene ihn nicht. Aber ich habe nicht – habe nicht – deine Jungen ermordet.«

Die gelben Augen des Drachen blitzten. Rauch quoll aus seinen Nüstern. »Und ich bin nicht gekommen, um dein Geschwätz über Kreelixe und Rhita Gawr anzuhören. Vor langer Zeit habe ich gegen das letzte aller Kreelixe gekämpft – ein Kampf auf Leben und Tod. Seinen Tod, nicht meinen! Jetzt werde ich das Gleiche mit dir machen. Und du wirst neun Tode sterben, einen für jedes meiner erschlagenen Kinder.«

»Ich sage dir, ich habe sie nicht getötet!«

»Lügner! Sie müssen gerächt werden!«

Ein neues Gebrüll erschütterte die rauchige Luft, die verkohlte Erde und alles, was dazwischen war. Der ungeheure Schwanz hob sich und fegte auf mich zu. Ionn brauchte keinen Befehl, um loszugaloppieren. Der Drachenschwanz schlug mit voller Kraft auf die Seite des Hügels und schleuderte einen Schauer zerborstener Steine in die Luft. Ich drehte mich um und sah gerade noch, wie ein gewaltiger Brocken, schwer genug, um ein Dutzend Menschen zu zermalmen, auf den Mittelteil des Drachenschwanzes fiel. Er traf die grünen Schuppen und prallte harmlos ab.

Ionn galoppierte aus Leibeskräften und versuchte so viel Abstand wie möglich zwischen uns und Valdearg zu legen. Bevor wir um den Hügel bogen, schaute ich in dem Moment zurück, in dem der massige Kopf in Sicht kam. Die Drachenaugen, so hell wie Sonnen in dem schwindenden Licht, funkelten mich an. Flammen schossen heraus. Feuer züngelte um Ionns Hufe, als wir um die Biegung jagten.

Wir nutzten den Hügel als unser Schutzschild und entgingen so einem Angriff nach dem anderen. Ionn lief hin und her, seine Beine stampften, seine Ohren achteten auf jedes Geräusch. Denn wir konnten zwar unseren Gegner hinter dem Hügel nicht sehen, aber wir hörten, wie er sich bewegte, brüllte oder den großen Schwanz gegen die Felsen schlug. Wenn sein massiger Körper auf eine Seite glitt, rasten wir zur anderen. Atemlos blieben wir stehen, wenn wir ihn nicht mehr hören konnten, und galoppierten wieder los, sobald er sich regte.

Bis tief in die Nacht dauerte die Verfolgung. Einmal versuchte Valdearg aufzufliegen in der Hoffnung, uns im Dunkeln zu überraschen, aber sogar da verriet ihn der Lärm beim Näherkommen. Doch ich wusste, dass er uns mit der Zeit bezwingen würde. Irgendwann musste Ionn zwangsläufig einen Fehler machen, stolpern oder die Geräusche missdeuten. Und ein Fehler war alles, was der Drache brauchte. Oder spielte er nur mit uns und verlängerte den Moment seiner Rache?

Als die ersten Strahlen der Morgendämmerung den Hang streichelten und die Felsen mit Gold überstrahlten, sah ich, dass Ionn müde wurde. Schweißperlen hingen an seinen Lippen und der Mähne; seine Schultermuskeln zitterten. Er lief mühsam und hob kaum die Hufe.

Wenn ich nur mehr tun könnte als mich an den Rücken des tapferen Hengstes zu klammern! Aber was? Die Prophezeiung hatte einen schrecklichen Kampf vorausgesagt, der bis zum Letzten ausgetragen würde. Doch was für eine Art Kampf war das? Es war nur eine Verfolgungsjagd – mit sicherem Ausgang.

Als die Sonne sich über den Horizont hob, regte sich Valdearg ein paar Sekunden lang nicht. Dann glitt er plötzlich über die Felsen und zerdrückte sie unter seinem Gewicht. Sofort jagte Ionn in die entgegengesetzte Richtung. Er umrundete im Galopp die Ecke und blieb so unvermittelt stehen, dass ich auf seinen erhobenen Hals prallte und fast über seinen Kopf geflogen wäre. Wir standen direkt vor Valdearg! Das Geräusch, das wir gehört hatten, mussten lose Steine ausgelöst haben, die den Hang heruntergerollt waren.

Ionn bäumte sich auf und trat wild in die Luft. Doch im selben Moment holte der monströse Schwanz aus. Die Stacheln wickelten sich rasch um meine Brust und drückten meine Rippen zusammen, dann hoben sie mich in die Luft. Im nächsten Augenblick hing ich vor Valdeargs Schnauze.

Ein Schwall heißer Luft versengte mich, als der Drache ein angewidertes Schnauben ausstieß. Mit einer Stimme so ungeheuer wie sein offenes Maul fragte er:»Warum kämpfst du nicht mit mir, junger Zauberer? Warum fliehst du nur?«

Ich konnte kaum atmen, geschweige sprechen, und stieß heiser hervor:»Ich habe ... keine Kräfte.«

»Du hast Kräfte genug, um Nestlinge in ihren Eiern zu ermorden!« Die gelben Augen glühten.»Nun, Enkel Tuathas, du wirst nicht mehr fliehen.«

»Du musst ... mir glauben. Ich habe es nicht ... getan.«

»Soll ich damit anfangen, dir ein Glied nach dem anderen abzubeißen?« Seine violetten Lippen öffneten sich, als er einen Schädel von einer seiner erhobenen Klauen riss. Mit zusammengepressten Kiefern zermalmte er ihn.»Nein, ich habe eine bessere Idee. Ich werde dich zuerst rösten.«

Das Grollen sammelte sich tief in seiner Brust. Es wurde immer lauter, während Flammen aus seinen Nüstern züngelten. Zugleich packte der Schwanz fester zu. Meine Lungen konnten nicht atmen. Mein Herz konnte nicht schlagen. Das Maul öffnete sich weit und eine Feuerlawine stürzte auf mich zu.

Plötzlich spitzte Valdearg die Ohren und neigte leicht den Kopf. Die Flammen schossen an mir vorbei und versengten meine Stiefel, doch mehr nicht. Valdearg stieß einen überraschten Schrei aus – und sein Schwanz ließ mich los. Ich knallte auf den Boden. Ionn lief zu mir, während ich nach Atem rang. Ich legte einen Arm um den Hals des Hengstes und stand mühsam auf – auch um zu sehen, was den Drachen abgelenkt hatte.

Über das verkohlte Gelände näherte sich uns, halb humpelnd und halb fliegend, ein wahrhaft seltsames Geschöpf. Zuerst konnte ich nur eine plumpe Masse erkennen, so zerzaust wie ein sturmgepeitschter junger Baum. Dann sah ich einen Blitz von schillerndem Purpurrot, eine zerknitterte ledrige Hautfalte, ein Paar knochige Schultern. Und auf dem Kopf, den ein dünner wackliger Hals stützte, ein Paar Ohren – von denen das eine zur Seite ragte wie ein falsch angewachsenes Horn.

Der kleine Drache! Er hatte überlebt!

Blitzschnell fuhr der gigantische Vater herum, fast erschlug er dabei Ionn und mich mit der knochigen Flügelspitze. Er schleppte sich zu dem Nestling und blieb kurz vor ihm stehen. In seinem Bauch summte ein gleichmäßiges, sanftes Dröhnen, fast wie das Schnurren einer übergroßen Katze, als er das Maul auf den Boden legte.

Zuerst vorsichtig, dann mit aufgeregtem Wimmern ließ der kleine Drache sich den warmen Atem über die Schuppen wehen. Einen langen Moment schauten sie einander aus hier gelb, dort orange glühenden Augen an. Schließlich breitete Valdearg den massigen Flügel aus, damit sein Kind hineinkriechen konnte. Er faltete die Ränder um es wie eine Decke und zog das Kleine an sich. Es quietschte zufrieden und schmiegte sich enger an ihn.

Der Drache reckte den Hals und hob den kolossalen Kopf. Zum Himmel stiegen Klänge, wie sie Fincayra seit sehr langer Zeit, seit der Geburt von Feuerflügel, nicht mehr gehört hatte. Es war eine Mischung aus tief dröhnenden und hohen wirbelnden Tönen, die mit der Anmut von Pfeilen zum Himmel flogen. Es war eine komplizierte

Melodie, ein magischer Teppich, aus den Sagen von Drachengenerationen gewoben. Es war, mehr als alles andere, ein Freudenlied.

Ionn und ich hörten wie verzaubert zu, während Valdeargs Lied eine Stunde oder länger dauerte. Der Nestling hatte sich tief in den Flügel seines Vaters gekuschelt und hob von Zeit zu Zeit die Schnauze. Sein Ohr streckte sich so forsch wie eh und je zur Seite. Er hörte offenbar dem Lied so aufmerksam zu wie wir, doch mit einem angeborenen Verständnis, das weit über unseres hinausging.

Dann senkte der große Drache den Kopf. Mit der Wucht einer riesigen Welle, die übers Meer wogt, schwang er den Hals zu mir. Sobald unsere Blicke sich trafen, war der Bann seines Lieds gebrochen, Angst überkam mich. Er ging wieder auf mich los! Ich sprang auf Ionns Rücken, griff nach seiner Mähne und war bereit erneut loszureiten.

Da brüllte der kleine Drache. Sein gellender Schrei hielt mich zurück; auch Valdearg zuckte mit den orangen Ohren und schürzte verwirrt die Lippen. Der Nestling brüllte wieder und schlug heftig mit den kleinen Flügeln. Valdearg brummte, wurde aber still, als der Kleine mehrere schrille, tschirpende Laute ausstieß.

Schließlich wandte Valdearg mir wieder die gelben Augen zu. »Es sieht so aus, junger Zauberer, als wäre einiges von dem, was du mir erzählt hast, wahr.« Er blies eine dunkle Rauchwolke aus den Nüstern. »Du bist nicht der Mann, der meine Kinder ermordet hat.«

Ionn warf den Kopf zurück und wieherte erleichtert. Ich klopfte ihm den Hals.

»Doch einiges war falsch, nämlich dass du keine Kräfte hast. Mein Kind hier sagt etwas anderes.« Er betrachtete es mit offensichtlicher Zuneigung. »Es sagt, du hättest es mit deiner Magie gerettet.«

Ich schüttelte den Kopf. »Nicht mit meiner Magie. Nur mit meinen Kräutern. Das ist ein Unterschied.«

»Kein so großer, wie du glaubst.« Er hob den mächtigen Schwanz und wickelte ihn zu einem Knoten aus orangen und grünen Schuppen, die in der Sonne blitzten. »Denn wie die Magie auch heißen mag, sie hat mir mein Kind zurückgegeben.«

XXX
WENN SICH DIE ELEMENTE MISCHEN

Ein hoher Schrei gellte durch die Luft. Wie Valdearg, der Nestling und Ionn schaute auch ich auf. Und da stockte mir das Blut.

Nicht ein Kreelix, sondern viele – mindestens ein Dutzend – stürzten aus den rauchigen Wolken auf uns herab. In ihren aufgerissenen Mäulern glänzten die tödlichen Fänge. Und auf dem Rücken des Anführers saß mit wehenden weißen Haaren die gekrümmte Gestalt von Bachod.

Der Alte schwenkte den Arm. Sofort winkelten die Kreelixe die fledermausähnlichen Flügel ab und schwärmten in einem weiten Bogen aus. Mit einer Reihe ohrenbetäubender Schreie flogen sie tiefer. Ionn wieherte, schnaubte und stampfte wütend mit den Hufen. Mein Schwert klirrte ermutigend, als ich es aus der Scheide zog, obwohl ich seine Grenzen gegenüber *negatus mysterium* kannte. Im nächsten Moment würden die Kreelixe über uns herfallen.

Plötzlich entrollte Valdearg den Schwanz und hob ihn. Die mächtige Peitsche knallte, als sie eines der Kreelixe traf. Die Bestie kreischte auf und fiel leblos vom Himmel.

Wie ein wütender Hornissenschwarm stürzten sich die übrigen Kreelixe auf den großen Drachen. Mit entblößten Fängen stießen sie auf ihn herab und versuchten nahe genug zu kommen, um zuzuschlagen. Obwohl Valdearg so riesig war, bewegte er sich mit verblüffender Geschwindigkeit – er drehte und wälzte sich, schlug mit dem

Schwanz. Doch solange er auf dem Boden blieb, waren die Kreelixe im Vorteil. Zuerst fragte ich mich, warum er nicht in die Luft stieg, wo er so beweglich war wie sie.

Dann fiel mir das Drachenbaby ein. Er beschützte es! Tief in den Falten seines Flügels kauerte es und war dort im Moment sicher. Aber solange Valdearg das Kleine in seiner Schwinge barg, konnte er nicht fliegen. Und auf dem Boden war er viel verwundbarer.

Ionn lief unruhig wiehernd hin und her, während wir zuschauten. Obwohl ich mein Schwert schwang und auf Bachod und die Kreelixe einschrie, ignorierten sie mich. Nichts, was ich tat, lenkte sie von dem Drachen ab, der ständig um sich schlug. Ionn bäumte sich auf und galoppierte dann im Kreis um Valdearg. Die Angreifer achteten immer noch nicht auf uns. Bachod schaute noch nicht einmal her.

Plötzlich begriff ich. Weil mein Hirschzauber jetzt nicht mehr wirkte, spürten sie, dass ich keine magischen Kräfte mehr hatte! Während ich zuvor wenigstens eine schwache Bedrohung für sie gewesen war, bedeutete ich jetzt keinerlei Gefahr. Das leere Gefühl in meiner Brust schmerzte wie nie zuvor.

Die Worte aus der Prophezeiung *Der Drachenkampf* gingen mir durch den Kopf. *Nur einer kann jetzt noch sein Wüten beenden: ein Abkömmling der Feinde von einst.* Eine neue Erkenntnis überkam mich. Vielleicht meinte die Weissagung überhaupt nicht mich! Vielleicht war der uralte Gegner des Drachens, der Feind, der ihn entweder tötete oder dabei getötet wurde, ein Kreelix!

Aber wenn das stimmte, was konnte dann der Rest der Prophezeiung bedeuten? Würden alle Kreelixe vernichtet oder nur einige? Und was war mit den Worten von der *höheren Macht*? Die bewirkte, dass sich die Elemente plötzlich mischten: Luft mit Wasser, Wasser mit Feuer …

Brüllend und Feuer speiend hielt Valdearg weiter die Angreifer auf Abstand. Seine Augen, die zu lodern schienen, waren überall zugleich. Die Erde unter uns bebte von seinen Schwanzschlägen. Staub und Rauch stieg zum Himmel. Mit dem freien Flügel peitschte Valdearg ständig über dem anderen Flügel mit dem Nestling durch die Luft. In all seinen Schreckenstagen, davon war ich überzeugt, hatte der Drache nie so sehr wie jetzt den Namen Feuerflügel verdient.

Jetzt lagen drei verbrannte Kreelixe als schwelende Haufen am Boden. Die Reste von zwei weiteren, die der Drachenschwanz erschlagen hatte, waren im Kampf zertrampelt worden. Doch sieben Kreelixe, darunter das Reittier Bachods, waren noch übrig. Sie stürzten herab, schwebten herum und suchten ständig eine Möglichkeit, ihre Fänge in etwas – irgendetwas – zu graben, das nicht von Schuppen bedeckt war. Plötzlich wurde mir klar, dass der Drachenflügel am meisten gefährdet war. Die ledrigen Falten, eng um das Kleine gewickelt, lagen ungeschützt da.

Vielleicht war bei der enormen Größe des Drachens mehr als ein Hieb nötig, um ihn zu töten. Der Gedanke gab mir ein wenig Hoffnung. Dann biss ich mir auf die Lippe, weil mir Cairprés Warnung einfiel, dass selbst der kleinste Kontakt mit einem Kreelixfang die Kraft – und das Leben – jedes magischen Geschöpfs, egal wie groß, beenden könne.

Auf Bachods Kommando stiegen die Kreelixe so hoch auf, dass sie nur noch winzige schwarze Flecken in den

Rauchschwaden waren. Ich konnte kaum sehen, wie sie sich zu einer neuen Formation ordneten – jetzt bildeten sie eine Speerspitze. Im nächsten Moment kreischten sie gemeinsam auf und sausten direkt auf ihren Feind los. Instinktiv wusste ich, dass sie auf Valdeargs Flügel zielten. Und nur einer von ihnen musste treffen. Der kleine Drache ahnte das Gleiche, wimmerte und verkroch sich tiefer in den Falten.

Als die Kreelixe auf Valdearg herabschossen, der jetzt mehr einem besorgten Vater als einem zornigen Herrscher glich, stieß er ein trotziges Gebrüll aus. Auf den Angriff gefasst, schwang er den mächtigen Kopf in meine Richtung. Den Bruchteil eines Herzschlags sahen wir einander an. Doch selbst in diesem kurzen Augenblick entging mir nicht, was ich nie zuvor in diesen leuchtenden Augen gesehen hatte: Angst.

Ich drehte Ionns Mähne in den Händen und zerbrach mir den Kopf, wie ich helfen könnte. Wie nur? In wenigen Sekunden würden sich die Kreelixe auf ihr Opfer stürzen.

Der kleine Drache wimmerte und verschwand tiefer im Flügel. Wie, überlegte ich, hatte er überlebt? War es möglich, dass ich ihm wirklich etwas Stärkeres als die Kräuter aus meinem Beutel gegeben hatte?

Ohne zu überlegen griff ich in den Beutel. Etwas Spitzes stach mich in den Finger. Die Saite meines Psalters! Was, hatte Cairpré einst gesagt, könnte sie bewirken? *Hohe Magie, anders als alles, was du zuvor erfahren hast.* Ich zog die Saite heraus, die von Urnaldas feurigem Hilfsbegehren damals verbogen und geschwärzt war. Ob sie sogar jetzt irgendwie zaubern könnte? In Händen ohne jede eigene Magie?

Ich schaute zum Himmel. Die Kreelixe hatten die Flügel auf dem Rücken gefaltet und sausten herunter. Jetzt konnte ich Bachod auf dem Anführer sehen, der vordersten Speerspitze. Und um ihn herum sieben fauchend aufgerissene Mäuler mit ihren Fängen.

Verzweifelt zupfte ich an der Saite. Sie schwirrte und gab ein Rußwölkchen von sich – dann schwieg sie. Ich hörte keine Musik. Ich spürte keine Magie.

Dann vernahm ich eine Stimme, die direkt aus der Luft um mich herum zu kommen schien.

Es war Rhia, die mir ins Gedächtnis rief: *Erinnere dich an alles Leben um dich herum und an das Leben in dir.* Dann stimmte die uralte knurrende Stimme des lebenden Steins ein: *Was ist das für eine seltsame Magie, die dich umgibt, junger Mann? Die macht, dass du mir widerstehst? Die Kraft eines Steins kommt aus allem, was ihn umgibt, womit er verbunden ist.* Die Hexe Domnu mischte sich ein. *Mein Schatz,* erklärte sie, *ich spüre selbst jetzt Magie in dir.* Schließlich rief Eremons volltönende Stimme mir zu: *Du hast Kraft, Merlin. Mehr Kraft, als du weißt.*

Das Leben in dir ...

Die seltsame Magie, die dich umgibt ...

Ich spüre sie selbst jetzt ...

Mehr Kraft, als du weißt ...

Die Kreelixe kreischten, sie waren fast da. Ich schaute auf und sah Bachods höhnisches Grinsen, sein Blick war auf Valdeargs gebauschten Flügel gerichtet, der das Drachenkind schützte.

Der riesige Drache brüllte zum letzten Mal.

Cairprés Stimme mischte sich in die der anderen. *Suche die Antwort in dir, mein Junge.* Dann ertönten die vielen

Stimmen und vereinten sich zu einer, der des Rads von Wye: *Diiiese Kräääfte siiind seeehr naaah.*

Ein irritierender Gedanke kam mir: Vielleicht hatte ich meine Kräfte doch nie verloren! Vielleicht hatte Urnalda mich getäuscht, als sie mich das glauben ließ! Aber ... selbst wenn ich noch über Magie verfügte, wie konnte ich sie jetzt einsetzen? Die Kreelixe würden sie nur vertilgen, zerstören. Cairpré hatte gesagt, dass es sinnlos sei, gegen sie Magie direkt anzuwenden. Die beste Waffe sei etwas Indirektes. Wie hatte er es ausgedrückt? *Etwas so Normales, aber Mächtiges wie die Luft.*

Die Luft! Während Valdearg mit dem Schwanz ausholte, um so viele Kreelixe wie möglich zu erschlagen, gingen mir in Sekundenschnelle die vielen Eigenschaften der Luft durch den Kopf. Träger des Atems. Des Winds. Der Geräusche und Gerüche. Des Wassers.

Wasser! Gab es eine Möglichkeit ...

Der Drachenschwanz traf zwei Kreelixe, die zu Boden wirbelten. Doch er hatte Bachod verfehlt, der in der nächsten Sekunde zuschlagen würde. Valdearg konnte nicht mehr rechtzeitig mit dem Schwanz ausholen, er war hilflos.

Mit aller Kraft wünschte ich, dass die Luft rings um die Kreelixe gefror. Vereiste. Die Psaltersaite in meiner Hand erklang plötzlich – wie eine Glocke in meiner Brust. Die alte Leere wich einem mächtigen Gefühl der Kraft, von der ich wusste, dass es meine eigene war.

Ich konzentrierte alle Gedanken auf die Luft und versuchte die Hitze aus ihr zu ziehen. Sofort flirrte eine neue Wärme um Ionn und mich. Ich schwitzte, mehr vor Anstrengung als wegen der Temperatur.

Gerade als die Ungeheuer und Valdearg zusammenstießen, verwandelte sich die Luft über dem Drachen in eine Eismasse, die Bachod und die restlichen Kreelixe einschloss. Sie hatten noch nicht einmal Zeit, zu schreien, obwohl mein Kopf schwindelte von der scharlachroten Explosion des freigelassenen *negatus mysterium*. Der gigantische Eisblock fiel dem Drachen direkt auf den Rücken, gerade unterhalb des zusammengefalteten Flügels.

Valdearg schrie auf vor Zorn und Schmerz. Er stieß einen Flammenstrom aus, so heiß, dass der gefrorene Block in einem höllischen Durcheinander aus zischendem Dampf und brutzelnden Körpern aufging. Sekunden später war von den verbrannten Angreifern nichts übrig als eine Pfütze voll Wasser, Blut und Fell, an der züngelnde Flammen leckten.

Ionn wieherte triumphierend. Er warf den Kopf hoch und machte ausgelassene Luftsprünge. Ich stieg ab und ging näher an die dampfende Pfütze heran, erfüllt von der Vision sich mischender Elemente. Denn die Luft war tatsächlich zu Wasser geworden und Wasser zu Feuer.

Ein schriller Schrei unterbrach meine Gedanken. Ich zuckte zusammen, es klang fast wie ein Kreelix. Dann wurde mir klar, dass es der kleine Drache war. Er war aus dem schützenden Flügel herausgekommen, das widerspenstige Ohr stand immer noch ab. Doch mir verkrampfte sich der Magen, als ich die Trauer in seinem Gesicht sah. Und als ich sah, warum er trauerte.

Valdearg, der Herrscher der Drachen, lag still da, sein Kopf ruhte schwer auf einem Vorderbein. Kein Rauch stieg aus seinen Nüstern, sein Grollen klang dünner und brüchiger als zuvor. Obwohl seine grünen und orangen

Schuppen noch im Licht schimmerten, schienen sie ihren Glanz verloren zu haben. Aber am deutlichsten sprachen seine trüben Augen. Sie leuchteten immer noch, doch ihr Licht schien so schwach wie die flackernden Flammen am Rande der dampfenden Pfütze.

Ionn kam zu mir, als ich näher trat. Dort, am Ansatz des Flügels, der den Nestling beschützt hatte, sah ich eine verräterische Blutspur aus einem kleinen Loch rinnen. Normalerweise hätte ein Drache eine Wunde dieser Größe vielleicht gar nicht bemerkt, aber diese Wunde hatte der Fang eines Kreelix geschlagen. Der Nestling wimmerte leise und streichelte die Stelle mit einem seiner schlaffen kleinen Flügel.

»Er stirbt«, sagte eine vertraute Stimme.

Ionn und ich fuhren herum. Vor uns stand ein großäugiges Damtier. Das braune Fell hatte Schlammstreifen, die Beine zeigten Kratzer und Abschürfungen. Die schmutzbedeckten Ohren waren auf mich gerichtet.

»Hallia«, flüsterte ich durch den Kloß in meiner Kehle. »Ich dachte ... ich dachte, du seist tot.«

»Du unterschätzt mich.« Sie schnaubte und tat, als wäre sie beleidigt. »Hirsche kennen ein paar Tricks, wie man Verfolger abschüttelt, weißt du. Sogar Kreelixe.« Ihre tiefen braunen Augen schauten mich forschend an. »Du kennst offenbar selbst ein paar Tricks, Merlin. Ich bin erst vor einem Augenblick gekommen, aber das war noch rechtzeitig, um zu sehen, was du zustande gebracht hast.«

Ich zuckte zusammen. »Und was ich nicht zustande gebracht habe.« Ich wandte mich wieder Valdearg zu und sah, wie er matt sein Kind betrachtete, das sich jetzt an sei-

nen Bauch geschmiegt hatte. »Meine Kräfte sind zurückgekommen, aber einen Moment zu spät.«

Ernst näherte ich mich dem Drachen. Bei jedem seiner
keuchenden Atemzüge überströmte mich warme Luft.
Er richtete die gelben Augen, die jetzt halb geschlossen
waren, auf mich.

»Enkel Tuathas«, knurrte das große Geschöpf. »Ich habe
mich geirrt. Du verdienst es, den Titel … eines Zauberers
zu tragen.«

Er versuchte den Kopf zu heben, dann sank er zurück.
»Weder die Kreelixe noch ich … haben diese Schlacht
überlebt. Ich hatte wenigstens das Vergnügen … sie
schließlich zu rösten.« Angestrengtes Husten erschütterte seinen Körper. »Aber mein Kind! Was wird aus ihm?
Wer wird es lehren … sich zu ernähren, zu fliegen, die
eigene Zauberkraft zu beherrschen? Wer wird … ihm
zeigen, wie es meine Höhle, unser traditionelles Zuhause
finden soll? Wer wird ihm helfen … die hohe Bestimmung
eines Drachen zu erkennen?«

Ich trat unbehaglich von einem Bein aufs andere und
wünschte, ich könnte mich auf meinen Stock stützen, bevor ich antwortete. »Ich verstehe sehr wenig von Drachen.
Und noch weniger von ihrer Zauberkraft. Aber ich kenne
den Weg zu deiner Höhle und mein Herz wäre beglückt,
wenn ich das Kleine dorthin führen dürfte.«

Ich schaute zu Hallia hinüber, die jetzt auf der geschwärzten Erde nicht weit von dem Nestling stand. Die
Augen der beiden, hier zwei strahlende braune Kreise,
da zwei glühende orange Dreiecke, waren unverwandt
aufeinander gerichtet. Vielleicht war es ihre gemeinsame
Magie, vielleicht ihre gemeinsame Erfahrung des Verlusts,

jedenfalls war ich überzeugt, dass diese beiden Geschöpfe sich austauschten und in einer stillen Sprache miteinander redeten.

»Dein Kind wird versorgt sein«, erklärte ich.

Die Augen des Drachen leuchteten heller, dann verdunkelten sie sich schnell. »Nie habe ich jemand oder etwas gefürchtet«, keuchte er. »Bis heute. Doch während des Kampfes hatte ich keine Angst vor einem Angriff der Kreelixe, sondern vor dem Tod meines Kindes.« Ein neuer Hustenanfall quälte seinen Körper bis zu den Schwanzstacheln. »Und jetzt ... jetzt merke ich, wie ich etwas anderes fürchte.«

»Was?«

»Den Tod. Meinen eigenen Tod! Ein Drache verlangt nach Leben, verschlingt es. Schluckt es in großen, überladenen Bissen! Er wird nicht leicht erschlagen – und stirbt nicht friedlich. Er wehrt sich ...« Er hielt inne und versuchte einen Husten zu unterdrücken. »Bis zuletzt.« Seine kummervollen, jetzt stumpfgelben Augen musterten mich. »Aber ich kann mich nicht mehr wehren. Und jetzt, junger Zauberer ... fürchte ich mich.«

Langsam trat ich auf das riesige Gesicht zu. Ich streckte die Hand aus und berührte die vorstehende Stirn über einem Auge. Ohne zu wissen, woher die Worte kamen, sagte ich: »Schau nur auf das Licht, Feuerflügel ... Geh zu ihm. Flieg zu ihm. Dein Kind wird bei dir sein. Und ich auch.«

Valdearg stieß einen letzten Atemzug mit einem letzten Rauchwölkchen aus. Das Licht in seinen Augen erlosch. Sie schlossen sich für immer.

XXXI

EINE HÖHERE MACHT

Einen langen Moment verharrten wir so still wie das verkohlte Land um uns herum, so still wie der tote Drache. Nur der Nestling regte sich von Zeit zu Zeit und rieb die Schnauze am leblosen Körper seines Vaters.

Schließlich trat Hallia auf das Drachenbaby zu. Im Gehen verwandelte sich ihre Hirschgestalt in die einer kräftigen jungen Frau. Die ganze Zeit waren ihre seelenvollen Augen auf den Nestling geheftet. Als sie näher kam, rollte das Geschöpf den lavendelfarbenen Schwanz auf und klopfte damit ängstlich auf den Boden. Hallia begann eine langsame, besänftigende Melodie zu singen, die an grüne Wiesen und sonnenbeglänzte Flüsse denken ließ. Als sie bei dem kleinen Drachen war, hielt der den Schwanz still. Mit einer einzigen, anmutigen Bewegung setzte sie sich und sang dabei weiter.

Ionn und ich folgten ihrem Beispiel und gesellten uns zu den beiden. Das schwarze Fell des Hengstes schimmerte in der Mittagssonne, als er zum Gruß den Kopf zurückwarf. Der kleine Drache – halb so groß wie Ionn, aber viel magerer – zögerte zuerst, dann antwortete er auf die gleiche Art. Doch als er den Kopf zurückwarf, bespritzte er uns mit orangen Tropfen. Hallia und ich tauschten Blicke, wir wussten, dass es Tränen waren.

Hallia hörte auf zu singen. Sie legte den Kopf zur Seite

und betrachtete den Nestling voller Mitgefühl. »Dein Verlust ist noch schwerer als meiner, Junges. Wenigstens kannte ich meinen Bruder gut. So gut, dass ich ihn immer noch atmen höre und seine Gedanken kenne, fast bevor ich meine eigenen gedacht habe.«

Vorsichtig streckte ich die Hand aus und streichelte das widerspenstige Ohr des kleinen Drachen. Obwohl es so steif wie ein Ast abstand und länger als mein Unterarm war, fühlte es sich erstaunlich weich an. Winzige violette Haare bedeckten es völlig. Der Drache wimmerte leise, dann senkte er die Schnauze auf meine Füße. Plötzlich packte er mit dem Maul einen meiner Stiefel und riss daran, wodurch ich der Länge nach auf den Rücken fiel.

Hallia lachte. »Er erkennt dich.«

Trotz meines schmerzenden Rückens musste ich ebenfalls lachen. »Vor allem erkennt er meinen Stiefel. Daraus habe ich ihn bei unserer ersten Begegnung gefüttert.«

Der kleine Drache zog wieder und bekam den Stiefel frei. Es war der gleiche Stiefel, fiel mir ein, an dem ich selbst vor langer Zeit gekaut hatte, als ich Valdeargs Höhle aufgesucht hatte. Bevor ich danach greifen konnte, warf der Nestling den Kopf zurück und verschluckte den Stiefel ganz. Ich schrie auf, aber es war zu spät. Mein Stiefel war weg.

Ionn stieß ein Schnauben aus, das einem herzhaften Gelächter glich. Plötzlich stand er wie angewurzelt und stellte die Ohren auf. Er schwang den Kopf zur Seite und stampfte mit dem Huf auf den Boden. Hallia sprang auf die Füße. Wir folgten beide Ionns Blick.

Eine Gruppe kleiner gedrungener Gestalten kam um den pyramidenförmigen Hügel herum. Schilder und

Brustpanzer blitzten in der Sonne. In der Mitte der Gruppe ging eine Gestalt mit einem Stock, die einen spitzen Hut auf dem wirren roten Haar trug. Urnalda.

In mir kochte die Wut, aber ich hielt den Mund. Obwohl mir ein Stiefel fehlte, straffte ich die Schultern und stand so aufrecht wie möglich da.

Urnaldas Muschelohrringe funkelten, als sie näher kam. Den Ausdruck ihrer Augen konnte ich nicht erkennen, aber ihr vorgeschobenes Kinn wirkte grimmig und selbstgerecht. Als die Gruppe nur noch ein paar Schritt von uns entfernt war, ging Urnalda langsamer und hob eine ihrer dicken Hände. Die anderen Zwerge blieben stehen und griffen nach ihren Äxten und Bogen.

Die Zauberin trat vor und musterte die Leiche des gefallenen Drachen. Als sie das Drachenbaby daneben sah, zuckte sie zurück, sagte aber nichts. Sie bemerkte die dampfende Pfütze, die mit dem Blut und den Überresten von Bachod und den Kreelixen verklumpt war.

Schließlich wandte sie sich an mich. »Ich sehe, deine Kräfte sein wiederhergestellt.«

Ich kniff die Augen zusammen. »Sie hatten mich nie verlassen, wie du weißt. Du hast mich nur mit deinen Tricks glauben lassen, sie wären verschwunden.«

»Das sein wahr.« Die Ohrringe klimperten, als sie nickte. »Ein Zauber, der Magie raubt, kann nur wirken, wenn das Opfer davon überzeugt sein, dass seine Kräfte zerstört wurden. Dann sein er und alle um ihn getäuscht. Das alles sein Teil von Urnaldas Plan.«

Ich schloss die Hand, in der ich immer noch die Saite meines Psalters hielt, zur Faust. »Und gehörte es auch zu deinem Plan, Valdeargs Junge bis auf eins umzubringen?«

»Nein«, antwortete sie kühl und drehte die Spitze ihres Stocks in der geschwärzten Erde. »Aber das sein kein schlechtes Ergebnis.«

»Und was ist mit den Kreelixen? Waren sie auch in deinem Plan vorgesehen? Dank deiner Hilfe haben sie diesen Drachen getötet – und hätten auch dich und mich und jedes andere magische Geschöpf in Fincayra umgebracht.« Ich senkte die Stimme zu einem Knurren. »In deiner Überheblichkeit, Urnalda, hättest du beinah Rhita Gawr die Tür geöffnet! Es war sein Plan, nicht deiner, der deine Handlungen bestimmte. Ich glaube, du hast es unwissentlich getan, aber du hast ihm trotzdem als Werkzeug gedient.«

Ihr sonst so bleiches Gesicht wurde tiefrot. »Bah! Ich irre mich nie«, erklärte sie. Dann senkte sie nur einen Moment den Blick. »Es sein allerdings möglich, dass ich vorübergehend getäuscht worden sein.«

Sie streckte die Hand mit der Innenseite nach oben aus. Ein Blitz zerriss die Luft und ließ mehrere Zwerge zur Seite springen, wobei sie übereinander stolperten. Da, in ihrer Hand, lag mein Stock. Sie stieß ein paar Worte aus und er schwebte anmutig wirbelnd zu mir herüber.

Begierig griff ich danach und umklammerte ihn wie die ausgestreckte Hand eines alten Freundes. Mit meinem zweiten Gesicht betrachtete ich alle die vertrauten eingeschnitzten Symbole – den zersprungenen Stein, das Schwert, den Stern im Kreis und die übrigen. Die sieben Schritte zur Weisheit. Jetzt endlich fühlte ich mich wieder ganz hergestellt.

Urnalda beobachtete mich, während sie an einem ihrer Muschelohrringe spielte. »Das sein für das, was du getan hast, um meinem Volk zu helfen.«

Eine eindeutigere Entschuldigung würde ich nie von ihr zu hören bekommen. Ich wog den Stock in der Hand. »Betrachte mein Versprechen als erfüllt.«

Sie wies mit dem Kopf auf die geduckte Gestalt des Drachenbabys. »Jetzt bleibt nur noch eine Aufgabe. Lass uns gemeinsam das letzte dieser abscheulichen Ungeheuer vernichten.«

»Warte! Der Tod des alten Drachen könnte eine Chance sein. Ja, du hast richtig gehört – die alte Kluft zwischen den Drachen und uns zu überbrücken. Auch wenn es schwer fällt, könnten wir nicht versuchen das Kleine als unser Mitgeschöpf zu behandeln? Vielleicht sogar als unseren Freund? Es wäre immerhin möglich, dass es eines Tages uns auch so behandelt.«

»Mitgeschöpf? Freund?«, höhnte Urnalda. »Nie! Dafür habe ich viel zu viel vom Zorn des Drachen gesehen! Vielleicht hast du deine Kräfte wiedergefunden, aber jetzt verlierst du den Verstand.« Sie klatschte in die Hände. »Wachen! An die Waffen!«

Sofort legten die Zwerge neben ihr die Pfeile auf die Bogen und hoben die zweischneidigen Äxte. Kampfbereit standen sie da und warteten auf ihren nächsten Befehl.

Ich stieß meinen Stock in den Boden und zersplitterte dabei ein Stück Holzkohle. »Hört meine Worte, ihr alle! Dieser Drache soll leben.« Ich starrte Urnalda wütend an, ging einen Schritt näher und beugte den Kopf zu ihr. »Wenn du oder jemand aus deinem Volk je versuchen sollte diesem Drachen etwas anzutun, egal wie und warum, werdet ihr es mit meinem Zorn zu tun bekommen. Dem Zorn ... eines Zauberers. Was diesen Kreelixen dort drüben zugestoßen ist, wird nichts sein im Vergleich zu dem, was euch bevorsteht.«

Lange betrachtete mich die Zauberin finster. Die Luft zwischen uns fing an zu knistern, winzige Funken flogen. Dann drehte sie sich ohne ein weiteres Wort um und ging den Weg zurück, den sie gekommen war. Eilig steckten ihre untersetzten Krieger die Waffen weg und folgten ihr, sie marschierten, so schnell sie konnten, um mit ihr Schritt zu halten.

Ich sah ihnen nach, bis sie abbogen und hinter dem Hügel verschwanden.

Ionn schubste mich am Arm. Ich streichelte ihm den Hals und starrte immer noch auf den Fleck, wo ich Urnaldas Hut zuletzt gesehen hatte. Plötzlich schrie Hallia auf. Der Hengst und ich fuhren herum und sahen, wie sie auf die dampfende Pfütze deutete, in der die Reste der Kreelixe brodelten.

Aus den Dämpfen bildete sich eine Gestalt. Ein Kopf – ohne Haare, mit krummen Zähnen und einer Warze mitten auf der Stirn. Ich erkannte Domnu und machte mich auf Schlimmes gefasst. Als die Hexe den Mund zu einem grässlichen Lächeln verzog, züngelten blaue Flammen am Rande der Pfütze.

»Nun, meine Süßen, ihr habt überlebt. Ich hätte es nicht vorausgesagt.« Die Flammen blähten sich auf und sammelten sich um ihre Augen. »Sogar mein kleines Pony da drüben hat überlebt.«

Ionn stampfte mit dem Huf auf und wieherte trotzig.

Die dunstige Erscheinung schwankte mit dem aufsteigenden Dampf und runzelte die Kopfhaut. »Nun, wie steht es mit deinem Pfand?«

Ich schüttelte den Kopf. »Der Galator ist verloren. Unter einem Lavaberg begraben.«

Blaue Flammen sprangen aus ihren Augen. »Du würdest dir doch nicht einfallen lassen mich zu betrügen, oder?«

»Nein«, entgegnete ich. »Im Gegensatz zu manchen Leuten breche ich nicht mein Wort.« Ich deutete auf die siedende Pfütze hinter ihr. »Aber der Dieb, der ihn aus deinem Bau gestohlen hat, wird dich nicht mehr belästigen.«

Domnu verzog das Gesicht in viele finstere Falten. »Beim Skelett des Skarabäus! Weg, bevor ich Gelegenheit hatte, mit ihm zu spielen! Nun ... sei's drum. Die Farbe des verdammten Dings hat mir sowieso nicht gefallen. Lebt wohl, meine Süßen.«

Sofort brach die Pfütze in einen Strudel blauer Flammen aus. Als sie einen Moment später im aufsteigenden Dampf erloschen, war das Gesicht der Hexe verschwunden. Ich stützte mich auf meinen Stock und betrachtete weiter die Pfütze.

Hallias klingende Stimme durchbrach die Stille. »Merlin?«

Ich drehte mich zu ihr um. Wie glücklich war ich diese Augen wieder zu sehen! Erneut durchflutete mich Dankbarkeit, dass sie der Gefahr entkommen war. Und zu meiner Überraschung noch etwas anderes, mächtiger als Dankbarkeit.

»Erinnerst du dich«, fragte sie leise, »wie ich in der Höhle des Orakels sagte, du hättest eine bestimmte Art Magie?«

»Ja. Und ich erinnere mich auch, dass du ihr keinen Namen geben konntest.«

Sie nickte langsam. »Nun, jetzt kann ich es. Nenne es die Kraft des Verstehens. Über Barrieren zu springen, Sinn in Spuren zu finden. Und so stark auch ein Drache oder ein Kreelix oder selbst ein Galator sein mögen, das ist etwas noch Stärkeres. Trotz all ihrer Macht ist es wirklich eine noch höhere Macht.«

Ich drehte die Saite meines Psalters zwischen den Fingern und lächelte beinah.

»Aber vergiss nicht«, Hallia gab mir einen kleinen Stoß, »selbst ein großer Zauberer braucht zwei Stiefel, nicht nur einen.«

Ich bewegte die Zehen meines nackten Fußes. »Es sei denn, er könnte laufen wie ein Hirsch.«

Sie schaute mich nachdenklich an. »Oder fliegen ... wie ein junger Falke.«

INHALT

TEIL DREI

W

O

S

VERLORENI

DIE

Ruinen von Varigal
gibt es hier Riesen?

See des Gesichts

*Zwerge wurden hier
zuletzt gese*

lebende Steine   TUATHAS
+ Grab
Furt

Kristallhöhle der
großen Elusa
Obstgart

DIE UMNEBELTEN HÜGEL

Arbassa,
Heim von Rhia

Der unaufhörliche Fluss

DRUMAWALD

Vergessene

Bäumlinge lebten einst hier

Insel

Die letzte Shomorra

Strand der sprechenden Muscheln

*hier wurde
Verdruss
gefunden*

Dünen

Emrys' Landeplatz

I. SCHOENHERR. MCMXCVI

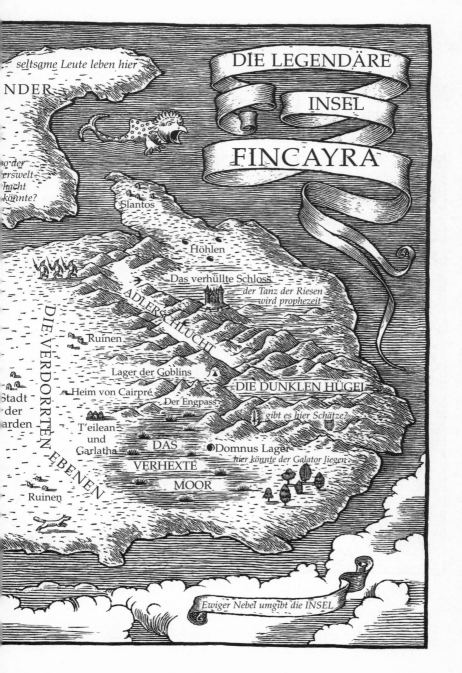

DIE LEGENDÄRE
INSEL
FINCAYRA

seltsame Leute leben hier

NDER

o der
erswelt
hacht
könnte?

Slantos

Höhlen

Das verhüllte Schloss
*der Tanz der Riesen
wird prophezeit*

ADLERSCHLUCHT

Ruinen

Lager der Goblins

DIE DUNKLEN HÜGEL

Heim von Cairpré

Der Engpass

DIE VERDORRTEN EBENEN

gibt es hier Schätze?

Stadt
der
arden

T'eilean
und
Garlatha

DAS

Domnus Lager
hier könnte der Galator liegen

VERHEXTE

Ruinen

MOOR

Ewiger Nebel umgibt die INSEL

Zu den DUNKLEN HÜGELN

gibt es hier
Kreelixe?

Domnus Lager
hier könnte der Galator
liegen

DAS

VERHEXTE

MOOR

Das Rad von Wye

verborgene Höhlen

hier geht es zu

den

Der legendäre
Carpet Caerlochlann

VERDORRTEN

wurde hier gefunden

EBENEN

Das Gebiet der

RAUCHENDEN KLIPPEN

Alte Heimat des Mellwyn-bri-Meath-Klans

IAN·SCHOENHERR

MCMXCVIII

Ein Roman
voller Zauber und Magie!

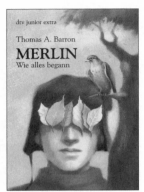

Band 70571

Als Emrys mit seiner Mutter Branwen an die Küste gespült wird, hat er all seine Erinnerungen verloren. Branwen erzählt ihm in den folgenden Jahren zwar viel vom Leben anderer Völker, weigert sich jedoch über Emrys' eigene Herkunft und Vergangenheit zu sprechen. Nach und nach entdeckt Emrys seine übernatürlichen Kräfte. Unerfahren im Umgang damit macht er an falscher Stelle von ihnen Gebrauch und erblindet. Doch da stellt Emrys fest, dass er das »zweite Gesicht« hat ...

dtv junior extra

Band 70518 Ab 14

Medraut – König Artus' ältester Sohn – hat die besten Voraussetzungen um einmal ein kluger, mutiger und gelehrter König zu werden. Doch seine uneheliche Geburt steht dem im Wege. Als Artus dann auch Medrauts Halbbruder und rechtmäßigen Thronerben Lleu zu seinem Nachfolger ernennt, entfacht er damit einen erbitterten Kampf zwischen den beiden ungleichen Brüdern ...

Band 70542 Ab 14

Das Mädchen Mila ist bei Delphinen aufgewachsen. Sie kann sich nicht daran erinnern, je unter Menschen gelebt zu haben. Die Delphine sind ihre Familie, das Meer ist ihr Zuhause. Als sie von Forschern entdeckt und in die Zivilisation entführt wird, ist ihr alles Vertraute genommen. Langsam beginnt sie sich in der Welt der Menschen zu orientieren, lernt ihre Sprache und übt sich in ihren Gewohnheiten. Doch in ihr nagt eine Sehnsucht, die immer stärker wird ...

<u>dtv</u> junior extra

Anna ist so schüchtern, dass sie am liebsten unsichtbar sein möchte. Heimlich legt sie in den Mauern ihres Elternhauses Geheimgänge an. Als sie eingeschult werden soll, verschwindet sie in den Wänden des alten Hauses. Hier nimmt Anna jahrelang unsichtbar am Leben ihrer Familie teil, bis sie eines Tages einen Liebesbrief in einer Mauerritze findet ...

Band 70596 Ab 12